Suhrkamp BasisBibliothek 93

Diese Ausgabe der »Suhrkamp BasisBibliothek – Arbeitstexte für Schule und Studium« bietet Heinrich von Kleists Erzählungen *Das Erdbeben in Chili, Die Marquise von O....* und *Die Verlobung in St. Domingo.* Ergänzt wird diese Edition von einem Kommentar, der alle für das Verständnis der Erzählungen erforderlichen Informationen enthält: die Entstehungsgeschichte, Dokumente zur zeitgenössischen Wirkung, einen Überblick über die verschiedenen Deutungsansätze, Literaturhinweise sowie Wort- und Sacherläuterungen. Die Schreibweise des Kommentars entspricht den neuen Rechtschreibregeln.

Zu ausgesuchten Texten der Suhrkamp BasisBibliothek erscheinen im Cornelsen Verlag Hörbücher und CD-ROMs. Weitere Informationen erhalten Sie unter www.cornelsen.de.

Helmut Nobis, geb. 1947, lebt und arbeitet in Krefeld. Veröffentlichungen zu Friedrich Schiller (SBB 88), Christoph Martin Wieland, Heinrich Heine, Theodor Fontane (SBB 81), Gabriel García Márquez, zum bürgerlichen Trauerspiel, zur Literaturtheorie und -methodologie sowie zur Literaturgeschichtsschreibung.

Heinrich von Kleist
Das Erdbeben in Chili
Die Marquise von O....
Die Verlobung in St. Domingo

Mit einem Kommentar
von Helmut Nobis

Suhrkamp

Der vorliegende Text folgt der Ausgabe: Heinrich von Kleist. Sämtliche Werke und Briefe in vier Bänden. Bd. 3: Sämtliche Erzählungen, Anekdoten, Gedichte, Schriften. Herausgegeben von Klaus Müller-Salget. Frankfurt am Main: Deutscher Klassiker Verlag 1990, S. 187–221, S. 143–186, S. 222–260.

Originalausgabe
Suhrkamp BasisBibliothek 93
Erste Auflage 2009

Satz: pagina GmbH, Tübingen
Druck: CPI – Ebner & Spiegel, Ulm
Umschlaggestaltung: Regina Göllner und Hermann Michels
Printed in Germany

ISBN 978-3-518-18893-4

1 2 3 4 5 6 – 14 13 12 11 10 09

Inhalt

Das Erdbeben in Chili
Die Marquise von O....
Die Verlobung in St. Domingo

Das Erdbeben in Chili*

In ⌐St. Jago, der Hauptstadt des Königreichs Chili¬, stand gerade in dem Augenblicke der großen Erderschütterung vom Jahre 1647, bei welcher viele tausend Menschen ihren
5 Untergang fanden, ein junger, ⌐auf ein Verbrechen angeklagter¬ Spanier, Namens ⌐Jeronimo Rugera¬, an einem Pfeiler des Gefängnisses, in welches man ihn eingesperrt hatte, und wollte sich erhenken. *Don* Henrico Asteron*, einer der reichsten Edelleute der Stadt, hatte ihn ungefähr
10 ein Jahr zuvor aus seinem Hause, wo er als Lehrer angestellt war, entfernt, weil er sich mit *Donna ⌐Josephe¬*, seiner einzigen Tochter, in einem zärtlichen Einverständnis befunden hatte. Eine geheime Bestellung*, die dem alten Don, nachdem er die Tochter nachdrücklich gewarnt hatte,
15 durch die hämische* Aufmerksamkeit seines stolzen Sohnes verraten worden war, entrüstete ihn dergestalt, daß er sie in dem ⌐Karmeliter-Kloster unsrer lieben Frauen vom Berge¬ daselbst unterbrachte. Durch einen glücklichen Zufall hatte Jeronimo hier die Verbindung von neuem anzu-
20 knüpfen gewußt, und in einer verschwiegenen Nacht den Klostergarten* zum Schauplatze seines vollen Glückes gemacht. Es war am ⌐Fronleichnamsfeste¬, und die feierliche Prozession der Nonnen, welchen die Novizen* folgten, nahm eben ihren Anfang, als die unglückliche Josephe, bei
25 dem Anklange der Glocken, in Mutterwehen auf den Stufen der Kathedrale niedersank. Dieser Vorfall machte außerordentliches Aufsehn; man brachte die junge Sünderin, ohne Rücksicht auf ihren Zustand, sogleich in ein Gefängnis, und kaum war sie aus den Wochen* erstanden, als ihr
30 schon, auf Befehl des Erzbischofs, ⌐der geschärfteste Prozeß¬ gemacht ward. Man sprach in der Stadt mit einer so großen Erbitterung von diesem Skandal, und die Zungen fielen so scharf über das ganze Kloster her, in welchem er

Damals übliche Schreibung des Landesnamens ›Chile‹

Span. Adelstitel (weibl.: Donna)

heimliche Verabredung

heimtückische, boshafte

Vgl. Erl. zu 23.1–2

Hier: Nonnen während der Probezeit

dem Wochenbett

sich zugetragen hatte, daß weder die Fürbitte der Familie
Asteron, noch auch sogar der Wunsch der Äbtissin selbst,
welche das junge Mädchen wegen ihres sonst untadelhaf-
ten Betragens lieb gewonnen hatte, die Strenge, mit welcher ⌜das klösterliche Gesetz⌝ sie bedrohte, mildern konnte. 5
Alles, was geschehen konnte, war, daß der ⌜Feuertod⌝, zu

(lat.) Ältere
verheiratete
Frauen

dem sie verurteilt wurde, zur großen Entrüstung der Matronen* und Jungfrauen von St. Jago, durch einen Macht-
spruch des Vizekönigs, in eine Enthauptung verwandelt
ward. Man vermietete in den Straßen, durch welche der 10
Hinrichtungszug gehen sollte, die Fenster, man trug die
Dächer der Häuser ab, und die frommen Töchter der Stadt
luden ihre Freundinnen ein, um dem Schauspiele, ⌜das der
göttlichen Rache gegeben wurde⌝, an ihrer schwesterlichen
Seite beizuwohnen. Jeronimo, der inzwischen auch in ein 15
Gefängnis gesetzt worden war, wollte die Besinnung verlieren, als er diese ungeheure Wendung der Dinge erfuhr.
Vergebens sann er auf Rettung: überall, wohin ihn auch

Fittich: Flügel
eines Vogels

der Fittig* der vermessensten Gedanken trug, stieß er auf
Riegel und Mauern, und ein Versuch, die Gitterfenster zu 20
durchfeilen, zog ihm, da er entdeckt ward, eine nur noch
engere Einsperrung zu. Er warf sich vor dem Bildnisse der
heiligen Mutter Gottes nieder, und betete mit unendlicher
Inbrunst zu ihr, als der Einzigen, von der ihm jetzt noch

Vgl. die
nahezu
identische
Wendung in
der *Marquise*,
70.5

Rettung kommen könnte. Doch der gefürchtete Tag* er- 25
schien, und mit ihm in seiner Brust die Überzeugung von
der völligen Hoffnungslosigkeit seiner Lage. ⌜Die Glocken,
welche Josephen zum Richtplatze begleiteten⌝, ertönten,
und Verzweiflung bemächtigte sich seiner Seele. Das Leben
schien ihm verhaßt, und er beschloß, sich durch einen 30
Strick, den ihm der Zufall gelassen hatte, den Tod zu geben.
Eben stand er, ⌜wie schon gesagt⌝, an einem Wandpfeiler,
und befestigte den Strick, der ihn dieser jammervollen Welt

Oberer Rand
von Säulen
oder Pfeilern

entreißen sollte, an eine Eisenklammer, die an dem Ge-
simse* derselben eingefugt war; als plötzlich der größte 35

Teil der Stadt, mit einem Gekrache, ⌜als ob⌝ das Firma- Himmels-
gewölbe
ment* einstürzte, versank, und alles, was Leben atmete,
unter seinen Trümmern begrub. Jeronimo Rugera war
starr vor Entsetzen; und gleich als ob sein ganzes Bewußt-
5 sein zerschmettert worden wäre, hielt er sich jetzt an dem
Pfeiler, an welchem er hatte sterben wollen, um nicht um-
zufallen. Der Boden wankte unter seinen Füßen, alle
Wände des Gefängnisses rissen, der ganze Bau neigte sich,
nach der Straße zu einzustürzen, und nur der, seinem lang-
10 samen Fall begegnende, Fall des gegenüberstehenden Gebäudes verhinderte, durch eine zufällige Wölbung, die
gänzliche Zubodenstreckung desselben. Zitternd, mit
sträubenden Haaren, und Knien, die unter ihm brechen
wollten, glitt Jeronimo über den schiefgesenkten Fußbo-
15 den hinweg, der Öffnung zu, die der Zusammenschlag beider Häuser in die vordere Wand des Gefängnisses eingeris-
sen hatte. Kaum befand er sich im Freien, als die ganze,
schon erschütterte Straße auf eine zweite Bewegung der
Erde völlig zusammenfiel. Besinnungslos*, wie er sich aus Ohne einen
klaren
Gedanken
fassen zu
können
20 diesem allgemeinen Verderben retten würde, eilte er, über
Schutt und Gebälk hinweg, indessen der Tod von allen Seiten Angriffe auf ihn machte, nach einem der nächsten Tore
der Stadt. ⌜Hier⌝ stürzte noch ein Haus zusammen, und
jagte ihn, die Trümmer weit umherschleudernd, in eine
25 Nebenstraße; hier leckte die Flamme schon, in Dampf-
wolken blitzend, aus allen Giebeln, und trieb ihn schrek-
kenvoll in eine andere; hier wälzte sich, aus seinem Gestade
gehoben, der Mapochofluß* auf ihn heran, und riß ihn Eigentl.
Mapocha,
Nebenfluss
des südl. von
Santiago
fließenden
Maypo
brüllend in eine dritte. Hier lag ein Haufen Erschlagener,
30 hier ächzte noch eine Stimme unter dem Schutte, hier
schrien Leute von brennenden Dächern herab, hier kämpf-
ten Menschen und Tiere mit den Wellen, hier war ein mu-
tiger Retter bemüht, zu helfen; hier stand ein Anderer,
bleich wie der Tod, und ⌜streckte sprachlos zitternde
35 Hände zum Himmel⌝. Als Jeronimo das Tor erreicht, und

einen Hügel jenseits desselben bestiegen hatte, sank er ohnmächtig auf demselben nieder. Er mochte wohl eine Viertelstunde in der tiefsten Bewußtlosigkeit gelegen haben, als er endlich wieder erwachte, und sich, ⌐mit nach der Stadt gekehrtem Rücken⌐, halb auf dem Erdboden erhob. Er befühlte sich Stirn und Brust, unwissend, was er aus seinem Zustande machen sollte, und ein unsägliches Wonnegefühl ergriff ihn, als ein Westwind, vom Meere her, sein wiederkehrendes Leben anwehte, und sein Auge sich nach allen Richtungen über die blühende Gegend von St. Jago hinwandte. Nur die verstörten Menschenhaufen, die sich überall blicken ließen, beklemmten sein Herz; er begriff nicht, was ihn und sie hiehergeführt haben konnte, und erst, da er sich umkehrte, und die Stadt hinter sich versunken sah, erinnerte er sich des schrecklichen Augenblicks, den er erlebt hatte. Er senkte sich so tief, daß seine Stirn den Boden berührte, Gott für seine wunderbare Errettung zu danken; und gleich, als ob der eine entsetzliche Eindruck, der sich seinem Gemüt eingeprägt hatte, alle früheren daraus verdrängt hätte, weinte er vor Lust, daß er sich des lieblichen Lebens, voll bunter Erscheinungen, noch erfreue. Drauf, als er eines Ringes an seiner Hand gewahrte, erinnerte er sich plötzlich auch Josephens; und mit ihr seines Gefängnisses, der Glocken, die er dort gehört hatte, und des Augenblicks, der dem Einsturze desselben vorangegangen war. Tiefe Schwermut erfüllte wieder seine Brust; sein Gebet fing ihn zu reuen an, und fürchterlich schien ihm das Wesen, das über den Wolken waltet. Er mischte sich unter das Volk, das überall, mit Rettung des Eigentums beschäftigt, aus den Toren stürzte, und wagte schüchtern nach der Tochter Asterons, und ob die Hinrichtung an ihr vollzogen worden sei, zu fragen; doch niemand war, der ihm umständliche* Auskunft gab. ⌐Eine Frau, die auf einem fast zur Erde gedrückten Nacken eine ungeheure Last von Gerätschaften und zwei Kinder, an der Brust hän-

detaillierte,
ausführliche,
genaue

gend, trug⌝, sagte im Vorbeigehen, als ob sie es selbst angesehen hätte: daß sie enthauptet worden sei. Jeronimo kehrte sich um; und da er, wenn er die Zeit berechnete, selbst an ihrer Vollendung nicht zweifeln konnte, so setzte er sich in einem einsamen Walde nieder, und überließ sich seinem vollen Schmerz. Er wünschte, daß die zerstörende Gewalt der Natur von neuem über ihn einbrechen möchte. Er begriff nicht, warum er dem Tode, den seine jammervolle Seele suchte, in jenen Augenblicken, da er ihm freiwillig von allen Seiten rettend erschien, entflohen sei. Er nahm sich fest vor, nicht zu wanken, wenn auch jetzt die Eichen entwurzelt werden, und ihre Wipfel über ihn zusammenstürzen sollten. Darauf nun, da er sich ausgeweint hatte, und ihm, mitten unter den heißesten Tränen, die Hoffnung wieder erschienen war, stand er auf, und durchstreifte nach allen Richtungen das Feld. Jeden Berggipfel, auf dem sich die Menschen versammelt hatten, besuchte er; auf allen Wegen, wo sich der Strom der Flucht noch bewegte, begegnete er ihnen; wo nur irgend ein weibliches Gewand im Winde flatterte, da trug ihn sein zitternder Fuß hin: doch keines deckte die geliebte Tochter Asterons. Die Sonne neigte sich, und mit ihr seine Hoffnung schon wieder zum Untergange, als er den Rand eines Felsens betrat, und sich ihm die Aussicht in ein weites, nur von wenig Menschen besuchtes Tal eröffnete. Er durchlief, unschlüssig, was er tun sollte, die einzelnen Gruppen derselben, und wollte sich schon wieder wenden, als er plötzlich an einer Quelle, die die Schlucht bewässerte, ein junges Weib erblickte, beschäftigt, ⌜ein Kind in seinen Fluten zu reinigen⌝. Und das Herz hüpfte ihm bei diesem Anblick; er sprang voll Ahndung über die Gesteine herab, und rief: ⌜O Mutter Gottes, du Heilige! und erkannte Josephen⌝, als sie sich bei dem Geräusche schüchtern umsah. Mit welcher Seligkeit umarmten sie sich, ⌜die Unglücklichen, die ein Wunder des Himmels gerettet hatte⌝! Josephe war, auf ihrem Gang zum

Tode, dem Richtplatze schon ganz nahe gewesen, als durch
den krachenden Einsturz der Gebäude plötzlich der ganze
Hinrichtungszug aus einander gesprengt ward. Ihre ersten
entsetzensvollen Schritte trugen sie hierauf dem nächsten
Tore zu; doch die Besinnung kehrte ihr bald wieder, und sie   5
wandte sich, um nach dem Kloster zu eilen, wo ihr kleiner,
hülfloser Knabe zurückgeblieben war. Sie fand das ganze
Kloster schon in Flammen, und die Äbtissin, die ihr in
jenen Augenblicken, die ihre letzten sein sollten, Sorge
für den Säugling angelobt hatte, schrie eben, vor den Pfor-   10
ten stehend, nach Hülfe, um ihn zu retten. Josephe stürzte
sich, unerschrocken durch den Dampf, der ihr entgegen-
qualmte, in das von allen Seiten schon zusammenfallende
Gebäude, und gleich, als ob alle Engel des Himmels sie
umschirmten, trat sie mit ihm unbeschädigt wieder aus   15
dem Portal hervor. Sie wollte der Äbtissin, welche die
Hände über ihr Haupt zusammenschlug, eben in die Arme
sinken, als diese, mit fast allen ihren Klosterfrauen, von
einem herabfallenden Giebel des Hauses, auf eine schmäh-
liche* Art erschlagen ward. Josephe bebte bei diesem ent-   20
setzlichen Anblicke zurück; sie drückte der Äbtissin flüch-
tig die Augen zu, und floh, ganz von Schrecken erfüllt, den
teuern Knaben, den ihr der Himmel wieder geschenkt
hatte, dem Verderben zu entreißen. Sie hatte noch wenig
Schritte getan, ⌐als ihr auch schon die Leiche des Erzbi-   25
schofs begegnete, die man so eben zerschmettert aus dem
Schutt der Kathedrale hervorgezogen hatte. Der Palast des
Vizekönigs war versunken, der Gerichtshof, in welchem
ihr das Urteil gesprochen worden war, stand in Flammen,
und an die Stelle, wo sich ihr väterliches Haus befunden   30
hatte, war ein See getreten, und kochte rötliche Dämpfe
aus.⌐ Josephe raffte alle ihre Kräfte zusammen, sich zu halten. Sie schritt, den Jammer von ihrer Brust entfernend,
mutig mit ihrer Beute* von Straße zu Straße, und war schon
dem Tore nah, als sie auch das Gefängnis, in welchem Je-   35

entehrende,
erniedrigende

Vgl. auch
Marquise,
53.19

ronimo geseufzt hatte, in Trümmern sah. Bei diesem Anblicke wankte sie, und wollte besinnungslos an einer Ecke
niedersinken; doch in demselben Augenblick jagte sie der
Sturz eines Gebäudes hinter ihr, das die Erschütterungen
5 schon ganz aufgelös't hatten, durch das Entsetzen gestärkt,
wieder auf; sie küßte das Kind, drückte sich die Tränen aus
den Augen, und erreichte, nicht mehr auf die Greuel, die sie
umringten, achtend, das Tor. Als sie sich im Freien sahe,
schloß sie bald, daß nicht jeder, der ein zertrümmertes Ge-
10 bäude bewohnt hatte, unter ihm notwendig müsse zerschmettert worden sein. An dem nächsten Scheidewege
stand sie still, und harrte, ob nicht Einer, der ihr, nach dem
kleinen Philipp, der liebste auf der Welt war, noch erscheinen würde. Sie ging, weil niemand kam, und das Gewühl
15 der Menschen anwuchs, weiter, und kehrte sich wieder
um, und harrte wieder; und schlich, viel Tränen vergie-
ßend, in ein dunkles, von Pinien beschattetes Tal, um seiner
Seele, die sie entflohen glaubte, nachzubeten; und fand ihn
hier, diesen Geliebten, im Tale, und Seligkeit, als ob es ⌜das
20 Tal von Eden⌝ gewesen wäre. Dies Alles erzählte sie jetzt
voll Rührung dem Jeronimo, und reichte ihm, da sie vollendet hatte, den Knaben zum Küssen dar. – Jeronimo nahm
ihn, und hätschelte ihn in unsäglicher Vaterfreude, und verschloß ihm, da er das fremde Antlitz anweinte, mit Lieb-
25 kosungen ohne Ende den Mund. Indessen war die schönste
Nacht herabgestiegen, voll wundermilden Duftes, so sil-
berglänzend und still, ⌜wie nur ein Dichter davon träumen
mag⌝. Überall, längs der Talquelle, hatten sich, im Schimmer des Mondscheins, Menschen niedergelassen, und be-
30 reiteten sich sanfte Lager von Moos und Laub, um von einem so qualvollen Tage auszuruhen. Und weil die Armen
immer noch jammerten; dieser, daß er sein Haus, jener, daß
er Weib und Kind, und der dritte, daß er Alles verloren
habe: so schlichen Jeronimo und Josephe in ein dichteres
35 Gebüsch, um durch das heimliche Gejauchz ihrer Seelen

niemand zu betrüben. Sie fanden einen prachtvollen ⌜Granatapfelbaum⌝, der seine Zweige, voll duftender Früchte, weit ausbreitete; und ⌜die Nachtigall flötete im Wipfel ihr wollüstiges Lied⌝. Hier ließ sich Jeronimo am Stamme nieder, und Josephe in seinem, Philipp in Josephens Schoß, saßen sie, von seinem Mantel bedeckt, und ruhten. Der Baumschatten zog, mit seinen verstreuten Lichtern, über sie hinweg, und der Mond erblaßte schon wieder vor der Morgenröte, ehe sie einschliefen. Denn Unendliches hatten sie zu schwatzen vom Klostergarten* und den Gefängnissen, und was sie um einander gelitten hätten; und waren sehr gerührt, wenn sie dachten, wie viel Elend über die Welt kommen mußte, damit sie glücklich würden! Sie beschlossen, sobald die Erderschütterungen aufgehört haben würden, nach ⌜La Conception⌝ zu gehen, wo Josephe eine vertraute Freundin hatte, sich mit einem kleinen Vorschuß, den sie von ihr zu erhalten hoffte, ⌜von dort nach Spanien einzuschiffen⌝, wo Jeronimos mütterliche Verwandten wohnten, und daselbst ihr glückliches Leben zu beschließen. Hierauf, unter vielen Küssen, schliefen sie ein.

Als sie erwachten, stand die Sonne schon hoch am Himmel, und sie bemerkten in ihrer Nähe mehrere Familien, beschäftigt, sich am Feuer ein kleines Morgenbrot zu bereiten. Jeronimo dachte eben auch, wie er Nahrung für die Seinigen herbeischaffen sollte, als ein junger wohlgekleideter Mann, mit einem Kinde auf dem Arm, zu Josephen trat, und sie mit Bescheidenheit fragte: ob sie diesem armen Wurme, dessen Mutter dort unter den Bäumen beschädigt* liege, nicht auf kurze Zeit ihre Brust reichen wolle? Josephe war ein wenig verwirrt, als sie in ihm einen Bekannten erblickte; doch da er, indem er ihre Verwirrung falsch deutete, fortfuhr: es ist nur auf wenige Augenblicke, Donna Josephe, und dieses Kind hat, seit jener Stunde, die uns alle unglücklich gemacht hat, nichts genossen; so sagte sie: »ich schwieg – aus einem andern Grunde, Don Fernando;

Vgl. Erl. zu 23.1–2

verwundet, verletzt

in diesen schrecklichen Zeiten weigert sich niemand, von dem, was er besitzen mag, mitzuteilen*:« und nahm den kleinen Fremdling, indem sie ihr eigenes Kind dem Vater gab, und legte ihn an ihre Brust. Don Fernando war sehr
5 dankbar für diese Güte, und fragte: ob sie sich nicht mit ihm zu jener Gesellschaft* verfügen wollten, wo eben jetzt beim Feuer ein kleines Frühstück bereitet werde? Josephe antwortete, daß sie dies Anerbieten mit Vergnügen annehmen würde, und folgte ihm, da auch Jeronimo nichts ein-
10 zuwenden hatte, zu seiner Familie, wo sie auf das innigste und zärtlichste von Don Fernandos beiden Schwägerinnen, die sie als sehr würdige junge Damen kannte, empfangen ward. Donna Elvire, Don Fernandos Gemahlin, welche schwer an den Füßen verwundet auf der Erde lag, zog Jo-
15 sephen, da sie ihren abgehärmten* Knaben an der Brust derselben sah, mit vieler Freundlichkeit zu sich nieder. Auch Don Pedro, sein Schwiegervater, der an der Schulter verwundet war, nickte ihr liebreich mit dem Haupte zu. – In Jeronimos und Josephens Brust regten sich Gedanken
20 von seltsamer Art. Wenn sie sich mit so vieler Vertraulichkeit und Güte behandelt sahen, so wußten sie nicht, was sie von der Vergangenheit denken sollten, vom Richtplatze, von dem Gefängnisse, und der Glocke; und ob sie bloß davon geträumt hätten? Es war, als ob die Gemüter, seit
25 dem fürchterlichen Schlage, der sie durchdröhnt hatte, alle versöhnt wären. Sie konnten in der Erinnerung gar nicht weiter, als bis auf ihn, zurückgehen. Nur Donna Elisabeth, welche bei einer Freundin, auf das Schauspiel des gestrigen Morgens, eingeladen worden war, die Einladung aber
30 nicht angenommen hatte, ruhte zuweilen mit träumerischem Blicke auf Josephen; doch der Bericht, der über irgend ein neues gräßliches Unglück erstattet ward, riß ihre, der Gegenwart kaum entflohene Seele schon wieder in dieselbe zurück. ⌐Man erzählte, wie die Stadt gleich nach der
35 ersten Haupterschütterung von Weibern ganz voll gewe-

mit anderen zu teilen

Hier: Gruppe von Personen

ausgehungerten, unterernährten

Wiederaufnahme des Skandalons ›öffentliches Gebären‹, vgl. 9.24–26

sen, die vor den Augen aller Männer niedergekommen seien*; wie die Mönche darin, mit dem Kruzifix in der Hand, umhergelaufen wären, und geschrien hätten: das Ende der Welt sei da! wie man einer Wache, die auf Befehl des Vizekönigs verlangte, eine Kirche zu räumen, geant- 5 wortet hätte: es gäbe keinen Vizekönig von Chili mehr! wie der Vizekönig in den schrecklichsten Augenblicken hätte müssen Galgen aufrichten lassen, um der Dieberei Einhalt zu tun; und wie ein Unschuldiger, der sich von hinten durch ein brennendes Haus gerettet, von dem Besitzer aus 10 Übereilung ergriffen, und sogleich auch aufgeknüpft wor- den wäre.⌐ Donna Elvire, bei deren Verletzungen Josephe viel beschäftigt war, hatte in einem Augenblick, da gerade die Erzählungen sich am lebhaftesten kreuzten, Gelegen- heit genommen, sie zu fragen: wie es denn ihr an diesem 15 fürchterlichen Tag ergangen sei? Und da Josephe ihr, mit beklemmtem Herzen, einige Hauptzüge davon angab, so

war es ihr eine tiefe Freude

ward ihr die Wollust*, Tränen in die Augen dieser Dame treten zu sehen; Donna Elvire ergriff ihre Hand, und drückte sie, und winkte ihr, zu schweigen. Josephe dünkte 20 sich unter den Seligen. Ein Gefühl, das sie nicht unterdrük- ken konnte, nannte den verfloßnen Tag, so viel Elend er auch über die Welt gebracht hatte, eine Wohltat, wie der Himmel noch keine über sie verhängt hatte. Und in der Tat schien, mitten in diesen gräßlichen Augenblicken, in wel- 25 chen alle irdischen Güter der Menschen zu Grunde gingen, und die ganze Natur verschüttet zu werden drohte, der menschliche Geist selbst, wie eine schöne Blume, aufzu- gehn. ⌐Auf den Feldern, so weit das Auge reichte, sah man Menschen von allen Ständen durcheinander liegen, Für- 30 sten und Bettler, Matronen und Bäuerinnen, Staatsbeamte und Tagelöhner, Klosterherren und Klosterfrauen: einan- der bemitleiden, sich wechselseitig Hülfe reichen, von dem, was sie zur Erhaltung ihres Lebens gerettet haben mochten, freudig mitteilen, als ob das allgemeine Unglück Alles, was 35

ihm entronnen war, zu *einer* Familie gemacht hätte.⌉ Statt
der nichtssagenden Unterhaltungen, zu welchen sonst die
Welt an den Teetischen den Stoff hergegeben hatte, erzählte
man jetzt Beispiele von ungeheuern Taten: Menschen, die
5 man sonst in der Gesellschaft wenig geachtet hatte, hatten
⌈Römergröße⌉ gezeigt; Beispiele zu Haufen von Unerschrockenheit, von freudiger Verachtung der Gefahr, von
Selbstverleugnung und der göttlichen Aufopferung, von
ungesäumter Wegwerfung des Lebens, als ob es, dem
10 nichtswürdigsten Gute gleich, auf dem nächsten Schritte
schon wiedergefunden würde. Ja, da nicht Einer war, für
den nicht an diesem Tage etwas Rührendes geschehen
wäre, oder der nicht selbst etwas Großmütiges getan hätte,
so war der Schmerz in jeder Menschenbrust mit so viel
15 süßer Lust vermischt, daß sich, wie sie meinte, gar nicht
angeben ließ, ob die Summe des allgemeinen Wohlseins
nicht von der einen Seite um eben so viel gewachsen war,
als sie von der anderen abgenommen hatte. Jeronimo
nahm Josephen, nachdem sich beide in diesen Betrachtun-
20 gen stillschweigend erschöpft hatten, beim Arm, und
führte sie mit unaussprechlicher Heiterkeit unter den
schattigen Lauben des Granatwaldes auf und nieder. Er
sagte ihr, daß er, bei dieser Stimmung der Gemüter und
dem Umsturz aller Verhältnisse, seinen Entschluß, sich
25 nach Europa einzuschiffen, aufgebe; daß er vor dem Vizekönig, der sich seiner Sache immer günstig gezeigt, falls
er noch am Leben sei, einen Fußfall wagen würde; und daß
er Hoffnung habe, (wobei er ihr einen Kuß aufdrückte),
mit ihr in Chili zurückzubleiben. Josephe antwortete, daß
30 ähnliche Gedanken in ihr aufgestiegen wären; daß auch sie
nicht mehr, falls ihr Vater nur noch am Leben sei, ihn zu
versöhnen zweifle; daß sie aber statt des Fußfalles lieber
nach La Conception* zu gehen, und von dort aus schriftlich Vgl. Erl. zu
16.15
das Versöhnungsgeschäft mit dem Vizekönig zu betreiben
35 rate, wo man auf jeden Fall in der Nähe des Hafens wäre,

und für den besten, wenn das Geschäft die erwünschte
Wendung nähme, ja leicht wieder nach St. Jago zurückkehren könnte. Nach einer kurzen Überlegung gab Jeronimo

Vorsichts-
maßnahme

der Klugheit dieser Maßregel* seinen Beifall, führte sie
noch ein wenig, die heitern Momente der Zukunft über-   5
fliegend, in den Gängen umher, und ⌐kehrte mit ihr zur
Gesellschaft zurück⌐.

Inzwischen war der Nachmittag herangekommen, und die
Gemüter der herumschwärmenden Flüchtlinge hatten sich,
da die Erdstöße nachließen, nur kaum wieder ein wenig   10
beruhigt, als sich schon die Nachricht verbreitete, daß in
der Dominikanerkirche, der einzigen, welche das Erdbe-

Hier: Kloster-
vorsteher, Abt

ben verschont hatte, eine feierliche Messe von dem Präla-
ten* des Klosters selbst gelesen werden würde, den Himmel
um Verhütung fernerer Unglücks anzuflehen. Das Volk   15
brach schon aus allen Gegenden auf, und eilte in Strömen
zur Stadt. In Don Fernandos Gesellschaft ward die Frage
aufgeworfen, ob man nicht auch an dieser Feierlichkeit
Teil nehmen, und sich dem allgemeinen Zuge anschließen
solle? ⌐Donna Elisabeth erinnerte, mit einiger Beklem-   20
mung, was für ein Unheil gestern in der Kirche vorgefallen
sei⌐; daß solche Dankfeste ja wiederholt werden würden,
und daß man sich der Empfindung alsdann, weil die Gefahr schon mehr vorüber wäre, mit desto größerer Heiterkeit und Ruhe überlassen könnte. Josephe äußerte, indem 25
sie mit einiger Begeisterung sogleich aufstand, daß sie den
Drang, ihr Antlitz vor dem Schöpfer in den Staub zu legen,
niemals lebhafter empfunden habe, als eben jetzt, wo er

offenbare

seine unbegreifliche und erhabene Macht so entwickle*.
Donna Elvire erklärte sich mit Lebhaftigkeit für Josephens 30
Meinung. Sie bestand darauf, daß man die Messe hören
sollte, und rief Don Fernando auf, die Gesellschaft zu führen, worauf sich Alles, Donna Elisabeth auch, von den Sitzen erhob. Da man jedoch letztere, mit heftig arbeitender
Brust, die kleinen Anstalten zum Aufbruche zaudernd be-   35

treiben sah, und sie, auf die Frage: was ihr fehle? antwortete: sie wisse nicht, welch eine unglückliche Ahndung in ihr sei? so beruhigte sie Donna Elvire, und foderte sie auf, bei ihr und ihrem kranken Vater zurückzubleiben. Josephe sagte: so werden Sie mir wohl, Donna Elisabeth, diesen kleinen Liebling abnehmen, der sich schon wieder, wie Sie sehen, bei mir eingefunden hat. Sehr gern, antwortete Donna Elisabeth, und machte Anstalten ihn zu ergreifen; doch da dieser über das Unrecht, das ihm geschah, kläglich schrie, und auf keine Art darein willigte, so sagte Josephe lächelnd, daß sie ihn nur behalten wolle, und küßte ihn wieder still. Hierauf bot Don Fernando, dem die ganze Würdigkeit und Anmut ihres Betragens sehr gefiel, ihr den Arm; Jeronimo, welcher den kleinen Philipp trug, führte Donna Constanzen; die übrigen Mitglieder, die sich bei der Gesellschaft eingefunden hatten, folgten; und in dieser Ordnung ⌜ging der Zug nach der Stadt⌝. Sie waren kaum funfzig Schritte gegangen, als man Donna Elisabeth welche inzwischen heftig und heimlich mit Donna Elvire gesprochen hatte: Don Fernando! rufen hörte, und dem Zuge mit unruhigen Tritten nacheilen sah. Don Fernando hielt, und kehrte sich um; harrte ihrer, ohne Josephen loszulassen, und fragte, da sie, gleich als ob sie auf sein Entgegenkommen wartete, in einiger Ferne stehen blieb: was sie wolle? Donna Elisabeth näherte sich ihm hierauf, obschon, wie es schien, mit Widerwillen, und raunte ihm, doch so, daß Josephe es nicht hören konnte, einige Worte ins Ohr. Nun? fragte Don Fernando: und das Unglück, das daraus entstehen kann? Donna Elisabeth fuhr fort, ihm mit verstörtem Gesicht ins Ohr zu zischeln. Don Fernando stieg eine Röte des Unwillens ins Gesicht; er antwortete: es wäre gut! Donna Elvire möchte sich beruhigen; und führte seine Dame weiter. – Als sie in der Kirche der Dominikaner ankamen, ließ sich die Orgel schon mit musikalischer Pracht hören, und eine unermeßliche Menschenmenge wogte

darin. Das Gedränge erstreckte sich bis weit vor den Por-
talen auf den Vorplatz der Kirche hinaus, und an den Wänden hoch, in den Rahmen der Gemälde, hingen Knaben,
und hielten mit erwartungsvollen Blicken ihre Mützen in
der Hand. Von allen Kronleuchtern strahlte es herab, die 5
Pfeiler warfen, bei der einbrechenden Dämmerung, geheimnisvolle Schatten, ⌜die große von gefärbtem Glas ge-
arbeitete Rose in der Kirche äußerstem Hintergrunde
glühte, wie die Abendsonne selbst, die sie erleuchtete⌝, und
Stille herrschte, da die Orgel jetzt schwieg, in der ganzen 10
Versammlung, als hätte keiner einen Laut in der Brust. Niemals schlug aus einem christlichen Dom eine solche
Flamme der Inbrunst gen Himmel, wie heute aus dem Do-
minikanerdom zu St. Jago; und keine menschliche Brust
gab wärmere Glut dazu her, als Jeronimos und Josephens! 15
Die Feierlichkeit fing mit einer Predigt an, die der ältesten
Chorherren Einer, mit dem Festschmuck angetan, von der
Kanzel hielt. Er begann gleich mit Lob, Preis und Dank,
seine zitternden, vom Chorhemde weit umflossenen

Vgl. Erl. zu
11.34–35

Hände hoch gen Himmel erhebend*, daß noch Menschen 20
seien, auf diesem, in Trümmer zerfallenden Teile der Welt,
fähig, zu Gott empor zu stammeln. Er schilderte, was auf
den Wink des Allmächtigen geschehen war; das Weltgericht kann nicht entsetzlicher sein; und als er das gestrige
Erdbeben gleichwohl, auf einen Riß, den der Dom erhalten 25
hatte, hinzeigend, einen bloßen Vorboten davon nannte,
lief ein Schauder über die ganze Versammlung. Hierauf
kam er, im Flusse priesterlicher Beredsamkeit, auf das Sit-

Vgl. Erl. zu
12.4–5

tenverderbnis der Stadt; Greuel, wie Sodom und Gomorrha* sie nicht sahen, straft' er an ihr; und nur der un- 30
endlichen Langmut Gottes schrieb er es zu, daß sie noch
nicht gänzlich vom Erdboden vertilgt worden sei. Aber wie
dem Dolche gleich fuhr es durch die von dieser Predigt
schon ganz zerrissenen Herzen ⌜unserer beiden Unglückli-
chen⌝, als der Chorherr bei dieser Gelegenheit umständlich 35

Das Erdbeben in Chili

des Frevels erwähnte, der in dem ⌐Klostergarten der Kar-
meliterinnen⌐ verübt worden war; die Schonung, die er bei
der Welt gefunden hatte, gottlos nannte, und in einer von
Verwünschungen erfüllten Seitenwendung, die Seelen der
5 Täter, wörtlich genannt, allen Fürsten der Hölle übergab*! Vgl. Erl. zu
26.5
Donna Constanze rief, indem sie an Jeronimos Armen
zuckte: Don Fernando! Doch dieser antwortete so nachdrücklich und doch so heimlich, wie sich beides verbinden
ließ: »Sie schweigen, Donna, Sie rühren auch den Augapfel
10 nicht, und tun, als ob Sie in eine Ohnmacht versänken;
worauf wir die Kirche verlassen.« Doch, ehe Donna Constanze diese sinnreiche zur Rettung erfundene Maßregel
noch ausgeführt hatte, rief schon eine Stimme, des Chorherrn Predigt laut unterbrechend, aus: Weichet fern hin-
15 weg, ihr Bürger von St. Jago, hier stehen diese gottlosen
Menschen! Und als eine andere Stimme schreckenvoll, indessen sich ein weiter Kreis des Entsetzens um sie bildete,
fragte: wo? hier! versetzte ein Dritter, und zog, ⌐heiliger
Ruchlosigkeit voll⌐, Josephen bei den Haaren nieder, daß
20 sie mit Don Fernandos Sohne zu Boden getaumelt wäre,
wenn dieser sie nicht gehalten hätte. Seid ihr wahnsinnig?
rief der Jüngling, und schlug den Arm um Josephen: »ich
bin Don Fernando Ormez, Sohn des Commendanten der
Stadt, den ihr alle kennt.« Don Fernando Ormez? rief,
25 dicht vor ihn hingestellt, ein Schuhflicker, der für Josephen
gearbeitet hatte, und diese wenigstens so genau kannte, als
ihre kleinen Füße. Wer ist der Vater zu diesem Kinde?
wandte er sich mit frechem Trotz* zur Tochter Asterons. Anmaßung,
Herausfor-
derung
Don Fernando erblaßte bei dieser Frage. Er sah bald den
30 Jeronimo schüchtern an, bald überflog er die Versammlung, ob nicht Einer sei, der ihn kenne? Josephe rief, von
entsetzlichen Verhältnissen gedrängt: dies ist nicht mein
Kind, Meister Pedrillo*, wie er glaubt; indem sie, in unend- Diminutiv zu
Pedro, dem
Namen von
Donna Elvires
Vater
licher Angst der Seele, auf Don Fernando blickte: dieser
35 junge Herr ist Don Fernando Ormez, Sohn des Commen-

danten der Stadt, den ihr Alle kennt! Der Schuster fragte: wer von euch, ihr Bürger, kennt diesen jungen Mann? Und mehrere der Umstehenden wiederholten: wer kennt den Jeronimo Rugera? Der trete vor! Nun traf es sich, daß in demselben Augenblicke der kleine Juan, durch den Tumult 5 erschreckt, von Josephens Brust weg Don Fernando in die Arme strebte. Hierauf: Er *ist* der Vater! schrie eine Stimme; und: er *ist* Jeronimo Rugera! eine andere; und: sie *sind* die gotteslästerlichen Menschen! eine dritte; und: ⌜steinigt sie⌝! steinigt sie! die ganze im Tempel Jesu versammelte 10 Christenheit! Drauf jetzt Jeronimo: ⌜Halt! Ihr Unmensch-lichen!⌝ Wenn ihr den Jeronimo Rugera sucht: hier ist er! Befreit jenen Mann, welcher unschuldig ist! – Der wütende Haufen, durch die Äußerung Jeronimo's verwirrt, stutzte; mehrere Hände ließen Don Fernando los; und da in dem- 15 selben Augenblick ein Marine-Offizier von bedeutendem Rang herbeieilte, und, indem er sich durch den Tumult drängte, fragte: Don Fernando Ormez! Was ist euch wi-derfahren? so antwortete dieser, nun völlig befreit, mit wahrer heldenmütiger Besonnenheit: »Ja, sehen Sie, Don 20 Alonzo, die Mordknechte! Ich wäre verloren gewesen, wenn dieser würdige Mann sich nicht, die rasende Menge zu beruhigen, für Jeronimo Rugera ausgegeben hätte. Ver-haften Sie ihn, wenn Sie die Güte haben wollen, nebst die-ser jungen Dame, zu ihrer beiderseitigen Sicherheit; und 25 diesen Nichtswürdigen, indem er Meister Pedrillo ergriff, der den ganzen Aufruhr angezettelt hat!« Der Schuster rief: Don Alonzo Onoreja, ich frage euch auf euer Gewis-sen, ist dieses Mädchen nicht Josephe Asteron? Da nun Don Alonzo, welcher Josephen sehr genau kannte, mit der 30 Antwort zauderte, und mehrere Stimmen, dadurch von neuem zur Wut entflammt, riefen: sie ists, sie ists! und: bringt sie zu Tode! so setzte Josephe den kleinen Philipp, den Jeronimo bisher getragen hatte, samt dem kleinen Juan, auf Don Fernandos Arm, und sprach: gehn Sie, Don 35

Fernando, retten Sie Ihre beiden Kinder, und überlassen Sie uns unserm Schicksale! Don Fernando nahm die beiden Kinder und sagte: er wolle eher umkommen, als zugeben, daß seiner Gesellschaft* etwas zu Leide geschehe. Er bot

Hier: Familie

5 Josephen, nachdem er sich den Degen des Marine-Offiziers ausgebeten hatte, den Arm, und forderte das hintere Paar auf, ihm zu folgen. Sie kamen auch wirklich, indem man ihnen, bei solchen Anstalten, mit hinlänglicher Ehrerbietigkeit Platz machte, aus der Kirche heraus, und glaubten
10 sich gerettet. Doch kaum waren sie auf den von Menschen gleichfalls erfüllten Vorplatz derselben getreten, als eine Stimme aus dem rasenden Haufen, der sie verfolgt hatte, rief: dies ist Jeronimo Rugera, ihr Bürger, ⌐denn ich bin sein eigner Vater⌐! und ihn an Donna Constanzens Seite ⌐mit
15 einem ungeheuren Keulenschlage⌐ zu Boden streckte. Jesus Maria! rief Donna Constanze, und floh zu ihrem Schwager; doch: Klostermetze*! erscholl es schon, mit einem

Metze:
Dirne, Hure

zweiten Keulenschlage, von einer andern Seite, der sie leblos neben Jeronimo niederwarf. Ungeheuer! rief ein Unbe-
20 kannter: dies war Donna Constanze Xares! Warum belogen sie uns! antwortete der Schuster; sucht die rechte auf, und bringt sie um! Don Fernando, als er Constanzens Leichnam erblickte, glühte vor Zorn; er zog und schwang das Schwert, und hieb, daß er ihn gespalten hätte, den fa-
25 natischen Mordknecht, der diese Greuel veranlaßte, wenn derselbe nicht, durch eine Wendung, dem wütenden Schlag entwichen wäre. Doch da er die Menge, die auf ihn eindrang, nicht überwältigen konnte: leben Sie wohl, Don Fernando mit den Kindern! rief Josephe – und: hier mordet
30 mich, ihr blutdürstenden Tiger! und stürzte sich freiwillig unter sie, um dem Kampf ein Ende zu machen. Meister Pedrillo schlug sie mit der Keule nieder. Darauf ganz mit ihrem Blute besprützt: schickt ihr den Bastard* zur Hölle

Uneheliches
Kind

nach! rief er, und drang, mit noch ungesättigter Mordlust,
35 von neuem vor. Don Fernando, ⌐dieser göttliche Held⌐,

stand jetzt, den Rücken an die Kirche gelehnt; in der Linken hielt er die Kinder, in der Rechten das Schwert. Mit jedem Hiebe wetterstrahlte* er Einen zu Boden; ein Löwe wehrt sich nicht besser. Sieben Bluthunde lagen tot vor ihm, ⸢der Fürst der satanischen Rotte⸣ selbst war verwundet. Doch Meister Pedrillo ruhte nicht eher, als bis er der Kinder Eines bei den Beinen von seiner Brust gerissen, und, hochher im Kreise geschwungen, an eines Kirchpfeilers Ecke zerschmettert hatte. Hierauf ward es still, und Alles entfernte sich. Don Fernando, als er seinen kleinen Juan vor sich liegen sah, mit aus dem Hirne vorquellenden Mark, hob, voll namenlosen Schmerzes, seine Augen gen Himmel. Der Marine-Offizier fand sich wieder bei ihm ein, suchte ihn zu trösten, und versicherte ihn, daß seine Untätigkeit bei diesem Unglück, obschon durch mehrere Umstände gerechtfertigt, ihn reue; doch Don Fernando sagte, daß ihm nichts vorzuwerfen sei, und bat ihn nur, die Leichname jetzt fortschaffen zu helfen. Man trug sie alle, bei der Finsternis der einbrechenden Nacht, in Don Alonzos Wohnung, wohin Don Fernando ihnen, viel über das Antlitz des kleinen Philipp weinend, folgte. Er übernachtete auch bei Don Alonzo, und säumte lange, unter falschen Vorspiegelungen, seine Gemahlin von dem ganzen Umfang des Unglücks zu unterrichten; einmal, weil sie krank war, und dann, weil er auch nicht wußte, wie sie sein Verhalten bei dieser Begebenheit beurteilen würde; doch kurze Zeit nachher, durch einen Besuch zufällig von Allem, was geschehen war, benachrichtigt, weinte diese treffliche Dame im Stillen ihren mütterlichen Schmerz aus, und fiel ihm mit dem Rest einer erglänzenden Träne eines Morgens um den Hals und küßte ihn. Don Fernando und Donna Elvire nahmen hierauf den kleinen Fremdling zum Pflegesohn an; ⸢und wenn Don Fernando Philippen mit Juan verglich, und wie er beide erworben hatte*, so war es ihm fast, als müßt er sich freuen⸣.

Öfter gebrauchter Ausdruck bei Kleist; vgl. auch *Marquise,* 70.30

wie beide zu seinen Söhnen wurden

Das Erdbeben in Chili

⌐Die Marquise von O....¬

⌐In M..., einer bedeutenden Stadt im oberen Italien¬, ließ
die verwitwete Marquise* von O...., eine Dame von vor-
trefflichem Ruf, und Mutter von mehreren wohlerzogenen
5 Kindern, durch die Zeitungen bekannt machen: daß sie,
ohne ihr Wissen, in andre Umstände gekommen sei, daß der
Vater zu dem Kinde, das sie gebären würde, sich melden
solle; und daß sie, aus ⌐Familien-Rücksichten¬, entschlossen wäre, ihn zu heiraten. Die Dame, die einen so sonder-
10 baren, den Spott der Welt reizenden Schritt, beim Drang
unabänderlicher Umstände, mit solcher Sicherheit tat, war
die Tochter des Herrn von G...., Commendanten* der Zitadelle* bei M.... Sie hatte, vor ungefähr drei Jahren, ihren
Gemahl, den Marquis von O...., dem sie auf das Innigste
15 und Zärtlichste zugetan war, auf einer Reise verloren, die
er, in Geschäften der Familie, nach Paris gemacht hatte. Auf
Frau von G....s, ihrer würdigen Mutter, Wunsch, hatte sie,
nach seinem Tode, den Landsitz verlassen, den sie bisher bei
V.... bewohnt hatte, und war, mit ihren beiden Kindern, in
20 das Commendantenhaus, zu ihrem Vater, zurückgekehrt.
Hier hatte sie die nächsten Jahre mit Kunst, Lektüre, mit
Erziehung, und ihrer Eltern Pflege beschäftigt, in der größten Eingezogenheit* zugebracht: ⌐bis der .... Krieg plötzlich
die Gegend umher mit den Truppen fast aller Mächte und
25 auch mit russischen erfüllte¬. Der Obrist* von G...., welcher den Platz zu verteidigen Ordre hatte, forderte seine
Gemahlin und seine Tochter auf, sich auf das Landgut, entweder der letzteren, oder seines Sohnes, das bei V.... lag,
zurückzuziehen. Doch ehe sich die Abschätzung noch, hier
30 der Bedrängnisse, denen man in der Festung, dort der
Greuel, denen man auf dem platten Lande ausgesetzt sein
konnte, auf der Waage der weiblichen Überlegung entschieden hatte: war die Zitadelle von den russischen Trup-

(franz.)
Ehefrau eines
Marquis,
Markgräfin

(ital.) commen-
datore:
Kommandant,
Befehlshaber

(franz.) Kleine
Festung außer-
halb der Stadt-
mauern

Zurückge-
zogenheit

Oberst:
Befehlshaber
eines Heeres
oder einer
Heeresabtei-
lung

pen schon berennt*, und aufgefordert, sich zu ergeben. Der
Obrist erklärte gegen seine Familie, daß er sich nunmehr
verhalten würde, als ob sie nicht vorhanden wäre; und antwortete mit Kugeln und Granaten. Der Feind, seinerseits,
bombardierte die Zitadelle. Er steckte die Magazine in   5

Brand, eroberte ein Außenwerk*, und als der Commendant, nach einer nochmaligen Aufforderung, mit der Über-
gabe zauderte, so ordnete er einen nächtlichen Überfall an,
und eroberte die Festung mit Sturm.

Eben als die russischen Truppen, unter einem heftigen   10

Haubitzenspiel*, von außen eindrangen, fing der linke Flügel des Commendanten-Hauses Feuer und nötigte die
Frauen, ihn zu verlassen. Die Obristin, indem sie der Tochter, die mit den Kindern die Treppe hinabfloh, nacheilte,
rief, daß man zusammenbleiben, und sich in die unteren   15
Gewölbe flüchten möchte; doch eine Granate, die, eben in
diesem Augenblicke, in dem Hause zerplatzte, vollendete
die gänzliche Verwirrung in demselben. Die Marquise
kam, mit ihren beiden Kindern, auf den Vorplatz des
Schlosses, wo die Schüsse schon, im heftigsten Kampf,   20

durch die Nacht blitzten, und sie, besinnungslos*, wohin
sie sich wenden solle, wieder in das brennende Gebäude
zurückjagten. Hier, unglücklicher Weise, begegnete ihr, da
sie eben durch die Hintertür entschlüpfen wollte, ein
Trupp feindlicher Scharfschützen, der, bei ihrem Anblick,   25
plötzlich still ward, die Gewehre über die Schultern hing,
und sie, unter abscheulichen Gebärden, mit sich fortführte.
Vergebens rief die Marquise, von der entsetzlichen, sich

unter einander selbst bekämpfenden, Rotte* bald hier, bald
dorthin gezerrt, ihre zitternden, durch die Pforte zurück-   30
fliehenden Frauen, zu Hülfe. Man schleppte sie in den hinteren Schloßhof, wo sie eben, unter den schändlichsten
Mißhandlungen, zu Boden sinken wollte, als, von dem Ze-

tergeschrei der Dame herbeigerufen, ein russischer Offizier
erschien, und die Hunde*, die nach solchem Raub lüstern   35

waren, mit wütenden Hieben zerstreute. Der Marquise schien er ein Engel des Himmels* zu sein. Er stieß noch dem letzten viehischen Mordknecht*, der ihren schlanken Leib umfaßt hielt, mit dem Griff des Degens ins Gesicht, daß er, mit aus dem Mund vorquellendem Blut, zurücktaumelte; bot dann der Dame, unter einer verbindlichen, französischen Anrede den Arm, und führte sie, die von allen solchen Auftritten sprachlos war, in den anderen, von der Flamme noch nicht ergriffenen, Flügel des Palastes, ⌜wo sie auch völlig bewußtlos niedersank⌝. ⌜Hier – traf er, da bald darauf ihre erschrockenen Frauen erschienen, Anstalten, einen Arzt zu rufen; versicherte, indem er sich den Hut aufsetzte, daß sie sich bald erholen würde; und kehrte in den Kampf zurück.⌝

Der Platz war in kurzer Zeit völlig erobert, und der Commendant, der sich nur noch wehrte, weil man ihm keinen Pardon geben* wollte, zog sich eben mit sinkenden Kräften nach dem Portal des Hauses zurück, als der russische Offizier, sehr erhitzt im Gesicht, aus demselben hervortrat, und ihm zurief, sich zu ergeben. Der Commendant antwortete, daß er auf diese Aufforderung nur gewartet habe, reichte ihm seinen Degen dar*, und bat sich die Erlaubnis aus, sich ins Schloß begeben, und nach seiner Familie umsehen zu dürfen. Der russische Offizier, der, nach der Rolle zu urteilen, die er spielte, Einer der Anführer des Sturms zu sein schien, gab ihm, unter Begleitung einer Wache, diese Freiheit; setzte sich, mit einiger Eilfertigkeit, an die Spitze eines Detaschements*, entschied, wo er noch zweifelhaft sein mochte, den Kampf, und bemannte schleunigst die festen Punkte des Forts. Bald darauf kehrte er auf den Waffenplatz zurück, gab Befehl, der Flamme, welche wütend um sich zu greifen anfing, Einhalt zu tun, und leistete selbst hierbei Wunder der Anstrengung, als man seine Befehle nicht mit dem gehörigen Eifer befolgte. Bald kletterte er, den Schlauch in der Hand, mitten unter brennenden Gie-

Vgl. Erl. zu 74.19–21

Vgl. 28.35

sein Leben nicht schonen

Geste der Kapitulation

Kleinere Soldatengruppe mit besonderem Auftrag

beln umher, und regierte den Wasserstrahl; bald steckte er,
die Naturen* der Asiaten mit Schaudern erfüllend, in den
Arsenälen*, und wälzte Pulverfässer und gefüllte Bomben
heraus. Der Commendant, der inzwischen in das Haus getreten war, geriet auf die Nachricht von dem Unfall, der die
Marquise betroffen hatte, in die äußerste Bestürzung. Die
Marquise, die sich schon völlig, ohne Beihülfe des Arztes,
wie der russische Offizier vorher gesagt hatte, aus ihrer
Ohnmacht wieder erholt hatte, und bei der Freude, alle die
Ihrigen gesund und wohl zu sehen, nur noch, um die über-
mäßige Sorge derselben zu beschwichtigen, das Bett hütete,
versicherte ihn, daß sie keinen andern Wunsch habe, als
aufstehen zu dürfen, um ihrem Retter ihre Dankbarkeit zu
bezeugen. Sie wußte schon, daß er der Graf F..., Obristlieutenant vom t...n Jägerkorps*, und Ritter eines Ver-
dienst- und mehrerer anderen Orden war. Sie bat ihren
Vater, ihn inständigst zu ersuchen, daß er die Zitadelle
nicht verlasse, ohne sich einen Augenblick im Schloß gezeigt zu haben. Der Commendant, der das Gefühl seiner
Tochter ehrte, kehrte auch ungesäumt in das Fort zurück,
und trug ihm, da er unter unaufhörlichen Kriegsanordnun-
gen umherschweifte, und keine bessere Gelegenheit zu finden war, auf den Wällen, wo er eben die zerschossenen
Rotten revidierte*, den Wunsch seiner gerührten Tochter
vor. Der Graf versicherte ihn, daß er nur auf den Augenblick warte, den er seinen Geschäften würde abmüßigen*
können, um ihr seine Ehrerbietigkeit zu bezeugen. Er
wollte noch hören, wie sich die Frau Marquise befinde? als
ihn die Rapporte* mehrer Offiziere schon wieder in das
Gewühl des Krieges zurückrissen. Als der Tag anbrach, erschien der Befehlshaber der russischen Truppen, und be-
sichtigte das Fort. Er bezeugte dem Commendanten seine
Hochachtung, bedauerte, daß das Glück seinen Mut nicht
besser unterstützt habe, und gab ihm, auf sein Ehrenwort,
die Freiheit, sich hinzubegeben, wohin er wolle. Der Com-

das Gemüt

Waffen- und Gerätelagern

Leicht bewaffnete Reitertruppe

antreten und Verluste fest- stellen ließ abgewinnen

Meldungen, militär. Berichte

mendant versicherte ihn seiner Dankbarkeit, und äußerte,
wie viel er, an diesem Tage, den Russen überhaupt, und
besonders dem jungen Grafen F..., Obristlieutenant vom
t...n Jägerkorps, schuldig geworden sei. Der General
5 fragte, was vorgefallen sei; und als man ihn von dem fre-
velhaften Anschlag auf die Tochter desselben unterrichtete,
zeigte er sich auf das Äußerste entrüstet. Er rief den Grafen
F... bei Namen vor. Nachdem er ihm zuvörderst* wegen   zunächst
seines eignen edelmütigen Verhaltens eine kurze Lobrede
10 gehalten hatte: wobei der Graf über das ganze Gesicht rot   Damals
ward; schloß er, daß er die Schandkerle, die den Namen   übliche
des Kaisers* brandmarkten*, niederschießen lassen wolle;   Bezeichnung
                                                                   für den russ.
und befahl ihm, zu sagen, wer sie seien? Der Graf F...   Zaren
antwortete, in einer verwirrten Rede, daß er nicht im   entehrt hatten
15 Stande sei, ihre Namen anzugeben, indem es ihm, bei dem
schwachen Schimmer der Reverberen* im Schloßhof, un-   (franz.)
möglich gewesen wäre, ihre Gesichter zu erkennen. Der   Laternen,
General, welcher gehört hatte, daß damals schon das   deren Licht
                                                                  durch Metall
Schloß in Flammen stand, wunderte sich darüber; er be-   oder einen
20 merkte, wie man wohl bekannte Leute in der Nacht an   Spiegel
ihren Stimmen erkennen könnte; und gab ihm, da er mit   verstärkt wird
einem verlegenen Gesicht die Achseln zuckte, auf, der Sa-
che auf das allereifrigste und strengste nachzuspüren. In
diesem Augenblick berichtete jemand, der sich aus dem
25 hintern Kreise hervordrängte, daß Einer von den, durch
den Grafen F... verwundeten, Frevlern, da er in dem Korridor niedergesunken, von den Leuten des Commendanten
in ein Behältnis* geschleppt worden, und darin noch be-   Gefängnis
findlich sei. Der General ließ diesen hierauf durch eine
30 Wache herbeiführen, ein kurzes Verhör über ihn halten;
und die ganze Rotte, nachdem jener sie genannt hatte, fünf
an der Zahl zusammen, erschießen. Dies abgemacht*, gab   durchgeführt,
der General, nach Zurücklassung einer kleinen Besatzung,   erledigt
Befehl zum allgemeinen Aufbruch der übrigen Truppen;
35 die Offiziere zerstreuten sich eiligst zu ihren Korps*; der   Unterabteilung
                                                                   einer Armee

Graf trat, durch die Verwirrung der Auseinander-Eilenden, zum Commendanten, und bedauerte, daß er sich der Frau Marquise, unter diesen Umständen, gehorsamst empfehlen müsse: und in weniger, als einer Stunde, war das ganze Fort von Russen wieder leer. 5

Die Familie dachte nun darauf, wie sie in der Zukunft eine Gelegenheit finden würde, dem Grafen irgend eine Äußerung ihrer Dankbarkeit zu geben; doch wie groß war ihr Schrecken, als sie erfuhr, daß derselbe noch am Tage seines Aufbruchs aus dem Fort, in einem Gefecht mit den feindli- 10 chen Truppen, seinen Tod gefunden habe. Der Kurier, der diese Nachricht nach M… brachte, hatte ihn mit eignen Augen, tödlich durch die Brust geschossen, nach P…. tragen sehen, wo er, wie man sichere Nachricht hatte, in dem Augenblick, da ihn die Träger von den Schultern nehmen 15 wollten, verblichen war. Der Commendant, der sich selbst auf das Posthaus verfügte, und sich nach den näheren Umständen dieses Vorfalls erkundigte, erfuhr noch, daß er auf dem Schlachtfeld, in dem Moment, da ihn der Schuß traf, gerufen habe: ⌈»Julietta! Diese Kugel rächt dich!«⌉ und 20 nachher seine Lippen auf immer geschlossen hätte. Die Marquise war untröstlich, daß sie die Gelegenheit hatte vorbeigehen lassen, sich zu seinen Füßen zu werfen. Sie machte sich die lebhaftesten Vorwürfe, daß sie ihn, bei seiner, vielleicht aus Bescheidenheit, wie sie meinte, herrüh- 25 renden Weigerung, im Schlosse zu erscheinen, nicht selbst aufgesucht habe; ⌈bedauerte die Unglückliche, ihre Namensschwester⌉, an die er noch im Tode gedacht hatte; bemühte sich vergebens, ihren Aufenthalt zu erforschen, um sie von diesem unglücklichen und rührenden Vorfall zu un- 30 terrichten; und mehrere Monden* vergingen, ehe sie selbst ihn vergessen konnte.

Monate

Die Familie mußte nun das Commendantenhaus räumen, um dem russischen Befehlshaber darin Platz zu machen. Man überlegte anfangs, ob man sich nicht auf die Güter des 35

Commendanten begeben sollte, wozu die Marquise einen großen Hang hatte; doch da der Obrist das Landleben nicht liebte, so bezog die Familie ein Haus in der Stadt, und richtete sich dasselbe zu einer immerwährenden Wohnung ein. Alles kehrte nun in die alte Ordnung der Dinge zurück. Die Marquise knüpfte den lange unterbrochenen Unterricht ihrer Kinder wieder an, und suchte, für die Feierstunden*, ihre Staffelei und Bücher hervor: als sie sich, sonst die Göttin der Gesundheit selbst, von wiederholten Unpäßlichkeiten befallen fühlte, die sie ganze Wochen lang, für die Gesellschaft untauglich machten. Sie litt an Übelkeiten, Schwindeln und Ohnmachten, und wußte nicht, was sie aus diesem sonderbaren Zustand machen solle. Eines Morgens, da die Familie beim Tee saß, und der Vater sich, auf einen Augenblick, aus dem Zimmer entfernt hatte, sagte die Marquise, aus einer langen Gedankenlosigkeit erwachend, zu ihrer Mutter: wenn mir eine Frau sagte, daß sie ein Gefühl hätte, eben so, wie ich jetzt, da ich die Tasse ergriff, so würde ich bei mir denken, daß sie in gesegneten Leibesumständen wäre. Frau von G.... sagte, sie verstände sie nicht. Die Marquise erklärte sich noch einmal, daß sie eben jetzt eine Sensation* gehabt hätte, wie damals, als sie mit ihrer zweiten Tochter schwanger war. Frau von G.... sagte, sie würde vielleicht den Phantasus* gebären, und lachte. Morpheus* wenigstens, versetzte die Marquise, oder einer der Träume aus seinem Gefolge, würde sein Vater sein; und scherzte gleichfalls. Doch der Obrist kam, das Gespräch ward abgebrochen, und der ganze Gegenstand, da die Marquise sich in einigen Tagen wieder erholte, vergessen.

Bald darauf ward der Familie, eben zu einer Zeit, da sich auch der Forstmeister von G...., des Commendanten Sohn, in dem Hause eingefunden hatte, der sonderbare Schrecken, durch einen Kammerdiener, der ins Zimmer trat, den Grafen F... anmelden zu hören. Der Graf F...!

Zeit, in der man nicht arbeitet

(franz.) Sinnliche, körperliche Empfindung

Traumgötter in der antiken Mythologie, Söhne des Schlafgottes Hypnos

Vgl. 70.13 sagte der Vater und die Tochter zugleich*; und das Erstaunen machte alle sprachlos. Der Kammerdiener versicherte,
daß er recht gesehen und gehört habe, und daß der Graf
schon im Vorzimmer stehe, und warte. Der Commendant
sprang sogleich selbst auf, ihm zu öffnen, worauf er, schön, 5
wie ein junger Gott, ein wenig bleich im Gesicht, eintrat.

Auftritt,
›Inszenierung‹

Nachdem die Szene* unbegreiflicher Verwunderung vorüber war, und der Graf, auf die Anschuldigung der Eltern,
daß er ja tot sei, versichert hatte, daß er lebe; wandte er
sich, mit vieler Rührung im Gesicht, zur Tochter, und seine 10
erste Frage war gleich, wie sie sich befinde? Die Marquise
versicherte, sehr wohl, und wollte nur wissen, wie *er* ins

zurückgekehrt,
auferstanden

Leben erstanden* sei? Doch *er*, auf seinem Gegenstand be-
harrend, erwiderte: daß sie ihm nicht die Wahrheit sage;
auf ihrem Antlitz drücke sich eine seltsame Mattigkeit aus; 15
ihn müsse Alles trügen, oder sie sei unpäßlich, und leide.
Die Marquise, durch die Herzlichkeit, womit er dies vorbrachte, gut gestimmt, versetzte: nun ja; diese Mattigkeit,
wenn er wolle, könne für die Spur einer Kränklichkeit gelten, an welcher sie vor einigen Wochen gelitten hätte; sie 20

indessen, aber

fürchte inzwischen* nicht, daß diese weiter von Folgen sein
würde. ⌈Worauf er, mit einer aufflammenden Freude, erwiderte: er auch nicht! und hinzusetzte, ob sie ihn heiraten

Verhalten,
Betragen,
Auftritt

wolle?⌉ Die Marquise wußte nicht, was sie von dieser Aufführung* denken solle. Sie sah, über und über rot, ihre 25
Mutter, und diese, mit Verlegenheit, den Sohn und den Vater an; während der Graf vor die Marquise trat, und indem
er ihre Hand nahm, als ob er sie küssen wollte, wiederholte: ob sie ihn verstanden hätte? Der Commendant
sagte: ob er nicht Platz nehmen wolle; und setzte ihm, auf 30
eine verbindliche, obschon etwas ernsthafte, Art einen
Stuhl hin. Die Obristin sprach: in der Tat, wir werden glauben, daß Sie ein Geist sind, bis Sie uns werden eröffnet
haben, wie Sie aus dem Grabe, in welches man Sie zu P...
gelegt hatte, erstanden sind. Der Graf setzte sich, indem er 35

die Hand der Dame fahren ließ, nieder, und sagte, daß er, durch die Umstände gezwungen, sich sehr kurz fassen müsse; daß er, tödlich* durch die Brust geschossen, nach P... gebracht worden wäre; daß er mehrere Monate da-
5 selbst an seinem Leben verzweifelt hätte; daß während dessen die Frau Marquise sein einziger Gedanke gewesen wäre; daß er die Lust und den Schmerz nicht beschreiben könnte, die sich in dieser Vorstellung umarmt hätten; daß er endlich, nach seiner Wiederherstellung, wieder zur Ar-
10 mee gegangen wäre; daß er daselbst die lebhafteste Unruhe empfunden hätte; daß er mehrere Male die Feder ergriffen, um in einem Briefe, an den Herrn Obristen und die Frau Marquise, seinem Herzen Luft zu machen; daß er plötzlich mit Depeschen* nach Neapel geschickt worden wäre; daß
15 er nicht wisse, ob er nicht von dort weiter nach Constantinopel werde abgeordert* werden; daß er vielleicht gar nach St. Petersburg werde gehen müssen; daß ihm inzwischen unmöglich wäre, länger zu leben, ohne über eine notwendige Forderung seiner Seele ins Reine zu sein; daß er
20 dem Drang bei seiner Durchreise durch M..., einige Schritte zu diesem Zweck zu tun, nicht habe widerstehen können; kurz, daß er den Wunsch hege, mit der Hand der Frau Marquise beglückt zu werden, und daß er auf das ehrfurchtsvollste, inständigste und dringendste bitte, sich
25 ihm hierüber gütig zu erklären*. – Der Commendant, nach einer langen Pause, erwiderte: daß ihm dieser Antrag zwar, wenn er, wie er nicht zweifle, ernsthaft gemeint sei, sehr schmeichelhaft wäre. Bei dem Tode ihres Gemahls, des Marquis von O..., hätte sich seine Tochter aber entschlos-
30 sen, in keine zweite Vermählung einzugehen. Da ihr jedoch kürzlich von ihm eine so große Verbindlichkeit* auferlegt worden sei: so wäre es nicht unmöglich, daß ihr Entschluß dadurch, seinen Wünschen gemäß, eine Abänderung erleide; er bitte sich inzwischen die Erlaubnis für sie aus,
35 darüber im Stillen während einiger Zeit nachdenken zu

lebensbedrohlich

Dienstlichen Papieren, Eilschreiben
abkommandiert

die Güte haben möge, eine Entscheidung zu fällen und mitzuteilen

moralische Verpflichtung

dürfen. Der Graf versicherte, daß diese gütige Erklärung zwar alle seine Hoffnungen befriedige; daß sie ihn, unter anderen Umständen, auch völlig beglücken würde; daß er die ganze Unschicklichkeit fühle, sich mit derselben nicht zu beruhigen: daß dringende Verhältnisse jedoch, über 5 welche er sich näher auszulassen nicht im Stande sei, ihm eine bestimmtere Erklärung äußerst wünschenswert machten; daß die Pferde, die ihn nach Neapel tragen sollten, vor seinem Wagen stünden; und daß er inständigst bitte, wenn irgend etwas in diesem Hause günstig für ihn spreche, – 10 wobei er die Marquise ansah – ihn nicht, ohne eine gütige Äußerung darüber, abreisen zu lassen. Der Obrist, durch diese Aufführung ein wenig betreten, antwortete, daß die Dankbarkeit, die die Marquise für ihn empfände, ihn zwar zu großen Voraussetzungen berechtige*: doch nicht zu so 15 großen; sie werde bei einem Schritte, bei welchem es das Glück ihres Lebens gelte, nicht ohne die gehörige Klugheit verfahren. Es wäre unerläßlich, daß seiner Tochter, bevor sie sich erkläre, das Glück seiner näheren Bekanntschaft würde. Er lade ihn ein, nach Vollendung seiner Geschäfts- 20 reise, nach M... zurückzukehren, und auf einige Zeit der Gast seines Hauses zu sein. Wenn alsdann die Frau Marquise hoffen könne, durch ihn glücklich zu werden, so werde auch er, eher aber nicht, mit Freuden vernehmen, daß sie ihm eine bestimmte Antwort gegeben habe. Der 25 Graf äußerte, indem ihm eine Röte ins Gesicht stieg, daß er seinen ungeduldigen Wünschen, während seiner ganzen Reise, dies Schicksal vorausgesagt habe; daß er sich in- zwischen dadurch in die äußerste Bekümmernis gestürzt sehe; daß ihm, bei der ungünstigen Rolle, die er eben jetzt 30 zu spielen gezwungen sei, eine nähere Bekanntschaft nicht anders als vorteilhaft sein könne; daß er für seinen Ruf, wenn anders diese zweideutigste aller Eigenschaften in Er- wägung gezogen werden solle, einstehen zu dürfen glaube; ⌐daß die einzige nichtswürdige Handlung, die er in seinem 35

auf großes Entgegen-kommen hoffen lassen könne

Leben begangen hätte, der Welt unbekannt, und er schon im Begriff sei, sie wieder gut zu machen[7]; daß er, mit einem Wort, ein ehrlicher Mann sei, und die Versicherung anzunehmen bitte, daß diese Versicherung wahrhaftig sei. – Der
5 Commendant erwiderte, indem er ein wenig, obschon ohne Ironie, lächelte, daß er alle diese Äußerungen unterschreibe. Noch hätte er keines jungen Mannes Bekanntschaft gemacht, der, in so kurzer Zeit, so viele vortreffliche Eigenschaften des Charakters entwickelt hätte. Er glaube
10 fast, daß eine kurze Bedenkzeit die Unschlüssigkeit, die noch obwalte*, heben* würde; bevor er jedoch Rücksprache genommen hätte, mit seiner sowohl, als des Herrn Grafen Familie, könne keine andere Erklärung, als die gegebene, erfolgen. Hierauf äußerte der Graf, daß er ohne El-
15 tern und frei sei. Sein Onkel sei der General K..., für dessen Einwilligung er stehe. Er setzte hinzu, daß er Herr eines ansehnlichen Vermögens wäre, und sich würde entschließen können, Italien zu seinem Vaterlande zu machen. – Der Commendant machte ihm eine verbindliche Verbeugung,
20 erklärte seinen Willen noch einmal; und bat ihn, bis nach vollendeter Reise, von dieser Sache abzubrechen*. Der Graf, nach einer kurzen Pause, in welcher er alle Merkmale der größten Unruhe gegeben hatte, sagte, indem er sich zur Mutter wandte, daß er sein Äußerstes getan hätte, um die-
25 ser Geschäftsreise auszuweichen; daß die Schritte, die er deshalb beim General en Chef*, und dem General K..., seinem Onkel, gewagt hätte, die entscheidendsten gewesen wären, die sich hätten tun lassen; daß man aber geglaubt hätte, ihn dadurch aus einer Schwermut aufzurütteln, die
30 ihm von seiner Krankheit noch zurückgeblieben wäre; und daß er sich jetzt völlig dadurch ins Elend gestürzt sehe. – Die Familie wußte nicht, was sie zu dieser Äußerung sagen sollte. Der Graf fuhr fort, indem er sich die Stirn rieb, daß wenn irgend Hoffnung wäre, dem Ziele seiner Wünsche
35 dadurch näher zu kommen, er seine Reise auf einen Tag,

bestehe,
herrsche

beseitigen,
beenden

Abstand
zu nehmen

Oberbefehls-
haber einer
militär. Aktion

auch wohl noch etwas darüber, aussetzen würde, um es zu versuchen. – Hierbei sah er, nach der Reihe, den Commendanten, die Marquise und die Mutter an. Der Commendant blickte mißvergnügt vor sich nieder, und antwortete ihm nicht. Die Obristin sagte: gehn Sie, gehn Sie, Herr Graf; reisen Sie nach Neapel; schenken Sie uns, wenn Sie wiederkehren, auf einige Zeit das Glück Ihrer Gegenwart; so wird sich das Übrige finden. – Der Graf saß einen Augenblick, und schien zu suchen, was er zu tun habe. Drauf, indem er sich erhob, und seinen Stuhl wegsetzte: da er die Hoffnungen, sprach er, mit denen er in dies Haus getreten sei, als übereilt erkennen müsse, und die Familie, wie er nicht mißbillige, auf eine nähere Bekanntschaft bestehe: so werde er seine Depeschen, zu einer anderweitigen Expedition*, nach Z…, in das Hauptquartier, zurückschicken, und das gütige Anerbieten, der Gast dieses Hauses zu sein, auf einige Wochen annehmen. Worauf er noch, den Stuhl in der Hand, an der Wand stehend, einen Augenblick verharrte, und den Commendanten ansah. Der Commendant versetzte, daß es ihm äußerst leid tun würde, wenn die Leidenschaft, die er zu seiner Tochter gefaßt zu haben scheine, ihm Unannehmlichkeiten von der ernsthaftesten Art zuzöge: daß er indessen wissen müsse, was er zu tun und zu lassen habe, die Depeschen abschicken, und die für ihn bestimmten Zimmer beziehen möchte. Man sah ihn bei diesen Worten sich entfärben, der Mutter ehrerbietig die Hand küssen, sich gegen die Übrigen verneigen und sich entfernen.

Als er das Zimmer verlassen hatte, wußte die Familie nicht, was sie aus dieser Erscheinung machen solle. Die Mutter sagte, es wäre wohl nicht möglich, daß er Depeschen, mit denen er nach Neapel ginge, nach Z… zurückschicken wolle, bloß, weil es ihm nicht gelungen wäre, auf seiner Durchreise durch M…, in einer fünf Minuten langen Unterredung, von einer ihm ganz unbekannten Dame ein Ja-

Hier:
Beförderung,
Verschickung

wort zu erhalten. Der Forstmeister äußerte, daß eine so
leichtsinnige Tat ja mit nichts Geringerem, als Festungsar-
rest, bestraft werden würde! Und Kassation* obenein,
setzte der Commendant hinzu. Es habe aber damit keine
5 Gefahr, fuhr er fort. Es sei ein bloßer Schreckschuß beim
Sturm; er werde sich wohl noch, ehe er die Depeschen ab-
geschickt, wieder besinnen. Die Mutter, als sie von dieser
Gefahr unterrichtet ward, äußerte die lebhafteste Besorgnis, daß er sie abschicken werde. Sein heftiger, auf einen
10 Punkt hintreibender Wille, meinte sie, scheine ihr grade
einer solchen Tat fähig. Sie bat den Forstmeister auf das
dringendste, ihm sogleich nachzugehen, und ihn von einer
so unglückdrohenden Handlung abzuhalten. Der Forstmeister erwiderte, daß ein solcher Schritt gerade das Ge-
15 genteil bewirken, und ihn nur in der Hoffnung, durch seine
Kriegslist zu siegen, bestärken würde. Die Marquise war
derselben Meinung, obschon sie versicherte, daß ohne ihn
die Absendung der Depeschen unfehlbar erfolgen würde,
indem er lieber werde unglücklich werden, als sich eine
20 Blöße geben wollen. Alle kamen darin überein, daß sein
Betragen sehr sonderbar sei, und ⌜daß er Damenherzen
durch Anlauf, wie Festungen, zu erobern gewohnt
scheine⌝. In diesem Augenblick bemerkte der Commendant
den angespannten Wagen des Grafen vor seiner Tür. Er rief
25 die Familie ans Fenster, und fragte einen eben eintretenden
Bedienten, erstaunt, ob der Graf noch im Hause sei? Der
Bediente antwortete, daß er unten, in der Domestiken-
stube*, in Gesellschaft eines Adjutanten, Briefe schreibe
und Pakete versiegle. Der Commendant, der seine Bestür-
30 zung unterdrückte, eilte mit dem Forstmeister hinunter,
und fragte den Grafen, da er ihn auf dazu nicht schickli-
chen Tischen seine Geschäfte betreiben sah, ob er nicht in
seine Zimmer treten wolle? Und ob er sonst irgend etwas
befehle? Der Graf erwiderte, indem er mit Eilfertigkeit
35 fortschrieb, daß er untertänigst danke, und daß sein Ge-

unehrenhafte
Entlassung aus
dem Militär-
dienst

Raum für das
Dienstpersonal

feststehe, durch-
geführt werde

Große Mappe
mit Schrift-
stücken

schäft abgemacht* sei; fragte noch, indem er den Brief zu-
siegelte, nach der Uhr; und wünschte dem Adjutanten,
nachdem er ihm das ganze Portefeuille* übergeben hatte,
eine glückliche Reise. Der Commendant, der seinen Augen
nicht traute, sagte, indem der Adjutant zum Hause hinaus- 5
ging: Herr Graf, wenn Sie nicht sehr wichtige Gründe haben – Entscheidende! fiel ihm der Graf ins Wort; begleitete
den Adjutanten zum Wagen, und öffnete ihm die Tür. In
diesem Fall würde ich wenigstens, fuhr der Commendant
fort, die Depeschen – Es ist nicht möglich, antwortete der 10
Graf, indem er den Adjutanten in den Sitz hob. Die Depeschen gelten nichts in Neapel ohne mich. Ich habe auch
daran gedacht. Fahr zu! – Und die Briefe Ihres Herrn Onkels? rief der Adjutant, sich aus der Tür hervorbeugend.
Treffen mich, erwiderte der Graf, in M.... Fahr zu, sagte 15
der Adjutant, und rollte mit dem Wagen dahin.
Hierauf fragte der Graf F..., indem er sich zum Commendanten wandte, ob er ihm gefälligst* sein Zimmer anweisen
lassen wolle? Er würde gleich selbst die Ehre haben, antwortete der verwirrte Obrist; rief seinen und des Grafen 20
Leuten, das Gepäck desselben aufzunehmen: und führte
ihn in die für fremden Besuch bestimmten Gemächer des
Hauses, wo er sich ihm mit einem trocknen Gesicht empfahl. Der Graf kleidete sich um; verließ das Haus, um sich
bei dem Gouverneur des Platzes zu melden, und für den 25
ganzen weiteren Rest des Tages im Hause unsichtbar,
kehrte er erst kurz vor der Abendtafel dahin zurück.
Inzwischen war die Familie in der lebhaftesten Unruhe.
Der Forstmeister erzählte, wie bestimmt, auf einige Vorstellungen des Commendanten, des Grafen Antworten 30
ausgefallen wären; meinte, daß sein Verhalten einem völlig
überlegten Schritt ähnlich sehe; und fragte, in aller Welt*,
nach den Ursachen einer so auf Kurierpferden gehenden*
Bewerbung. Der Commendant sagte, daß er von der Sache
nichts verstehe, und forderte die Familie auf, davon weiter 35

die Freundlich-
keit besitzen
würde

Bekräftigende
Wendung: wo
in aller Welt
die Ursachen
auch liegen
mögen

mit Nachdruck
betriebenen

Die Marquise von O....

nicht in seiner Gegenwart zu sprechen. Die Mutter sah alle Augenblicke aus dem Fenster, ob er nicht kommen, seine leichtsinnige Tat bereuen, und wieder gut machen werde. Endlich, da es finster ward, setzte sie sich zur Marquise nieder, welche, mit vieler Emsigkeit, an einem Tisch arbeitete, und das Gespräch zu vermeiden schien. Sie fragte sie halblaut, während der Vater auf und niederging, ob sie begreife, was aus dieser Sache werden solle? Die Marquise antwortete, mit einem schüchtern nach dem Commendanten gewandten Blick: wenn der Vater bewirkt hätte, daß er nach Neapel gereist wäre, so wäre alles gut. Nach Neapel! rief der Commendant, der dies gehört hatte. Sollt' ich den Priester holen lassen?* Oder hätt' ich ihn schließen* lassen und arretieren*, und mit Bewachung nach Neapel schicken sollen? – Nein, antwortete die Marquise, aber lebhafte und eindringliche Vorstellungen tun ihre Wirkung; und sah, ein wenig unwillig, wieder auf ihre Arbeit nieder. – Endlich gegen die Nacht* erschien der Graf. Man erwartete nur, nach den ersten Höflichkeitsbezeugungen, daß dieser Gegenstand zur Sprache kommen würde, um ihn mit vereinter Kraft zu bestürmen, den Schritt, den er gewagt hatte, wenn es noch möglich sei, wieder zurückzunehmen. Doch vergebens, während der ganzen Abendtafel, erharrte* man diesen Augenblick. Geflissentlich Alles, was darauf führen konnte, vermeidend, unterhielt er den Commendanten vom Kriege, und den Forstmeister von der Jagd. Als er des Gefechts bei P..., in welchem er verwundet worden war, erwähnte, verwickelte ihn die Mutter bei der Geschichte seiner Krankheit, fragte ihn, wie es ihm an diesem kleinen Orte ergangen sei, und ob er die gehörigen* Bequemlichkeiten gefunden hätte. Hierauf erzählte er mehrere, durch seine Leidenschaft zur Marquise interessanten, Züge: wie sie beständig, während seiner Krankheit, an seinem Bette gesessen hätte; ⌐wie er die Vorstellung von ihr, in der Hitze des Wundfiebers, immer mit der Vorstellung eines Schwans

Sollte ein Geistlicher ihm ins Gewissen reden?

in Ketten legen

verhaften

bei Einbruch der Dunkelheit

erwartete

erforderlichen, angemessenen

verwechselt hätte, den er, als Knabe, auf seines Onkels Gütern gesehen; daß ihm besonders eine Erinnerung rührend gewesen wäre, da er diesen Schwan einst mit Kot* beworfen, worauf dieser still untergetaucht, und rein aus der Flut wieder emporgekommen sei; daß sie immer auf feurigen Fluten* umhergeschwommen wäre, und er Thinka gerufen hätte, welches der Name jenes Schwans gewesen, daß er aber nicht im Stande gewesen wäre, sie an sich zu locken, indem sie ihre Freude gehabt hätte, bloß am Rudern und In-die-Brust-sich-werfen⁷; versicherte plötzlich, blutrot im Gesicht, daß er sie außerordentlich liebe: sah wieder auf seinen Teller nieder, und schwieg. Man mußte endlich von der Tafel aufstehen; und da der Graf, nach einem kurzen Gespräch mit der Mutter, sich sogleich gegen die Gesellschaft verneigte, und wieder in sein Zimmer zurückzog: so standen die Mitglieder derselben wieder, und wußten nicht, was sie denken sollten. Der Commendant meinte: man müsse der Sache ihren Lauf lassen. Er rechne wahrscheinlich auf seine Verwandten bei diesem Schritte. Infame Kassation* stünde sonst darauf. Frau von G.... fragte ihre Tochter, was sie denn von ihm halte? Und ob sie sich wohl zu irgend einer Äußerung, die ein Unglück vermiede, würde verstehen können? Die Marquise antwortete: Liebste Mutter! Das ist nicht möglich. Es tut mir leid, daß meine Dankbarkeit auf eine so harte Probe gestellt wird. Doch es war mein Entschluß, mich nicht wieder zu vermählen; ich mag mein Glück nicht, und nicht so unüberlegt, auf ein zweites Spiel* setzen. Der Forstmeister bemerkte, daß wenn dies ihr fester Wille wäre, auch *diese* Erklärung ihm Nutzen schaffen könne, und daß es fast notwendig scheine, ihm irgend *eine* bestimmte zu geben. Die Obristin versetzte, daß da dieser junge Mann, den so viele außerordentliche Eigenschaften empföhlen, seinen Aufenthalt in Italien nehmen zu wollen, erklärt habe, sein Antrag, nach ihrer Meinung, einige Rücksicht, und der Entschluß

Schmutz

Oxymoron, das auf den Brand der Zitadelle und das Löschwasser verweist

Vgl. 39.3

ein zweites Mal aufs Spiel setzen

der Marquise Prüfung verdiene. Der Forstmeister, indem
er sich bei ihr niederließ, fragte, wie er ihr denn, was seine
Person anbetreffe, gefalle? Die Marquise antwortete, mit
einiger Verlegenheit: er gefällt und mißfällt mir*; und be-
5 rief sich auf das Gefühl der Anderen. Die Obristin sagte:
wenn er von Neapel zurückkehrt, und die Erkundigungen,
die wir inzwischen über ihn einziehen könnten, dem Ge-
samteindruck, den du von ihm empfangen hast, nicht wi-
dersprächen: wie würdest du dich, falls er alsdann seinen
10 Antrag wiederholte, erklären? In diesem Fall, versetzte die
Marquise, würd' ich – da in der Tat seine Wünsche so lebhaft scheinen, diese Wünsche – sie stockte, und ihre Augen
glänzten, indem sie dies sagte – um der Verbindlichkeit
willen, die ich ihm schuldig bin, erfüllen. Die Mutter, die
15 eine zweite Vermählung ihrer Tochter immer gewünscht
hatte, hatte Mühe, ihre Freude über diese Erklärung zu
verbergen, und sann, was sich wohl daraus machen lasse.
Der Forstmeister sagte, indem er unruhig vom Sitz wieder
aufstand, daß wenn die Marquise irgend an die Möglich-
20 keit denke, ihn einst mit ihrer Hand zu erfreuen, jetzt gleich
notwendig ein Schritt dazu geschehen müsse, um den Folgen seiner rasenden Tat vorzubeugen. Die Mutter war derselben Meinung, und behauptete, daß zuletzt das Wag-
stück* nicht allzugroß wäre, indem bei so vielen vortreff-
25 lichen Eigenschaften, die er in jener Nacht, da das Fort von
den Russen erstürmt ward, entwickelte, kaum zu fürchten
sei, daß sein übriger Lebenswandel ihnen nicht entspre-
chen sollte. Die Marquise sah, mit dem Ausdruck der lebhaftesten Unruhe, vor sich nieder. Man könnte ihm ja, fuhr
30 die Mutter fort, indem sie ihre Hand ergriff, etwa eine Erklärung, daß du, bis zu seiner Rückkehr von Neapel, in
keine andere Verbindung eingehen wollest, zukommen lassen. Die Marquise sagte: *diese* Erklärung, liebste Mutter,
kann ich ihm geben; ich fürchte nur, daß sie ihn nicht be-
35 ruhigen, und uns verwickeln* wird. Das sei meine Sorge!

Erster Hinweis
auf wider-
sprüchliche
Gefühle der
Marquise

Risiko, Wagnis

verpflichten,
einengen

erwiderte die Mutter, mit lebhafter Freude; und sah sich
nach dem Commendanten um. Lorenzo! fragte sie, was
meinst du? und machte Anstalten, sich vom Sitz zu erheben. Der Commendant, der Alles gehört hatte, stand am
Fenster, sah auf die Straße hinaus, und sagte nichts. Der 5
Forstmeister versicherte, daß er, mit dieser unschädlichen
Erklärung, den Grafen aus dem Hause zu schaffen, sich

sich zutraue anheischig mache*. Nun so macht! macht! macht! rief der
Vater, indem er sich umkehrte: ⌐ich muß mich diesem Russen schon zum zweitenmal ergeben⌐! – Hierauf sprang die 10
Mutter auf, küßte ihn und die Tochter, und fragte, indem
der Vater über ihre Geschäftigkeit lächelte, wie man dem
Grafen jetzt diese Erklärung augenblicklich hinterbringen
solle? Man beschloß, auf den Vorschlag des Forstmeisters,
ihn bitten zu lassen, sich, falls er noch nicht entkleidet sei, 15

Vgl. 40.18 gefälligst* auf einen Augenblick zur Familie zu verfügen. Er
werde gleich die Ehre haben zu erscheinen! ließ der Graf
antworten, und kaum war der Kammerdiener mit dieser
Meldung zurück, als er schon selbst, mit Schritten, die die
Freude beflügelte, ins Zimmer trat, und zu den Füßen der 20
Marquise, in der allerlebhaftesten Rührung niedersank.
Der Commendant wollte etwas sagen: doch er, indem er
aufstand, versetzte, er wisse genug! küßte ihm und der
Mutter die Hand, umarmte den Bruder, und bat nur um die
Gefälligkeit, ihm sogleich zu einem Reisewagen zu verhel- 25
fen. Die Marquise, obschon von diesem Auftritt bewegt,
sagte doch: ich fürchte nicht, Herr Graf, daß Ihre rasche
Hoffnung Sie zu weit – Nichts! Nichts! versetzte der Graf;
es ist nichts geschehen, wenn die Erkundigungen, die Sie
über mich einziehen mögen, dem Gefühl widersprechen, 30
das mich zu Ihnen in dies Zimmer zurückberief. Hierauf
umarmte der Commendant ihn auf das herzlichste, der

eilte Forstmeister bot ihm sogleich seinen eigenen Reisewagen
gegen an, ein Jäger flog* auf die Post, Kurierpferde auf Prämien*
besondere
Bezahlung zu bestellen, und Freude war bei dieser Abreise, wie noch 35

niemals bei einem Empfang. Er hoffe, sagte der Graf, die Depeschen in B... einzuholen, von wo er jetzt einen näheren Weg nach Neapel, als über M... einschlagen würde; in Neapel würde er sein Möglichstes tun, die fernere Geschäftsreise nach Constantinopel abzulehnen; und da er, auf den äußersten Fall, entschlossen wäre, sich krank anzugeben, so versicherte er, daß wenn nicht unvermeidliche Hindernisse ihn abhielten, er in Zeit von vier bis sechs Wochen unfehlbar wieder in M... sein würde. Hierauf meldete sein Jäger, daß der Wagen angespannt, und Alles zur Abreise bereit sei. Der Graf nahm seinen Hut, trat vor die Marquise, und ergriff ihre Hand. Nun denn, sprach er, Julietta, so bin ich einigermaßen beruhigt; und legte seine Hand in die ihrige; obschon es mein sehnlichster Wunsch war, mich noch vor meiner Abreise mit Ihnen zu vermählen. Vermählen! riefen alle Mitglieder der Familie aus. ⌜Vermählen, wiederholte der Graf, küßte der Marquise die Hand, und versicherte, da diese fragte, ob er von Sinnen sei: es würde ein Tag kommen, wo sie ihn verstehen würde!⌝ Die Familie wollte auf ihn böse werden; doch er nahm gleich auf das Wärmste von Allen Abschied, bat sie, über diese Äußerung nicht weiter nachzudenken, und reiste ab.

Mehrere Wochen, in welchen die Familie, mit sehr verschiedenen Empfindungen, auf den Ausgang dieser sonderbaren Sache gespannt war, verstrichen. Der Commendant empfing vom General K..., dem Onkel des Grafen, eine höfliche Zuschrift*; der Graf selbst schrieb aus Neapel; die Erkundigungen, die man über ihn einzog, sprachen ziemlich zu seinem Vorteil; kurz, man hielt die Verlobung schon für so gut, wie abgemacht: als sich die Kränklichkeiten der Marquise, mit größerer Lebhaftigkeit, als jemals, wieder einstellten. Sie bemerkte eine unbegreifliche Veränderung ihrer Gestalt. Sie entdeckte sich mit völliger Freimütigkeit ihrer Mutter, und sagte, sie wisse nicht, was sie von ihrem

*ein formelles Schreiben

Symptome von Unwohlsein

Zustand denken solle. Die Mutter, welche so sonderbare Zufälle* für die Gesundheit ihrer Tochter äußerst besorgt machten, verlangte, daß sie einen Arzt zu Rate ziehe. Die Marquise, die durch ihre Natur zu siegen hoffte, sträubte sich dagegen; sie brachte mehrere Tage noch, ohne dem 5

schmerz-, haftesten

Rat der Mutter zu folgen, unter den empfindlichsten* Leiden zu: bis Gefühle, immer wiederkehrend und von so

Verwunderung erregender, seltsamer

wunderbarer* Art, sie in die lebhafteste Unruhe stürzten. Sie ließ einen Arzt rufen, der das Vertrauen ihres Vaters besaß, nötigte ihn, da gerade die Mutter abwesend war, auf 10 den Diwan nieder, und eröffnete ihm, nach einer kurzen Einleitung, scherzend, was sie von sich glaube. Der Arzt warf einen forschenden Blick auf sie; schwieg noch, nachdem er eine genaue Untersuchung vollendet hatte, eine Zeitlang: und antwortete dann mit einer sehr ernsthaften 15 Miene, daß die Frau Marquise ganz richtig urteile. Nachdem er sich auf die Frage der Dame, wie er dies verstehe, ganz deutlich erklärt, und mit einem Lächeln, das er nicht unterdrücken konnte, gesagt hatte, daß sie ganz gesund sei, und keinen Arzt brauche, zog die Marquise, und sah ihn 20 sehr streng von der Seite an, die Klingel, und bat ihn, sich zu entfernen. Sie äußerte halblaut, als ob er der Rede nicht wert wäre, vor sich nieder murmelnd: daß sie nicht Lust hätte, mit ihm über Gegenstände dieser Art zu scherzen. Der Doktor erwiderte empfindlich: er müsse wünschen, 25 daß sie immer zum Scherz so wenig aufgelegt gewesen wäre, wie jetzt; nahm Stock und Hut, und machte Anstalten, sich sogleich zu empfehlen. Die Marquise versicherte, daß sie von diesen Beleidigungen ihren Vater unterrichten würde. Der Arzt antwortete, daß er seine Aussage vor Ge- 30 richt beschwören könne: öffnete die Tür, verneigte sich, und wollte das Zimmer verlassen. Die Marquise fragte, da

Wie ist die festgestellte Schwangerschaft möglich

er noch einen Handschuh, den er hatte fallen lassen, von der Erde aufnahm: und die Möglichkeit davon*, Herr Doktor? Der Doktor erwiderte, daß er ihr die letzten Gründe 35

der Dinge nicht werde zu erklären brauchen; verneigte sich
ihr noch einmal, und ging ab.

Die Marquise stand, wie vom Donner gerührt. Sie raffte
sich auf, und wollte zu ihrem Vater eilen; doch der sonderbare Ernst des Mannes, von dem sie sich beleidigt sah,
lähmte alle ihre Glieder. Sie warf sich in der größten Bewegung auf den Diwan nieder. Sie durchlief, gegen sich selbst
mißtrauisch, alle Momente des verflossenen Jahres, und
hielt sich für verrückt, wenn sie an den letzten dachte. Endlich erschien die Mutter; und auf die bestürzte Frage,
warum sie so unruhig sei? erzählte ihr die Tochter, was ihr
der Arzt so eben eröffnet hatte. Frau von G.... nannte ihn
einen Unverschämten und Nichtswürdigen, und bestärkte
die Tochter in dem Entschluß, diese Beleidigung dem Vater
zu entdecken. Die Marquise versicherte, daß es sein völliger Ernst gewesen sei, und daß er entschlossen scheine,
dem Vater ins Gesicht seine rasende Behauptung zu wiederholen. Frau von G.... fragte, nicht wenig erschrocken,
ob sie denn an die Möglichkeit eines solchen Zustandes
glaube? Eher, antwortete die Marquise, daß die Gräber
befruchtet werden, und sich dem Schoße der Leichen eine
Geburt entwickeln wird! Nun, du liebes wunderliches
Weib, sagte die Obristin, indem sie sie fest an sich drückte:
was beunruhigt dich denn? Wenn dein Bewußtsein dich
rein spricht: wie kann dich ein Urteil, und wäre es das einer
ganzen Consulta* von Ärzten, nur kümmern? Ob das Sei-
nige aus Irrtum, ob es aus Bosheit entsprang: gilt es dir
nicht völlig gleichviel? Doch schicklich ist es, daß wir es
dem Vater entdecken. – O Gott! sagte die Marquise, mit
einer konvulsivischen* Bewegung: wie kann ich mich beruhigen. Hab' ich nicht mein eignes, innerliches, mir nur
allzuwohlbekanntes Gefühl gegen mich? Würd' ich nicht,
wenn ich in einer andern meine Empfindung wüßte, von
ihr selbst urteilen, daß es damit seine Richtigkeit habe? Es
ist entsetzlich, versetzte die Obristin. Bosheit! Irrtum! fuhr

(lat.)
Beratende
Versammlung

krampfartig
zuckenden

die Marquise fort. Was kann dieser Mann, der uns bis auf den heutigen Tag schätzenswürdig erschien, für Gründe haben, mich auf eine so mutwillige und niederträchtige Art zu kränken? Mich, die ihn nie beleidigt hatte? Die ihn mit Vertrauen, und dem Vorgefühl zukünftiger Dankbarkeit, empfing? Bei der er, wie seine ersten Worte zeugten, mit dem reinen und unverfälschten Willen erschien, zu helfen, nicht Schmerzen, grimmigere, als ich empfand, erst zu erregen? Und wenn ich in der Notwendigkeit der Wahl, fuhr sie fort, während die Mutter sie unverwandt ansah, an einen Irrtum glauben wollte: ist es wohl möglich, daß ein Arzt, auch nur von mittelmäßiger Geschicklichkeit, in solchem Falle irre? – Die Obristin sagte ein wenig spitz: und gleichwohl muß es doch notwendig Eins oder das Andere gewesen sein. Ja! versetzte die Marquise, meine teuerste Mutter, indem sie ihr, mit dem Ausdruck der gekränkten Würde, hochrot im Gesicht glühend, die Hand küßte: das muß es! Obschon die Umstände so außerordentlich sind, daß es mir erlaubt ist, daran zu zweifeln. Ich schwöre, weil es doch einer Versicherung bedarf, daß mein Bewußtsein, gleich dem meiner Kinder ist; nicht reiner, Verehrungswürdigste, kann das Ihrige sein. Gleichwohl bitte ich Sie, mir eine Hebamme rufen zu lassen, damit ich mich von dem, was ist, überzeuge, und gleichviel alsdann, *was* es sei, beruhige. Eine Hebamme! rief Frau von G.... mit Entwürdigung*. Ein reines Bewußtsein, und eine Hebamme! Und die Sprache ging ihr aus. Eine Hebamme, meine teuerste Mutter, wiederholte die Marquise, indem sie sich auf Knien vor ihr niederließ; und das augenblicklich, wenn ich nicht wahnsinnig werden soll. O sehr gern, versetzte die Obristin; nur bitte ich, das Wochenlager nicht in meinem Hause zu halten. Und damit stand sie auf, und wollte das Zimmer verlassen. Die Marquise, ihr mit ausgebreiteten Armen folgend, fiel ganz auf das Gesicht nieder, und umfaßte ihre Knie. Wenn irgend ein unsträfliches Leben, rief

Entrüstung

sie, mit der Beredsamkeit des Schmerzes, ein Leben, nach Ihrem Muster geführt, mir ein Recht auf Ihre Achtung gibt, wenn irgend ein mütterliches Gefühl auch nur, so lange meine Schuld nicht sonnenklar entschieden ist, in Ihrem Busen für mich spricht: so verlassen Sie mich in diesen entsetzlichen Augenblicken nicht. – Was ist es, das dich beunruhigt? fragte die Mutter. Ist es weiter nichts, als der Ausspruch des Arztes? Weiter nichts, als dein innerliches Gefühl? Nichts weiter, meine Mutter, versetzte die Marquise, und legte ihre Hand auf die Brust. Nichts, Julietta? fuhr die Mutter fort. Besinne dich. Ein Fehltritt, so unsäglich er mich schmerzen würde, er ließe sich, und ich müßte ihn zuletzt verzeihn; doch wenn du, um einem mütterlichen Verweis auszuweichen, ein Märchen von der Umwälzung der Weltordnung ersinnen, und gotteslästerliche Schwüre häufen könntest, um es meinem, dir nur allzugerngläubigen, Herzen aufzubürden: so wäre das schändlich: ich würde dir niemals wieder gut werden. – Möge das Reich der Erlösung einst so offen vor mir liegen, wie meine Seele vor Ihnen, rief die Marquise. Ich verschwieg Ihnen nichts, meine Mutter. – Diese Äußerung, voll Pathos* getan, erschütterte die Mutter. O Himmel! rief sie: mein liebenswürdiges* Kind! Wie rührst du mich! Und hob sie auf, und küßte sie, und drückte sie an ihre Brust. Was denn, in aller Welt, fürchtest du? Komm, du bist sehr krank. Sie wollte sie in ein Bett führen. Doch die Marquise, welcher die Tränen häufig flossen, versicherte, daß sie sehr gesund wäre, und daß ihr gar nichts fehle, außer jenem sonderbaren und unbegreiflichen Zustand. – Zustand! rief die Mutter wieder; welch ein Zustand? Wenn dein Gedächtnis über die Vergangenheit so sicher ist, welch ein Wahnsinn der Furcht ergriff dich? Kann ein innerliches Gefühl denn, das doch nur dunkel sich regt, nicht trügen? Nein! Nein! sagte die Marquise, es trügt mich nicht! Und wenn Sie die Hebamme rufen lassen wollen, so werden Sie hören, daß das Entsetz-

*Leidenschaft, Ergriffenheit, Gefühlsüberschwang

der Liebe würdiges

liche, mich Vernichtende, wahr ist. – Komm, meine liebste Tochter, sagte Frau von G...., die für ihren Verstand zu fürchten anfing. Komm, folge mir, und lege dich zu Bett. Was meintest du, daß dir der Arzt gesagt hat? Wie dein Gesicht glüht! Wie du an allen Gliedern so zitterst! Was war es schon, das dir der Arzt gesagt hat? Und damit zog sie die Marquise, ungläubig nunmehr an den ganzen Auftritt, den sie ihr erzählt hatte, mit sich fort. – Die Marquise sagte: Liebe! Vortreffliche! indem sie mit weinenden Augen lächelte. Ich bin meiner Sinne mächtig. Der Arzt hat mir gesagt, daß ich in gesegneten Leibesumständen bin. Lassen Sie die Hebamme rufen: und sobald sie sagt, daß es nicht wahr ist, bin ich wieder ruhig. Gut, gut! erwiderte die Obristin, die ihre Angst unterdrückte. Sie soll gleich kommen; sie soll gleich, wenn du dich von ihr willst auslachen lassen, erscheinen, und dir sagen, daß du eine Träumerin, und nicht recht klug bist. Und damit zog sie die Klingel, und schickte augenblicklich einen ihrer Leute, der die Hebamme rufe.

Die Marquise lag noch, mit unruhig sich hebender Brust, in den Armen ihrer Mutter, als diese Frau erschien, und die Obristin ihr, an welcher seltsamen Vorstellung ihre Tochter krank liege, eröffnete. Die Frau Marquise schwöre, daß sie sich tugendhaft verhalten habe, und gleichwohl halte sie, von einer unbegreiflichen Empfindung getäuscht, für nötig, daß eine sachverständige Frau ihren Zustand untersuche. Die Hebamme, während sie sich von demselben unterrichtete, sprach von jungem Blut und der Arglist der Welt; äußerte, als sie ihr Geschäft vollendet hatte, dergleichen Fälle wären ihr schon vorgekommen; die jungen Witwen, die in ihre Lage kämen, meinten alle auf wüsten Inseln gelebt zu haben; beruhigte inzwischen die Frau Marquise, und versicherte sie, daß sich der muntere Korsar*, der zur Nachtzeit gelandet, schon finden würde. ⌐Bei diesen Worten fiel die Marquise in Ohnmacht.⌐ Die Obristin, die ihr

Seeräuber

mütterliches Gefühl nicht überwältigen konnte, brachte sie
zwar, mit Hülfe der Hebamme, wieder ins Leben zurück.
Doch die Entrüstung siegte, da sie erwacht war. Julietta!
rief die Mutter mit dem lebhaftesten Schmerz. Willst du
dich mir entdecken, willst du den Vater mir nennen? Und
schien noch zur Versöhnung geneigt. Doch als die Marquise sagte, daß sie wahnsinnig werden würde, sprach die
Mutter, indem sie sich vom Diwan erhob: geh! geh! du bist
nichtswürdig! Verflucht sei die Stunde, da ich dich gebar!
und verließ das Zimmer.

Die Marquise, der das Tageslicht von neuem schwinden
wollte, zog die Geburtshelferin vor sich nieder, und legte
ihr Haupt heftig zitternd an ihre Brust. Sie fragte, mit gebrochener Stimme, wie denn die Natur auf ihren Wegen
walte? Und ob die Möglichkeit einer unwissentlichen
Empfängnis sei? – Die Hebamme lächelte, machte ihr das
Tuch* los, und sagte, das würde ja doch der Frau Marquise   Hier: Brusttuch
Fall nicht sein. Nein, nein, antwortete die Marquise, sie
habe wissentlich empfangen, sie wolle nur im allgemeinen
wissen, ob diese Erscheinung im Reiche der Natur sei? Die
Hebamme versetzte, daß dies, ⌜außer der heiligen Jung-
frau⌝, noch keinem Weibe auf Erden zugestoßen wäre. Die
Marquise zitterte immer heftiger. Sie glaubte, daß sie augenblicklich niederkommen würde, und bat die Geburtshelferin, indem sie sich mit krampfhafter Beängstigung an
sie schloß, sie nicht zu verlassen. Die Hebamme beruhigte
sie. Sie versicherte, daß das Wochenbett noch beträchtlich
entfernt wäre, ⌜gab ihr auch die Mittel an, wie man, in
solchen Fällen, dem Leumund der Welt* ausweichen   Gesellschaft-
könne⌝, und meinte, es würde noch Alles gut werden. Doch   licher Ruf
da diese Trostgründe der unglücklichen Dame völlig wie
Messerstiche durch die Brust fuhren, so sammelte sie sich,
sagte, sie befände sich besser, und bat ihre Gesellschafterin
sich zu entfernen.

Kaum war die Hebamme aus dem Zimmer, als ihr ein

Schreiben von der Mutter gebracht ward, in welchem diese
sich so ausließ: »Herr von G.... wünsche, unter den ob-
waltenden Umständen, daß sie sein Haus verlasse. Er sende
ihr hierbei die über ihr Vermögen lautenden Papiere, und
hoffe daß ihm Gott den Jammer ersparen werde, sie wieder   5
zu sehen*.« – Der Brief war inzwischen* von Tränen be-
netzt; und in einem Winkel stand ein verwischtes Wort:
diktiert. – Der Marquise stürzte der Schmerz aus den Augen*. Sie ging, heftig über den Irrtum ihrer Eltern weinend,
und über die Ungerechtigkeit, zu welcher diese vortreffli-   10
chen Menschen verführt wurden, nach den Gemächern ihrer Mutter. Es hieß, sie sei bei ihrem Vater; sie wankte nach
den Gemächern ihres Vaters. Sie sank, als sie die Türe ver-
schlossen fand, mit jammernder Stimme, alle Heiligen zu
Zeugen ihrer Unschuld anrufend, vor derselben nieder. Sie   15
mochte wohl schon einige Minuten hier gelegen haben, als
der Forstmeister daraus hervortrat, und zu ihr mit flam-
mendem Gesicht sagte: sie höre daß der Commendant sie
nicht sehen wolle. Die Marquise rief: mein liebster Bruder!
unter vielem Schluchzen; drängte sich ins Zimmer, und   20
rief: mein teuerster Vater! und streckte die Arme nach ihm
aus. Der Commendant wandte ihr, bei ihrem Anblick, den
Rücken zu, und eilte in sein Schlafgemach. Er rief, als sie
ihn dahin verfolgte, hinweg! und wollte die Türe zuwerfen;
doch da sie, unter Jammern und Flehen, daß er sie schließe,   25
verhinderte, so gab er plötzlich nach und eilte, während die
Marquise zu ihm hineintrat, nach der hintern Wand. Sie
warf sich ihm, der ihr den Rücken zugekehrt hatte, eben zu
Füßen, und umfaßte zitternd seine Knie, als ein Pistol, das
er ergriffen hatte, in dem Augenblick, da er es von der   30
Wand herabriß, losging, und der Schuß schmetternd in die
Decke fuhr. ⌈Herr meines Lebens!⌉ rief die Marquise, erhob sich leichenblaß von ihren Knien, und eilte aus seinen
Gemächern wieder hinweg. Man soll sogleich anspannen,
sagte sie, indem sie in die ihrigen trat; setzte sich, ⌈matt bis   35

Vgl. Erl. zu
32.20

jedoch,
indessen

begann heftig
zu weinen

52   Die Marquise von O....

in den Tod⌐, auf einen Sessel nieder, zog ihre Kinder eilfertig an, und ließ die Sachen einpacken. Sie hatte eben ihr Kleinstes zwischen den Knien, und schlug ihm noch ein Tuch um, um nunmehr, da alles zur Abreise bereit war, in
5 den Wagen zu steigen: als der Forstmeister eintrat, und auf Befehl des Commendanten die Zurücklassung und Überlieferung der Kinder von ihr forderte. Dieser Kinder? fragte sie; und stand auf. Sag deinem unmenschlichen Vater, daß er kommen, und mich niederschießen, nicht aber mir
10 meine Kinder entreißen könne! Und hob, mit dem ganzen Stolz der Unschuld gerüstet, ihre Kinder auf, trug sie ohne daß der Bruder gewagt hätte, sie anzuhalten, in den Wagen und fuhr ab.

⌐Durch diese schöne Anstrengung mit sich selbst bekannt
15 gemacht, hob sie sich plötzlich, wie an ihrer eigenen Hand, aus der ganzen Tiefe, in welche das Schicksal sie herabgestürzt hatte, empor.⌐ Der Aufruhr, der ihre Brust zerriß, legte sich, als sie im Freien war, sie küßte häufig die Kinder, diese ihre liebe ⌐Beute⌐, und mit großer Selbstzufriedenheit
20 gedachte sie, welch einen Sieg sie, durch die Kraft ihres schuldfreien Bewußtseins, über ihren Bruder davon getragen hatte. Ihr Verstand, stark genug, in ihrer sonderbaren Lage nicht zu reißen*, gab sich ganz unter der großen, heiligen und unerklärlichen Einrichtung der Welt* gefangen.
25 Sie sah die Unmöglichkeit ein, ihre Familie von ihrer Unschuld zu überzeugen, begriff, daß sie sich darüber trösten müsse, falls sie nicht untergehen wolle, und wenige Tage nur waren nach ihrer Ankunft in V.... verflossen, als der Schmerz ganz und gar dem heldenmütigen Vorsatz Platz
30 machte, sich mit Stolz gegen die Anfälle* der Welt zu rüsten. Sie beschloß, sich ganz in ihr Innerstes zurückzuziehen, sich, mit ausschließendem* Eifer, der Erziehung ihrer beiden Kinder zu widmen, und des Geschenks, das ihr Gott mit dem dritten gemacht hatte, mit voller mütterlichen
35 Liebe zu pflegen. Sie machte Anstalten, in wenig Wochen,

nicht zu versagen

Hier: unerklärliche Weltordnung eines unerforschlichen Gottes

feindlichen Angriffe

ausschließlichem

sobald sie ihre Niederkunft überstanden haben würde, ihren schönen, aber durch die lange Abwesenheit ein wenig verfallenen Landsitz wieder herzustellen; saß in der Gartenlaube, und dachte, während sie kleine Mützen, und Strümpfe für kleine Beine strickte, wie sie die Zimmer bequem verteilen würde; auch, welches sie mit Büchern füllen, und in welchem die Staffelei am schicklichsten stehen würde. Und so war der Zeitpunkt, da der Graf F... von Neapel wiederkehren sollte, noch nicht abgelaufen*, als sie schon völlig mit dem Schicksal, in ewig klösterlicher Eingezogenheit* zu leben, vertraut war. Der Türsteher erhielt Befehl, keinen Menschen im Hause vorzulassen. Nur der Gedanke war ihr unerträglich, daß dem jungen Wesen, das sie in der größten Unschuld und Reinheit empfangen hatte, und dessen Ursprung, eben weil er geheimnisvoller war, auch göttlicher zu sein schien, als der anderer Menschen, ein Schandfleck in der bürgerlichen Gesellschaft ankleben sollte. Ein sonderbares Mittel war ihr eingefallen, den Vater zu entdecken: ein Mittel, bei dem sie, als sie es zuerst dachte, das Strickzeug selbst vor Schrecken aus der Hand fallen ließ. Durch ganze Nächte, in unruhiger Schlaflosigkeit durchwacht, ward es gedreht und gewendet um sich an seine ihr innerstes Gefühl verletzende, Natur zu gewöhnen. Immer noch sträubte sie sich, mit dem Menschen, der sie so hintergangen hatte, in irgend ein Verhältnis zu treten: indem sie sehr richtig schloß, daß derselbe doch, ohne alle Rettung, zum Auswurf seiner Gattung* gehören müsse, und, auf welchem Platz der Welt man ihn auch denken wolle, nur aus dem zertretensten und unflätigsten Schlamm derselben, hervorgegangen sein könne. Doch da das Gefühl ihrer Selbstständigkeit* immer lebhafter in ihr ward, und sie bedachte, daß der Stein seinen Wert behält, er mag auch eingefaßt sein, wie man wolle, so griff sie eines Morgens, da sich das junge Leben wieder in ihr regte, ein Herz, und ließ jene sonderbare Aufforderung in die Intel-

erreicht

Zurückgezogenheit

Verworfener, aus der Gesellschaft Ausgestoßener

Vgl. Erl. zu 53.14–17

ligenzblätter* von M... rücken, die man am Eingang dieser Lokale Nach-richten- und Anzeigen-blätter
Erzählung gelesen hat.

Der Graf F..., den unvermeidliche Geschäfte in Neapel
aufhielten, hatte inzwischen zum zweitenmal an die Mar-
5 quise geschrieben, und sie aufgefordert, es möchten fremde
Umstände eintreten, welche da wollten, ihrer, ihm gegebenen, stillschweigenden Erklärung getreu zu bleiben. Sobald
es ihm geglückt war, seine fernere Geschäftsreise nach
Constantinopel abzulehnen, und es seine übrigen Verhält-
10 nisse gestatteten, ging er augenblicklich von Neapel ab,
und kam auch richtig, nur wenige Tage nach der von ihm
bestimmten Frist, in M... an. Der Commendant empfing
ihn mit einem verlegenen Gesicht, sagte, daß ein notwen-
diges Geschäft ihn aus dem Hause nötige, und forderte den
15 Forstmeister auf, ihn inzwischen zu unterhalten. Der Forstmeister zog ihn auf sein Zimmer, und fragte ihn, nach einer
kurzen Begrüßung, ob er schon wisse, was sich während
seiner Abwesenheit in dem Hause des Commendanten zugetragen habe. Der Graf antwortete, mit einer flüchtigen
20 Blässe: nein. Hierauf unterrichtete ihn der Forstmeister
von der Schande, die die Marquise über die Familie gebracht hatte, und gab ihm die Geschichtserzählung dessen,
⌐was unsre Leser so eben erfahren haben⌐. Der Graf schlug
sich mit der Hand vor die Stirn. Warum legte man mir so
25 viele Hindernisse in den Weg! rief er in der Vergessenheit indem er seinen Zuhörer vergaß
seiner*. Wenn die Vermählung erfolgt wäre: so wäre alle
Schmach und jedes Unglück uns erspart! Der Forstmeister
fragte, indem er ihn anglotzte, ob er rasend genug wäre, zu
wünschen, mit dieser Nichtswürdigen vermählt zu sein?
30 Der Graf erwiderte, daß sie mehr wert wäre, als die ganze
Welt, die sie verachtete; daß ihre Erklärung über ihre Unschuld vollkommnen Glauben bei ihm fände; und daß er
noch heute nach V... gehen, und seinen Antrag bei ihr wiederholen würde. Er ergriff auch sogleich seinen Hut, emp-
35 fahl sich dem Forstmeister, der ihn für seiner Sinne völlig
beraubt hielt, und ging ab.

Er bestieg ein Pferd und sprengte nach V... hinaus. Als er am Tore abgestiegen war, und in den Vorplatz treten wollte, sagte ihm der Türsteher, daß die Frau Marquise keinen Menschen spräche. Der Graf fragte, ob diese, für Fremde getroffene, Maßregel auch einem Freund des Hauses gälte; worauf jener antwortete, daß er von keiner Ausnahme wisse, und bald darauf, auf eine zweideutige* Art hinzusetzte: ob er vielleicht der Graf F... wäre? Der Graf erwiderte, nach einem forschenden Blick, nein; und äußerte, zu seinem Bedienten gewandt, doch so, daß jener es hören konnte, er werde, unter solchen Umständen, in einem Gasthofe absteigen, und sich bei der Frau Marquise schriftlich anmelden. Sobald er inzwischen* dem Türsteher aus den Augen war, bog er um eine Ecke, und umschlich die ⌜Mauer eines weitläufigen Gartens⌝, der sich hinter dem Hause ausbreitete. Er trat durch eine Pforte, die er offen fand, in den Garten, durchstrich die Gänge desselben, und wollte eben die hintere Rampe hinaufsteigen, als er, in einer Laube, die zur Seite lag, die Marquise, in ihrer lieblichen und geheimnisvollen Gestalt, an einem kleinen Tischchen emsig arbeiten sah. Er näherte sich ihr so, daß sie ihn nicht früher erblicken konnte, als bis er am Eingang der Laube, drei kleine Schritte von ihren Füßen, stand. Der Graf F...! sagte die Marquise, als sie die Augen aufschlug, und die Röte der Überraschung überflog ihr Gesicht. Der Graf lächelte, blieb noch eine Zeitlang, ohne sich im Eingang zu rühren, stehen; setzte sich dann, mit so bescheidener Zudringlichkeit, als sie nicht zu erschrecken nötig war, neben ihr nieder, und schlug, ehe sie noch, in ihrer sonderbaren Lage, einen Entschluß gefaßt hatte, seinen Arm sanft um ihren lieben Leib. Von wo, Herr Graf, ist es möglich, fragte die Marquise – und sah schüchtern vor sich auf die Erde nieder. Der Graf sagte: von M..., und drückte sie ganz leise an sich; durch eine hintere Pforte, die ich offen fand. Ich glaubte auf Ihre Verzeihung rechnen zu dürfen,

doppelsinnige

jedoch

Die Marquise von O....

und trat ein. Hat man Ihnen denn in M... nicht gesagt – ? – fragte sie, und rührte noch kein Glied in seinen Armen. Alles, geliebte Frau, versetzte der Graf; doch von Ihrer Unschuld völlig überzeugt – Wie! rief die Marquise, indem sie
5 aufstand, und sich loswickelte*; und Sie kommen gleichwohl? – Der Welt zum Trotz, fuhr er fort, indem er sie festhielt, und Ihrer Familie zum Trotz, und dieser lieblichen Erscheinung sogar zum Trotz; wobei er einen glühenden Kuß auf ihre Brust drückte. – Hinweg! rief die Marquise –
10 So überzeugt, sagte er, Julietta, als ob ich allwissend wäre, als ob meine Seele in deiner Brust wohnte – Die Marquise rief: Lassen Sie mich! Ich komme, schloß er – und ließ sie nicht – meinen Antrag zu wiederholen, und das Los der Seligen, wenn Sie mich erhören wollen, von Ihrer Hand zu
15 empfangen. Lassen Sie mich augenblicklich! rief die Marquise; ich befehls Ihnen! riß sich gewaltsam aus seinen Armen, und entfloh. Geliebte! Vortreffliche! flüsterte er, indem er wieder aufstand, und ihr folgte. – Sie hören! rief die Marquise, und wandte sich, und wich ihm aus. Ein einziges,
20 heimliches, geflüstertes – ! sagte der Graf, und griff hastig nach ihrem glatten, ihm entschlüpfenden Arm. – ⌐Ich *will nichts* wissen⌐, versetzte die Marquise, stieß ihn heftig vor die Brust zurück, eilte auf die Rampe, und verschwand.

Er war schon halb auf die Rampe gekommen, um sich, es
25 koste, was es wolle, bei ihr Gehör zu verschaffen, als die Tür vor ihm zuflog, und der Riegel heftig, mit verstörter Beeiferung*, vor seinen Schritten zurasselte. Unschlüssig, einen Augenblick, was unter solchen Umständen zu tun sei, stand er, und überlegte, ob er durch ein, zur Seite offen
30 stehendes Fenster einsteigen, und seinen Zweck, bis er ihn erreicht, verfolgen solle; doch so schwer es ihm auch in jedem Sinne war, umzukehren, diesmal schien es die Notwendigkeit zu erfordern, und grimmig erbittert über sich, daß er sie aus seinen Armen gelassen hatte, schlich er die
35 Rampe hinab, und verließ den Garten, um seine Pferde

sich aus der Umarmung befreite

Der Zustand der Marquise wird auf den Riegel übertragen (Enallage).

aufzusuchen. Er fühlte daß der Versuch, sich an ihrem Busen zu erklären, für immer fehlgeschlagen sei, und ritt schrittweis, indem er einen Brief überlegte, den er jetzt zu schreiben verdammt war, nach M… zurück. Abends, da er sich, in der übelsten Laune von der Welt, bei einer öffentlichen* Tafel eingefunden hatte, traf er den Forstmeister an, der ihn auch sogleich befragte, ob er seinen Antrag in V… glücklich angebracht habe? Der Graf antwortete kurz: nein! und war sehr gestimmt, ihn mit einer bitteren Wendung abzufertigen; doch um der Höflichkeit ein Genüge zu tun, setzte er nach einer Weile hinzu: er habe sich entschlossen, sich schriftlich an sie zu wenden, und werde damit in kurzem ins Reine sein. Der Forstmeister sagte: er sehe mit Bedauern, daß seine Leidenschaft für die Marquise ihn seiner Sinne beraube. Er müsse ihm inzwischen versichern, daß sie bereits auf dem Wege sei, eine andere Wahl zu treffen; klingelte nach den neuesten Zeitungen, und gab ihm das Blatt, in welchem die Aufforderung derselben an den Vater ihres Kindes eingerückt* war. Der Graf durchlief, indem ihm das Blut ins Gesicht schoß, die Schrift. Ein Wechsel von Gefühlen durchkreuzte ihn. Der Forstmeister fragte, ob er nicht glaube, daß die Person, die die Frau Marquise suche, sich finden werde? – Unzweifelhaft! versetzte der Graf, indessen er mit ganzer Seele über dem Papier lag, und den Sinn desselben gierig verschlang. Darauf nachdem er einen Augenblick, während er das Blatt zusammenlegte, an das Fenster getreten war, sagte er: nun ist es gut! nun weiß ich, was ich zu tun habe! kehrte sich sodann um; und fragte den Forstmeister noch, auf eine verbindliche Art, ob man ihn bald wiedersehen werde; empfahl sich ihm, und ging, völlig ausgesöhnt mit seinem Schicksal, fort. –

⌐Inzwischen waren in dem Hause des Commendanten die lebhaftesten Auftritte vorgefallen.⌐ Die Obristin war über die zerstörende Heftigkeit ihres Gatten und über die

abgedruckt

Schwäche, mit welcher sie sich, bei der tyrannischen Verstoßung der Tochter, von ihm hatte unterjochen lassen, äußerst erbittert. Sie war, als der Schuß in des Commendanten Schlafgemach fiel, und die Tocher aus demselben hervorstürzte, in eine Ohnmacht gesunken, aus der sie sich zwar bald wieder erholte; doch der Commendant hatte, in dem Augenblick ihres Erwachens, weiter nichts gesagt, als, es täte ihm leid, daß sie diesen Schrecken umsonst gehabt, und das abgeschossene Pistol auf einen Tisch geworfen. Nachher, da von der Abforderung der Kinder die Rede war, wagte sie schüchtern, zu erklären, daß man zu einem solchen Schritt kein Recht habe; sie bat mit einer, durch die gehabte Anwandlung*, schwachen und rührenden Stimme, heftige Auftritte im Hause zu vermeiden; doch der Commendant erwiderte weiter nichts, als, indem er sich zum Forstmeister wandte, vor Wut schäumend: geh! und schaff sie mir*! Als der zweite Brief des Grafen F... ankam, hatte der Commendant befohlen, daß er nach V... zur Marquise herausgeschickt werden solle, welche ihn, wie man nachher durch den Boten erfuhr, bei Seite gelegt, und gesagt hatte, es wäre gut. Die Obristin, der in der ganzen Begebenheit so vieles, und besonders die Geneigtheit der Marquise, eine neue, ihr ganz gleichgültige Vermählung einzugehen, dunkel war, suchte vergebens, diesen Umstand zur Sprache zu bringen. Der Commendant bat immer, auf eine Art, die einem Befehle gleich sah, zu schweigen; versicherte, indem er einst, bei einer solchen Gelegenheit, ein Porträt herabnahm, das noch von ihr an der Wand hing*, daß er sein Gedächtnis ihrer ganz zu vertilgen wünsche; und meinte, er hätte keine Tochter mehr. Drauf erschien der sonderbare Aufruf der Marquise in den Zeitungen. Die Obristin, die auf das lebhafteste darüber betroffen war, ging mit dem Zeitungsblatt, das sie von dem Commendanten erhalten hatte, in sein Zimmer, wo sie ihn an einem Tisch arbeitend fand, und fragte ihn, was er in aller Welt

den soeben erlebten Vorfall

Zu ergänzen: aus den Augen

ein Porträt von ihr herabnahm, das noch an der Wand hing

davon halte? Der Commendant sagte, indem er fortschrieb: o! sie ist unschuldig. Wie! rief Frau von G...., mit
dem alleräußersten Erstaunen: unschuldig? Sie hat es im
Schlaf getan, sagte der Commendant, ohne aufzusehen. Im
Schlafe! versetzte Frau von G.... Und ein so ungeheurer   5
Vorfall wäre – ? Die Närrin! rief der Commendant, schob
die Papiere über einander, und ging weg.
Am nächsten Zeitungstage las die Obristin, da beide beim
Frühstück saßen, in einem Intelligenzblatt, das eben ganz
feucht von der Presse kam, folgende Antwort: 10
»Wenn die Frau Marquise von O.... sich, am 3ten... 11
Uhr Morgens, im Hause des Herrn von G...., ihres Va-
ters, einfinden will: so wird sich derjenige, den sie sucht,
ihr daselbst zu Füßen werfen.« –
Der Obristin verging, ehe sie noch auf die Hälfte dieses   15
unerhörten Artikels gekommen war, die Sprache; sie überflog das Ende, und reichte das Blatt dem Commendanten
dar. Der Obrist durchlas das Blatt dreimal, als ob er seinen
eignen Augen nicht traute. Nun sage mir, um des Himmels
Willen, Lorenzo, rief die Obristin, was hältst du davon? O   20
die Schändliche! versetzte der Commendant, und stand
auf; o die verschmitzte* Heuchlerin! Zehnmal die Scham-
losigkeit einer Hündin, mit zehnfacher List des Fuchses
gepaart, reichen noch an die ihrige nicht! Solch eine
Miene! Zwei solche Augen! Ein Cherub hat sie nicht   25
treuer! – und jammerte und konnte sich nicht beruhigen.
Aber was in aller Welt, fragte die Obristin, wenn es eine
List ist, kann sie damit bezwecken? – Was sie damit be-
zweckt? Ihre nichtswürdige Betrügerei, mit Gewalt will sie
sie durchsetzen, erwiderte der Obrist. Auswendig gelernt   30
ist sie schon, die Fabel*, die sie uns beide, sie und er, am
3ten 11 Uhr Morgens hier aufbürden wollen. Mein liebes
Töchterchen, soll ich sagen, das wußte ich nicht, wer
konnte das denken, vergib mir, nimm meinen Segen, und
sei wieder gut. Aber die Kugel dem, der am 3ten Morgens   35

verschlagene,
raffinierte

Hier: Lügen-
geschichte

60   Die Marquise von O....

über meine Schwelle tritt! Es müßte denn schicklicher sein, ihn mir durch Bediente aus dem Hause zu schaffen. – Frau von G.... sagte, nach einer nochmaligen Überlesung des Zeitungsblattes, daß wenn sie, von zwei unbegreiflichen Dingen, Einem, Glauben, beimessen solle, sie lieber an ein unerhörtes Spiel des Schicksals, als an diese Niederträchtigkeit ihrer sonst so vortrefflichen Tochter glauben wolle. Doch ehe sie noch vollendet hatte, rief der Commendant schon: tu mir den Gefallen und schweig! und verließ das Zimmer. Es ist mir verhaßt, wenn ich nur davon höre.

Wenige Tage nachher erhielt der Commendant, in Beziehung auf diesen Zeitungsartikel, einen Brief von der Marquise, in welchem sie ihn, da ihr die Gnade versagt wäre, in seinem Hause erscheinen zu dürfen, auf eine ehrfurchtsvolle und rührende Art bat, denjenigen, der sich am 3ten Morgens bei ihm zeigen würde, gefälligst zu ihr nach V... hinauszuschicken. Die Obristin war gerade gegenwärtig, als der Commendant diesen Brief empfing; und da sie auf seinem Gesicht deutlich bemerkte, daß er in seiner Empfindung irre geworden war: denn welch ein Motiv jetzt, falls es eine Betrügerei war, sollte er ihr unterlegen, da sie auf seine Verzeihung gar keine Ansprüche zu machen schien? so rückte sie, dadurch dreist gemacht*, mit einem Plan hervor, den sie schon lange, in ihrer von Zweifeln bewegten Brust, mit sich herum getragen hatte. Sie sagte, während der Obrist noch, mit einer nichtssagenden Miene, in das Papier hineinsah: sie habe einen Einfall. Ob er ihr erlauben wolle, auf einen oder zwei Tage, nach V... hinauszufahren? Sie werde die Marquise, falls sie wirklich denjenigen, der ihr durch die Zeitungen, als ein Unbekannter, geantwortet, schon kenne, in eine Lage zu versetzen wissen, in welcher sich ihre Seele verraten müßte, und wenn sie die abgefeimteste Verräterin* wäre. Der Commendant erwiderte, indem er, mit einer plötzlich heftigen Bewegung, den Brief zerriß: sie wisse, daß er mit ihr nichts zu schaffen

ermutigt

durchtriebenste Betrügerin

haben wolle, und er verbiete ihr, in irgend eine Gemein-
schaft mit ihr zu treten. Er siegelte die zerrissenen Stücke
ein, schrieb eine Adresse an die Marquise, und gab sie dem
Boten, als Antwort, zurück. Die Obristin, durch diesen
hartnäckigen Eigensinn, der alle Möglichkeit der Aufklärung vernichtete, heimlich erbittert, beschloß ihren Plan
jetzt, gegen seinen Willen, auszuführen. Sie nahm einen
von den Jägern des Commendanten, und fuhr am nächstfolgenden Morgen, da ihr Gemahl noch im Bette lag, mit
demselben nach V... hinaus. Als sie am Tore des Landsitzes
angekommen war, sagte ihr der Türsteher, daß niemand
bei der Frau Marquise vorgelassen würde. Frau von G...
antwortete, daß sie von dieser Maßregel unterrichtet wäre,
daß er aber gleichwohl nur gehen, und die Obristin von
G... bei ihr anmelden mögte. Worauf dieser versetzte, daß
dies zu nichts helfen würde, indem die Frau Marquise keinen Menschen auf der Welt spräche. Frau von G... antwortete, daß sie von ihr gesprochen werden würde, indem
sie ihre Mutter wäre, und daß er nur nicht länger säumen,
und sein Geschäft verrichten möchte. Kaum aber war noch
der Türsteher zu diesem, wie er meinte, gleichwohl vergeb-
lichen Versuche ins Haus gegangen, als man schon die
Marquise daraus hervortreten, nach dem Tore eilen, und
sich auf Knien vor dem Wagen der Obristin niederstürzen
sah. Frau von G.... stieg, von ihrem Jäger unterstützt, aus,
und hob die Marquise, nicht ohne einige Bewegung, vom
beugte   Boden auf. Die Marquise drückte* sich, von Gefühlen
überwältigt, tief auf ihre Hand hinab, und führte sie, indem
ihr die Tränen häufig flossen, ehrfurchtsvoll in die Zimmer
ihres Hauses. Meine teuerste Mutter! rief sie, nachdem sie
angeboten   ihr den Diwan angewiesen* hatte, und noch vor ihr stehen
blieb, und sich die Augen trocknete: welch ein glücklicher
Zufall ist es, dem ich Ihre, mir unschätzbare Erscheinung
verdanke? Frau von G.... sagte, indem sie ihre Tochter
vertraulich faßte, sie müsse ihr nur sagen, daß sie komme,

sie wegen der Härte, mit welcher sie aus dem väterlichen Hause verstoßen worden sei, um Verzeihung zu bitten. Verzeihung! fiel ihr die Marquise ins Wort, und wollte ihre Hände küssen. Doch diese, indem sie den Handkuß ver-
5 mied, fuhr fort: denn nicht nur, daß die, in den letzten öffentlichen Blättern eingerückte, Antwort auf die be-wußte Bekanntmachung, mir sowohl als dem Vater, die Überzeugung von deiner Unschuld gegeben hat; so muß ich dir auch eröffnen, daß er sich selbst schon, zu unserm gro-
10 ßen und freudigen Erstaunen, gestern im Hause gezeigt hat. Wer hat sich –? fragte die Marquise, und setzte sich bei ihrer Mutter nieder; – welcher er selbst hat sich gezeigt –? und Erwartung spannte jede ihrer Mienen. Er, erwiderte Frau von G..., der Verfasser jener Antwort, er persönlich
15 selbst, an welchen dein Aufruf gerichtet war. – Nun denn, sagte die Marquise, mit unruhig arbeitender Brust: wer ist es? Und noch einmal: wer ist es? – Das, erwiderte Frau von G...., möchte ich dich erraten lassen. Denn denke, daß sich gestern, da wir beim Tee sitzen, und eben das sonderbare
20 Zeitungsblatt lesen, ein Mensch, von unsrer genauesten Bekanntschaft, mit Gebärden der Verzweiflung ins Zim-mer stürzt, und deinem Vater, und bald darauf auch mir, zu Füßen fällt. Wir, unwissend, was wir davon denken sollen, fordern ihn auf, zu reden. Darauf spricht er: sein Gewissen
25 lasse ihm keine Ruhe; er sei der Schändliche, der die Frau Marquise betrogen, er müsse wissen, wie man sein Ver-brechen beurteile, und wenn Rache über ihn verhängt wer-den solle, so komme er, sich ihr selbst darzubieten*. Aber   auszuliefern
wer? wer? wer? versetzte die Marquise. Wie gesagt, fuhr
30 Frau von G.... fort, ein junger, sonst wohlerzogener Mensch, dem wir eine solche Nichtswürdigkeit niemals zu-getraut hätten. Doch erschrecken wirst du nicht, meine Tochter, wenn du erfährst, daß er von niedrigem Stande, und von allen Forderungen, die man sonst an deinen Ge-   allen Forderungen nicht
35 mahl machen dürfte, entblößt ist*. Gleichviel, meine vor-   genügt

treffliche Mutter, sagte die Marquise, er kann nicht ganz
unwürdig sein, da er sich Ihnen früher als mir, zu Füßen
geworfen hat. Aber, wer? wer? Sagen Sie mir nur: wer?
Nun denn, versetzte die Mutter, es ist ⌐Leopardo, der Jä-
ger⌐, den sich der Vater jüngst aus Tyrol verschrieb*, und   5
den ich, wenn du ihn wahrnahmst, schon mitgebracht
habe, um ihn dir als Bräutigam vorzustellen. Leopardo, der
Jäger! rief die Marquise, und drückte ihre Hand, mit dem
Ausdruck der Verzweiflung, vor die Stirn. Was erschreckt
dich? fragte die Obristin. Hast du Gründe, daran zu zwei-   10
feln? – Wie? Wo? Wann? fragte die Marquise verwirrt.
Das, antwortete jene, will er nur dir anvertrauen. Scham
und Liebe, meinte er, machten es ihm unmöglich, sich einer
Andern hierüber zu erklären, als dir. Doch wenn du willst,
so öffnen wir das Vorzimmer, wo er, mit klopfendem Her-   15
zen, auf den Ausgang wartet; und du magst sehen, ob du
ihm sein Geheimnis, indessen ich abtrete, entlockst. – Gott,
mein Vater! rief die Marquise; ich war einst in der Mittags-
hitze eingeschlummert, und sah ihn von meinem Diwan
gehen, als ich erwachte! – Und damit legte sie ihre kleinen   20
Hände vor ihr in Scham erglühendes Gesicht. Bei diesen
Worten sank die Mutter auf Knien vor ihr nieder. O meine
Tochter! rief sie; o du Vortreffliche! und schlug die Arme
um sie. Und o ich Nichtswürdige! und verbarg das Antlitz
in ihren Schoß. Die Marquise fragte bestürzt: was ist Ih-   25
nen, meine Mutter? Denn begreife, fuhr diese fort, ⌐o du
Reinere als Engel sind⌐, daß von Allem, was ich dir sagte,
nichts wahr ist; daß meine verderbte Seele an solche Unschuld nicht, als von der du umstrahlt bist, glauben konnte,
und daß ich dieser schändlichen List erst bedurfte, um mich   30
davon zu überzeugen. Meine teuerste Mutter, rief die Marquise, und neigte sich voll froher Rührung zu ihr herab,
und wollte sie aufheben. Jene versetzte darauf: nein, eher
nicht von deinen Füßen weich' ich, bis du mir sagst, ob du
mir die Niedrigkeit meines Verhaltens, du Herrliche, Über-   35

durch
briefliche
Bestellung
zu seinen
Diensten
verpflichtet
hat

Die Marquise von O....

irrdische, verzeihen kannst. Ich Ihnen verzeihen, meine
Mutter! Stehen Sie auf, rief die Marquise, ich beschwöre
Sie – Du hörst, sagte Frau von G...., ich will wissen, ob du
mich noch lieben, und so aufrichtig verehren kannst, als
sonst? Meine angebetete Mutter! rief die Marquise, und
legte sich gleichfalls auf Knien vor ihr nieder; Ehrfurcht
und Liebe sind nie aus meinem Herzen gewichen. Wer
konnte mir, unter so unerhörten Umständen, Vertrauen
schenken? Wie glücklich bin ich, daß Sie von meiner Un-
sträflichkeit überzeugt sind! Nun denn, versetzte Frau von
G...., indem sie, von ihrer Tochter unterstützt, aufstand:
so will ich dich auf Händen tragen, mein liebstes Kind. Du
sollst bei mir dein Wochenlager halten; und wären die Verhältnisse so, daß ich einen jungen Fürsten von dir erwartete, mit größerer Zärtlichkeit nicht und Würdigkeit könnt
ich dein pflegen. Die Tage meines Lebens nicht mehr von
deiner Seite weich' ich. Ich biete der ganzen Welt Trotz; ⌐ich
will keine andre Ehre mehr, als deine Schande⌐: wenn du
mir nur wieder gut wirst, und der Härte nicht, mit welcher
ich dich verstieß, mehr gedenkst. Die Marquise suchte sie
mit Liebkosungen und Beschwörungen ohne Ende zu trösten; doch der Abend kam heran, und Mitternacht schlug,
ehe es ihr gelang. Am folgenden Tage, da sich der Affekt der
alten Dame, der ihr während der Nacht eine Fieberhitze
zugezogen hatte, ein wenig gelegt hatte, fuhren Mutter und
Tochter und Enkel, wie im Triumph, wieder nach M... zurück. Sie waren äußerst vergnügt auf der Reise, scherzten
über Leopardo, den Jäger, der vorn auf dem Bock saß; und
die Mutter sagte zur Marquise, sie bemerke, daß sie rot
würde, so oft sie seinen breiten Rücken ansähe. Die Marquise antwortete, mit einer Regung, die halb ein Seufzer,
halb ein Lächeln war: wer weiß, wer zuletzt noch am 3ten
11 Uhr Morgens bei uns erscheint! – Drauf, je mehr man
sich M... näherte, je ernsthafter stimmten sich wieder die
Gemüter, in der Vorahndung entscheidender Auftritte, die

ihnen noch bevorstanden. Frau von G...., die sich von ihren Plänen nichts merken ließ, führte ihre Tochter, da sie vor dem Hause ausgestiegen waren, wieder in ihre alten Zimmer ein; sagte, sie möchte es sich nur bequem machen, sie würde gleich wieder bei ihr sein, und schlüpfte ab*. Nach einer Stunde kam sie mit einem ganz erhitzten Gesicht wieder. Nein, solch ein Thomas! sprach sie mit heimlich vergnügter Seele; solch ein ungläubiger Thomas! Hab' ich nicht eine Seigerstunde* gebraucht, ihn zu überzeugen. Aber nun sitzt er, und weint. Wer? fragte die Marquise. Er, antwortete die Mutter. Wer sonst, als wer die größte Ursache dazu hat. Der Vater doch nicht? rief die Marquise. Wie ein Kind, erwiderte die Mutter; daß ich, wenn ich mir nicht selbst hätte die Tränen aus den Augen wischen müssen, gelacht hätte, so wie ich nur aus der Türe heraus war. Und das wegen meiner? fragte die Marquise, und stand auf; und ich sollte hier – ? Nicht von der Stelle! sagte Frau von G.... Warum diktierte er mir den Brief. Hier sucht er *dich* auf, wenn er *mich*, so lange ich lebe, wiederfinden will. Meine teuerste Mutter, flehte die Marquise – Unerbittlich! fiel ihr die Obristin ins Wort. Warum griff er nach der Pistole. – Aber ich beschwöre Sie – Du *sollst* nicht, versetzte Frau von G...., indem sie die Tochter wieder auf ihren Sessel niederdrückte. Und wenn er nicht heut vor Abend noch kommt, zieh ich morgen mit dir weiter. Die Marquise nannte dies Verfahren hart und ungerecht. Doch die Mutter erwiderte: Beruhige dich – denn eben hörte sie Jemand von Weitem heranschluchzen*: er kömmt schon! Wo? fragte die Marquise, und horchte. Ist wer hier draußen vor der Tür; dies heftige – ? Allerdings, versetzte Frau von G.... Er will, daß wir ihm die Türe öffnen. Lassen Sie mich! rief die Marquise, und riß sich vom Stuhl empor. Doch: wenn du mir gut bist, Julietta, versetzte die Obristin, so bleib; und in dem Augenblick trat auch der Commendant schon, das Tuch vor das Gesicht haltend, ein. Die

entfernte sich,
ging ab

geschlagene
Stunde (von
Seiger: Uhr)

sich schluch-
zend nähern

Mutter stellte sich breit vor ihre Tochter, und kehrte ihm den Rücken zu. Mein teuerster Vater! rief die Marquise, und streckte ihre Arme nach ihm aus. Nicht von der Stelle, sagte Frau von G...., du hörst! Der Commendant stand in
5 der Stube und weinte. Er soll dir abbitten, fuhr Frau von G... fort. Warum ist er so heftig! Und warum ist er so hartnäckig! Ich liebe ihn, aber dich auch; ich ehre ihn, aber dich auch. Und muß ich eine Wahl treffen, so bist du vortrefflicher, als er, und ich bleibe bei dir. Der Commendant
10 beugte sich ganz krumm, und heulte, daß die Wände erschallten. Aber mein Gott! rief die Marquise, gab der Mutter plötzlich nach, und nahm ihr Tuch, ihre eigenen Tränen fließen zu lassen. Frau von G.... sagte: – er kann nur nicht sprechen! und wich ein wenig zur Seite aus. Hierauf erhob
15 sich die Marquise, umarmte den Commendanten, und bat ihn, sich zu beruhigen. Sie weinte selbst heftig. Sie fragte ihn, ob er sich nicht setzen wolle? sie wollte ihn auf einen Sessel niederziehen; sie schob ihm einen Sessel hin, damit er sich darauf setze: doch er antwortete nicht; er war nicht
20 von der Stelle zu bringen; er setzte sich auch nicht, und stand bloß, das Gesicht tief zur Erde gebeugt, und weinte. Die Marquise sagte, indem sie ihn aufrecht hielt, halb zur Mutter gewandt: er werde krank werden; die Mutter selbst schien, da er sich ganz konvulsivisch* gebärdete, ihre
25 Standhaftigkeit verlieren zu wollen. Doch da der Commendant sich endlich, auf die wiederholten Anforderungen* der Tochter, niedergesetzt hatte, und diese ihm, mit unendlichen Liebkosungen, zu Füßen gesunken war: so nahm sie wieder das Wort: sagte, es geschehe ihm ganz
30 recht, er werde nun wohl zur Vernunft kommen, entfernte sich aus dem Zimmer, und ließ sie allein.
Sobald sie draußen war, wischte sie sich selbst die Tränen ab, dachte, ob ihm die heftige Erschütterung, in welche sie ihn versetzt hatte, nicht doch gefährlich sein könnte, und
35 ob es wohl ratsam sei, einen Arzt rufen zu lassen? Sie

Vgl. 47.30

Aufforderungen

kochte ihm für den Abend Alles, was sie nur Stärkendes und Beruhigendes aufzutreiben wußte, in der Küche zusammen, bereitete und wärmte ihm das Bett, um ihn sogleich hineinzulegen, sobald er nur, an der Hand der Tochter, erscheinen würde, und schlich, da er immer noch nicht kam, und schon die Abendtafel gedeckt war, dem Zimmer der Marquise zu, um doch zu hören, was sich zutrage? ⌜Sie vernahm, da sie mit sanft an die Tür gelegtem Ohr horchte, ein leises, eben verhallendes Gelispel, das, wie es ihr schien, von der Marquise kam; und, wie sie durchs Schlüsselloch bemerkte, saß sie auch auf des Commendanten Schoß, was er sonst in seinem Leben nicht zugegeben hatte. Drauf endlich öffnete sie die Tür, und sah nun – und das Herz quoll ihr vor Freuden empor: die Tochter still, mit zurückgebeugtem Nacken, die Augen fest geschlossen, in des Vaters Armen liegen; indessen dieser, auf dem Lehnstuhl sitzend, lange, heiße und lechzende Küsse, das große Auge voll glänzender Tränen, auf ihren Mund drückte: gerade wie ein Verliebter! Die Tochter sprach nicht, er sprach nicht; mit über sie gebeugtem Antlitz saß er, wie über das Mädchen seiner ersten Liebe, und legte ihr den Mund zurecht, und küßte sie. Die Mutter fühlte sich, wie eine Selige; ungesehen, wie sie hinter seinem Stuhle stand, säumte sie, die Lust der himmelfrohen Versöhnung, die ihrem Hause wieder geworden war, zu stören. Sie nahte sich dem Vater endlich, und sah ihn, da er eben wieder mit Fingern und Lippen in unsäglicher Lust über den Mund seiner Tochter beschäftigt war, sich um den Stuhl herumbeugend, von der Seite an. Der Commendant schlug, bei ihrem Anblick, das Gesicht schon wieder ganz kraus nieder, und wollte etwas sagen; doch sie rief: o was für ein Gesicht ist das! küßte es jetzt auch ihrerseits in Ordnung, und machte der Rührung durch Scherzen ein Ende. Sie lud und führte beide, die wie Brautleute gingen, zur Abendtafel, an welcher der Commendant zwar sehr heiter war, aber noch von Zeit zu Zeit schluchzte, wenig aß und sprach, auf den Teller niedersah, und mit der Hand seiner Tochter spielte.⌐

Nun galt es, beim Anbruch des nächsten Tages, die Frage: wer nur, in aller Welt, morgen um 11 Uhr sich zeigen würde; denn morgen war der gefürchtete dritte. Vater und Mutter, und auch der Bruder, der sich mit seiner Versöhnung eingefunden hatte, stimmten unbedingt, falls die Person nur von einiger Erträglichkeit sein würde, für Vermählung; Alles, was nur immer möglich war, sollte geschehen, um die Lage der Marquise glücklich zu machen. Sollten die Verhältnisse derselben jedoch so beschaffen sein, daß sie selbst dann, wenn man ihnen durch Begünstigungen zu Hülfe käme, zu weit hinter den Verhältnissen der Marquise zurückblieben, so widersetzten sich die Eltern der Heirat; sie beschlossen, die Marquise nach wie vor bei sich zu behalten, und das Kind zu adoptieren*. Die Marquise hingegen schien willens, in jedem Falle, wenn die Person nur nicht ruchlos wäre, ihr gegebenes Wort in Erfüllung zu bringen, und dem Kinde, es koste was es wolle, einen Vater zu verschaffen. Am Abend fragte die Mutter, wie es denn mit dem Empfang der Person gehalten werden solle? Der Commendant meinte, daß es am schicklichsten sein würde, wenn man die Marquise um 11 Uhr allein ließe. Die Marquise hingegen bestand darauf, daß beide Eltern, und auch der Bruder, gegenwärtig sein möchten, indem sie keine Art des Geheimnisses mit dieser Person zu teilen haben wolle. Auch meinte sie, daß dieser Wunsch sogar in der Antwort derselben, dadurch, daß sie das Haus des Commendanten zur Zusammenkunft vorgeschlagen, ausgedrückt scheine; ein Umstand, um dessentwillen ihr gerade diese Antwort, wie sie frei gestehen müsse, sehr gefallen habe. Die Mutter bemerkte die Unschicklichkeit der Rollen*, die der Vater und der Bruder dabei zu spielen haben würden, bat die Tochter, die Entfernung der Männer zuzulassen, wogegen sie in ihren Wunsch willigen, und bei dem Empfang der

Damit verlöre es den Makel der Unehelichkeit.

Der Empfang wird als Szene dramatisch gestaltet.

Person gegenwärtig sein wolle. Nach einer kurzen Besinnung der Tochter ward dieser letzte Vorschlag endlich angenommen. Drauf nun erschien, nach einer, unter den gespanntesten Erwartungen zugebrachten, Nacht der Morgen des gefürchteten dritten. Als die Glocke eilf Uhr schlug, saßen beide Frauen, festlich, wie zur Verlobung angekleidet, im Besuchzimmer; das Herz klopfte ihnen, daß man es gehört haben würde, wenn das Geräusch des Tages geschwiegen hätte. ⌐Der eilfte Glockenschlag summte noch, als Leopardo, der Jäger, eintrat, den der Vater aus Tyrol verschrieben hatte. Die Weiber erblaßten bei diesem Anblick.⌐ Der Graf F..., sprach er, ist vorgefahren, und läßt sich anmelden. Der Graf F...! riefen beide zugleich, von einer Art der Bestürzung in die andre geworfen. Die Marquise rief: Verschließt die Türen! Wir sind für ihn nicht zu Hause; stand auf, das Zimmer gleich selbst zu verriegeln, und wollte eben den Jäger, der ihr im Wege stand, hinausdrängen, als der Graf schon, in genau demselben Kriegsrock, mit Orden und Waffen, wie er sie bei der Eroberung des Forts getragen hatte, zu ihr eintrat. Die Marquise glaubte vor Verwirrung in die Erde zu sinken; sie griff nach einem Tuch, das sie auf dem Stuhl hatte liegen lassen, und wollte eben in ein Seitenzimmer entfliehn; doch Frau von G...., indem sie die Hand derselben ergriff, rief: Julietta –! und wie erstickt von Gedanken, ging ihr die Sprache aus. Sie heftete die Augen fest auf den Grafen und wiederholte: ich bitte dich, Julietta! indem sie sie nach sich zog: wen erwarten wir denn –? Die Marquise rief, indem sie sich plötzlich wandte: nun? doch ihn nicht –? und schlug mit einem Blick funkelnd, wie ein Wetterstrahl*, auf ihn ein, indessen Blässe des Todes ihr Antlitz überflog. Der Graf hatte ein Knie vor ihr gesenkt; die rechte Hand lag auf seinem Herzen, das Haupt sanft auf seine Brust gebeugt, lag er, und blickte hochglühend vor sich nieder, und schwieg. Wen sonst, rief die Obristin mit beklemmter

Blitz; vgl. Graf Wetter vom Strahl in Kleists *Käthchen von Heilbronn*

Stimme, wen sonst, wir Sinnberaubten, als ihn –? Die Marquise stand starr über ihm, und sagte: ich werde wahnsinnig werden, meine Mutter! Du Törin, erwiderte die Mutter, zog sie zu sich, und flüsterte ihr etwas in das Ohr. Die
5 Marquise wandte sich, und stürzte, beide Hände vor das
Gesicht, auf den Sopha nieder. Die Mutter rief: Unglückliche! Was fehlt dir? Was ist geschehn, worauf du nicht
vorbereitet warst? – Der Graf wich nicht von der Seite der
Obristin; er faßte, immer noch auf seinen Knien liegend,
10 den äußersten Saum ihres Kleides*, und küßte ihn. Liebe!   Geste der
Gnädige! Verehrungswürdigste! flüsterte er: eine Träne   Demut
rollte ihm die Wangen herab. Die Obristin sagte: stehn Sie
auf, Herr Graf, stehn Sie auf! Trösten Sie jene; so sind wir
Alle versöhnt, so ist Alles vergeben und vergessen. Der
15 Graf erhob sich weinend. Er ließ sich von Neuem vor der
Marquise nieder, er faßte leise ihre Hand, als ob sie von
Gold wäre, und der Duft der seinigen sie trüben könnte.
Doch diese –: gehn Sie! gehn Sie! gehn Sie! rief sie, indem
sie aufstand; auf einen Lasterhaften war ich gefaßt, aber   Vgl. Erl. zu
20 auf keinen – – – Teufel*! öffnete, indem sie ihm dabei,   74.19–21
gleich einem Pestvergifteten*, auswich, die Tür des Zim-   Pestkranken
mers, und sagte: ruft den Obristen! Julietta! rief die Obristin mit Erstaunen. Die Marquise blickte, mit tötender
Wildheit, bald auf den Grafen, bald auf die Mutter ein; ihre
25 Brust flog, ihr Antlitz loderte: eine Furie* blickt nicht   Rachegöttin
schrecklicher. Der Obrist und der Forstmeister kamen.
Diesem Mann, Vater, sprach sie, als jene noch unter dem
Eingang waren, kann ich mich nicht vermählen! ⌐griff in
ein Gefäß mit Weihwasser, das an der hinteren Tür befe-
30 stigt war, besprengte, in einem großen Wurf, Vater und
Mutter und Bruder damit, und verschwand⌐.
Der Commendant, von dieser seltsamen Erscheinung betroffen, fragte, was vorgefallen sei; und erblaßte, da er, in
diesem entscheidenden Augenblick, den Grafen F... im
35 Zimmer erblickte. Die Mutter nahm den Grafen bei der

Hand und sagte: frage nicht; dieser junge Mann bereut von Herzen Alles, was geschehen ist; gib deinen Segen, gib, gib: so wird sich Alles noch glücklich endigen. Der Graf stand wie vernichtet. Der Commendant legte seine Hand auf ihn; seine Augenwimpern zuckten, seine Lippen waren weiß, wie Kreide. Möge der Fluch des Himmels von diesen Scheiteln* weichen! rief er: wann gedenken Sie zu heiraten? – Morgen, antwortete die Mutter für ihn, denn er konnte kein Wort hervorbringen, morgen oder heute, wie du willst; dem Herrn Grafen, der so viel schöne Beeiferung gezeigt hat, sein Vergehen wieder gut zu machen, wird immer die nächste Stunde die liebste sein. – So habe ich das Vergnügen, Sie morgen um 11 Uhr in der Augustinerkirche zu finden! sagte der Commendant; verneigte sich gegen ihn, rief Frau und Sohn ab, um sich in das Zimmer der Marquise zu verfügen, und ließ ihn stehen.

Man bemühte sich vergebens, von der Marquise den Grund ihres sonderbaren Betragens zu erfahren; sie lag im heftigsten Fieber, wollte durchaus von Vermählung nichts wissen, und bat, sie allein zu lassen. Auf die Frage: warum sie denn ihren Entschluß plötzlich geändert habe? und was ihr den Grafen gehässiger* mache, als einen andern? sah sie den Vater mit großen Augen zerstreut an, und antwortete nichts. Die Obristin sprach: ob sie vergessen habe, daß sie Mutter sei? worauf sie erwiderte, daß sie, in diesem Falle, mehr an sich, als ihr Kind, denken müsse, und nochmals, indem sie alle Engel und Heiligen zu Zeugen anrief, versicherte, daß sie nicht heiraten würde. Der Vater, der sie offenbar in einem überreizten Gemütszustande sah, erklärte, daß sie ihr Wort halten müsse; verließ sie, und ordnete Alles, nach gehöriger schriftlicher Rücksprache mit dem Grafen, zur Vermählung an. Er legte demselben einen Heiratskontrakt* vor, in welchem dieser auf alle Rechte eines Gemahls Verzicht tat, dagegen sich zu allen Pflichten, die man von ihm fordern würde, verstehen sollte. Der Graf

sandte das Blatt, ganz von Tränen durchfeuchtet*, mit seiner Unterschrift zurück. Als der Commendant am andern
Morgen der Marquise dieses Papier überreichte, hatten
sich ihre Geister* ein wenig beruhigt. Sie durchlas es, noch
5 im Bette sitzend, mehrere Male, legte es sinnend zusammen, öffnete es, und durchlas es wieder; und erklärte hierauf, daß sie sich um 11 Uhr in der Augustinerkirche einfinden würde. Sie stand auf, zog sich, ohne ein Wort zu sprechen, an, stieg, als die Glocke schlug, mit allen Ihrigen in
10 den Wagen, und fuhr dahin ab.
Erst an dem Portal der Kirche war es dem Grafen erlaubt,
sich an die Familie anzuschließen. Die Marquise sah, während der Feierlichkeit, starr auf das Altarbild; nicht ein
flüchtiger Blick ward dem Manne zu Teil, mit welchem sie
15 die Ringe wechselte. Der Graf bot ihr, als die Trauung vorüber war, den Arm; doch sobald sie wieder aus der Kirche
heraus waren, verneigte sich die Gräfin vor ihm: der Commendant fragte, ob er die Ehre haben würde, ihn zuweilen
in den Gemächern seiner Tochter zu sehen, worauf der
20 Graf etwas stammelte, das niemand verstand, den Hut vor
der Gesellschaft abnahm, und verschwand. Er bezog eine
Wohnung in M..., in welcher er mehrere Monate zu-
brachte, ohne auch nur den Fuß in des Commendanten
Haus zu setzen, bei welchem die Gräfin zurückgeblieben
25 war. Nur seinem zarten, würdigen und völlig musterhaften
Betragen überall, wo er mit der Familie in irgend eine Berührung kam, hatte er es zu verdanken, daß er, nach der
nunmehr erfolgten Entbindung der Gräfin von einem jungen Sohne, zur Taufe desselben eingeladen ward. Die Grä-
30 fin, die, mit Teppichen* bedeckt, auf dem Wochenbette saß,
sah ihn nur auf einen Augenblick, da er unter die Tür trat,
und sie von weitem ehrfurchtsvoll grüßte. Er warf unter
den Geschenken, womit die Gäste den Neugebornen be-
willkommten, zwei Papiere auf die Wiege desselben, deren
35 eines, wie sich nach seiner Entfernung auswies, eine Schen-

Vgl. den Brief
des Obristen
an die
Marquise
(52.2–6)

Lebensgeister

bestickten
Zierdecken

kung von 20 000 Rubel an den Knaben, und das andere ein
Testament war, in dem er die Mutter, falls er stürbe, zur
Erbin seines ganzen Vermögens einsetzte. Von diesem Tage

Veranlassung an ward er, auf Veranstaltung* der Frau von G..., öfter
eingeladen; das Haus stand seinem Eintritt offen, es ver- 5
ging bald kein Abend, da er sich nicht darin gezeigt hätte.
Er fing, da sein Gefühl ihm sagte, daß ihm von allen Seiten,
um der gebrechlichen Einrichtung der Welt willen, verzie-
hen sei, seine Bewerbung um die Gräfin, seine Gemahlin,
von neuem an, erhielt, nach Verlauf eines Jahres, ein zwei- 10
tes Jawort von ihr, und auch eine zweite Hochzeit ward
gefeiert, froher, als die erste, nach deren Abschluß die
ganze Familie nach V... hinauszog. Eine ganze Reihe von
jungen Russen folgte jetzt noch dem ersten; und da der
Graf, in einer glücklichen Stunde, seine Frau einst fragte, 15
warum sie, an jenem fürchterlichen dritten, da sie auf jeden
Lasterhaften gefaßt schien, vor ihm, gleich einem Teufel,
geflohen wäre, antwortete sie, indem sie ihm um den Hals
fiel: ⌈er würde ihr damals nicht wie ein Teufel erschienen
sein, wenn er ihr nicht, bei seiner ersten Erscheinung, wie 20
ein Engel vorgekommen wäre⌉.

Die Marquise von O....

Die Verlobung in ⌜St. Domingo⌝

Zu ⌜Port au Prince⌝, auf dem französischen Anteil der Insel
St. Domingo, lebte, zu Anfange dieses Jahrhunderts, als die
Schwarzen die Weißen ermordeten, auf der Pflanzung des
5 Hrn. Guillaume von Villeneuve, ein fürchterlicher alter
Neger, Namens ⌜Congo Hoango⌝. Dieser von der ⌜Gold-
küste von Afrika⌝ herstammende Mensch, der in seiner Jugend von treuer und rechtschaffener Gemütsart schien,
war von seinem Herrn, weil er ihm einst auf einer Über-
10 fahrt nach Cuba das Leben gerettet hatte, mit unendlichen
Wohltaten überhäuft worden. Nicht nur, daß Hr. Guillaume ihm auf der Stelle seine Freiheit schenkte, und ihm,
bei seiner Rückkehr nach St. Domingo, Haus und Hof an-
wies; er machte ihn sogar, einige Jahre darauf, gegen die
15 Gewohnheit des Landes, zum Aufseher seiner beträchtli-
chen Besitzung, und legte ihm, weil er nicht wieder heiraten
wollte, an Weibes Statt eine alte Mulattin*, Namens ⌜Ba-
bekan⌝, aus seiner Pflanzung bei, mit welcher er durch seine
erste verstorbene Frau weitläufig verwandt war. Ja, als der
20 Neger sein sechzigstes Jahr erreicht hatte, setzte er ihn mit
einem ansehnlichen Gehalt in den Ruhestand und krönte
seine Wohltaten noch damit, daß er ihm in seinem Ver-
mächtnis sogar ein Legat* auswarf; und doch konnten alle
diese Beweise von Dankbarkeit Hrn. Villeneuve vor der
25 Wut dieses grimmigen Menschen nicht schützen. Congo
Hoango war, bei dem allgemeinen Taumel der Rache, der
auf ⌜die unbesonnenen Schritte des National-Konvents⌝ in
diesen Pflanzungen aufloderte, einer der Ersten, der die
Büchse ergriff, und, eingedenk der Tyrannei, die ihn seinem
30 Vaterlande entrissen hatte, seinem Herrn die Kugel durch
den Kopf jagte. Er steckte das Haus, worein die Gemahlin
desselben mit ihren drei Kindern und den übrigen Weißen
der Niederlassung sich geflüchtet hatte, in Brand, verwü-

Mischling
zwischen
Weißen und
Schwarzen

Testa-
mentarisch
niedergelegte
Verfügung

stete die ganze Pflanzung, worauf die Erben, die in Port au
Prince wohnten, hätten Anspruch machen können, und
zog, als sämtliche zur Besitzung gehörige Etablissements*
der Erde gleich gemacht waren, mit den Negern, die er
versammelt und bewaffnet hatte, in der Nachbarschaft 5
umher, um seinen Mitbrüdern in dem Kampfe gegen die
Weißen beizustehen. Bald lauerte er den Reisenden auf, die
in bewaffneten Haufen das Land durchkreuzten; bald fiel
er am hellen Tage die in ihren Niederlassungen verschanz-
ten Pflanzer selbst an, und ließ Alles, was er darin vorfand, 10
über die Klinge springen. Ja, er forderte, in seiner unmenschlichen Rachsucht, sogar die alte Babekan mit ihrer
Tochter, einer jungen funfzehnjährigen Mestize*, Namens
Toni*, auf, an diesem grimmigen Kriege, bei dem er sich
ganz verjüngte, Anteil zu nehmen; und weil das Hauptge- 15
bäude der Pflanzung, das er jetzt bewohnte, einsam an der
Landstraße lag und sich häufig, während seiner Abwesenheit, weiße oder kreolische* Flüchtlinge einfanden, welche
darin Nahrung oder ein Unterkommen suchten, so unterrichtete er die Weiber, ⌐diese weißen Hunde, wie er sie 20
nannte⌐, mit Unterstützungen und Gefälligkeiten bis zu seiner Wiederkehr hinzuhalten. Babekan, welche in Folge einer grausamen Strafe, die sie in ihrer Jugend erhalten hatte,
an der Schwindsucht litt, pflegte in solchen Fällen die junge
Toni, die, wegen ihrer ins Gelbliche gehenden Gesichts- 25
farbe, zu dieser gräßlichen List besonders brauchbar war,
mit ihren besten Kleidern auszuputzen; sie ermunterte dieselbe, den Fremden keine Liebkosung zu versagen, bis auf
die letzte, die ihr bei Todesstrafe verboten war: und wenn
Congo Hoango mit seinem Negertrupp von den Streife- 30
reien, die er in der Gegend gemacht hatte, wiederkehrte,
war unmittelbarer Tod das Los der Armen, die sich durch
diese Künste hatten täuschen lassen.
Nun weiß jedermann, daß ⌐im Jahr 1803, als der General
Dessalines mit 30 000 Negern gegen Port au Prince vor- 35

(franz.) Wohn-
gebäude,
Fabrikgebäude

Im 18. Jh.
allgemein:
Mischling zw.
Weißen u.
Farbigen, hier:
zw. Mulatten
u. Weißen
Kurzform von
Antonie oder
Antonia

Adjektiv
zu Kreole:
Abkömmling
lateinamer.
Weißer

rückte⌐, Alles, was die weiße Farbe trug, sich in diesen Platz
warf, um ihn zu verteidigen. Denn er war der letzte Stütz-
punkt der französischen Macht auf dieser Insel, und wenn
er fiel, waren alle Weißen, die sich darauf befanden, sämt-
lich ohne* Rettung verloren. Demnach traf es sich, daß   ohne jede
gerade in der Abwesenheit des alten Hoango, der mit den
Schwarzen, die er um sich hatte, aufgebrochen war, um
dem General Dessalines mitten durch die französischen
Posten einen Transport von Pulver und Blei zuzuführen, in
der Finsternis einer stürmischen und regnigten* Nacht, je-   regnerischen
mand an die hintere Tür seines Hauses klopfte. Die alte
Babekan, welche schon im Bette lag, erhob sich, öffnete,
einen bloßen Rock um die Hüften geworfen, das Fenster,
und fragte: wer da sei? »Bei Maria und allen Heiligen,«
sagte der Fremde leise, indem er sich unter das Fenster
stellte: »beantwortet mir, ehe ich euch dies entdecke, eine
Frage!« ⌐Und damit streckte er, durch die Dunkelheit der
Nacht, seine Hand aus, um die Hand der Alten zu ergrei-
fen⌐, und fragte: »seid ihr eine Negerin?« Babekan sagte:
nun, ihr seid gewiß ein Weißer, daß ihr dieser stockfinstern
Nacht lieber ins Antlitz schaut, als einer Negerin! Kommt
herein, setzte sie hinzu, und fürchtet nichts; hier wohnt
eine Mulattin, und die Einzige, die sich außer mir noch im
Hause befindet, ist meine Tochter, eine Mestize! Und damit machte sie das Fenster zu, als wollte sie hinabsteigen
und ihm die Tür öffnen; schlich aber, unter dem Vorwand,
daß sie den Schlüssel nicht sogleich finden könne, mit einigen Kleidern, die sie schnell aus dem Schrank zusam-
menraffte, in die Kammer hinauf und weckte ihre Tochter.
»Toni!« sprach sie: »Toni!« – Was gibts, Mutter? – »Geschwind!« sprach sie. »Aufgestanden und dich angezogen!
Hier sind Kleider, weiße Wäsche und Strümpfe! Ein Weißer, der verfolgt wird, ist vor der Tür und begehrt einge-
lassen zu werden!« – Toni fragte: ein Weißer? indem sie
sich halb im Bett aufrichtete. Sie nahm die Kleider, welche

die Alte in der Hand hielt, und sprach: ist er auch allein, Mutter? Und haben wir, wenn wir ihn einlassen, nichts zu befürchten? – »Nichts, nichts!« versetzte die Alte, indem sie Licht anmachte: »er ist ohne Waffen und allein, und Furcht, daß wir über ihn herfallen möchten, zittert in allen seinen Gebeinen!« Und damit, während Toni aufstand und sich Rock und Strümpfe anzog, zündete sie die große Laterne an, die in dem Winkel des Zimmers stand, band dem Mädchen geschwind das Haar, nach der Landesart, über dem Kopf zusammen, bedeckte sie, nachdem sie ihr den Latz zugeschnürt hatte, mit einem Hut, gab ihr die Laterne in die Hand und befahl ihr, auf den Hof hinab zu gehen und den Fremden herein zu holen.

Inzwischen war auf das Gebell einiger Hofhunde ein Knabe, Namens Nanky, den Hoango auf unehelichem Wege mit einer Negerin erzeugt hatte, und der mit seinem Bruder Seppy in den Nebengebäuden schlief, erwacht; und da er beim Schein des Mondes einen einzelnen Mann auf der hinteren Treppe des Hauses stehen sah: so eilte er sogleich, wie er in solchen Fällen angewiesen war, nach dem Hoftor, durch welches derselbe hereingekommen war, um es zu verschließen. Der Fremde, der nicht begriff, was diese Anstalten zu bedeuten hatten, fragte den Knaben, den er mit Entsetzen, als er ihm nahe stand, für einen Negerknaben erkannte: wer in dieser Niederlassung wohne? und schon war er auf die Antwort desselben: »daß die Besitzung, seit dem Tode Hrn. Villeneuves dem Neger Hoango anheim gefallen,« im Begriff, den Jungen niederzuwerfen, ihm den Schlüssel der Hofpforte, den er in der Hand hielt, zu entreißen und das weite Feld zu suchen, als Toni, die Laterne in der Hand, vor das Haus hinaus trat. »Geschwind!« sprach sie, indem sie seine Hand ergriff und ihn nach der Tür zog: »hier herein!« Sie trug Sorge, indem sie dies sagte, das Licht so zu stellen, daß der volle Strahl davon auf ihr Gesicht fiel. – ⌜Wer bist Du?⌝ rief der Fremde

sträubend, indem er, ⌜um mehr als einer Ursache willen
betroffen⌝, ihre junge liebliche Gestalt betrachtete. Wer
wohnt in diesem Hause, in welchem ich, wie Du vorgibst,
meine Rettung finden soll? – »Niemand, bei dem Licht der
5 Sonne,« sprach das Mädchen, »als meine Mutter und ich!«
und bestrebte und beeiferte sich, ihn mit sich fortzureißen.
Was, niemand! rief der Fremde, indem er, mit einem Schritt
rückwärts, seine Hand losriß: hat mir dieser Knabe nicht
eben gesagt, daß ein Neger, Namens Hoango, darin be-
10 findlich sei? – »Ich sage, nein!« sprach das Mädchen, indem sie, mit einem Ausdruck von Unwillen, mit dem Fuß
stampfte; »und wenn gleich einem Wüterich, der diesen
Namen führt, das Haus gehört: abwesend ist er in diesem
Augenblick und auf zehn Meilen davon entfernt!« Und
15 damit zog sie den Fremden mit ihren beiden Händen in das
Haus hinein, befahl dem Knaben, keinem Menschen zu
sagen, wer angekommen sei, ergriff, nachdem sie die Tür
erreicht, des Fremden Hand und führte ihn die Treppe hinauf, nach dem Zimmer ihrer Mutter.
20 »Nun,« sagte die Alte, welche das ganze Gespräch, von
dem Fenster herab, mit angehört und bei dem Schein des
Lichts bemerkt hatte, daß er ein Offizier war: »was bedeutet der Degen, den ihr so schlagfertig unter eurem Arme
tragt? ... Wir haben euch,« setzte sie hinzu, indem sie sich
25 die Brille aufdrückte, »mit Gefahr unseres Lebens eine Zuflucht in unserm Hause gestattet; seid ihr herein gekommen, um diese Wohltat, nach der Sitte eurer Landsleute,
mit Verräterei zu vergelten?« – Behüte der Himmel! erwiderte der Fremde, der dicht vor ihren Sessel getreten war.
30 Er ergriff die Hand der Alten, drückte sie an sein Herz, und
indem er, nach einigen im Zimmer schüchtern umherge-
worfenen Blicken, den Degen, den er an der Hüfte trug,
abschnallte, sprach er: Ihr seht den elendesten der Menschen, aber keinen undankbaren und schlechten vor euch!
35 – »Wer seid ihr?«* fragte die Alte; und damit schob sie ihm

Vgl. Erl. zu
78.35

mit dem Fuß einen Stuhl hin, und befahl dem Mädchen, in die Küche zu gehen, und ihm, so gut es sich in der Eil tun ließ, ein Abendbrot zu bereiten. Der Fremde erwiderte: ich bin ein Offizier von der französischen Macht, obschon, wie ihr wohl selbst urteilt, kein Franzose; mein Vaterland ist 5 die Schweiz und mein Name Gustav von der Ried. Ach, hätte ich es niemals verlassen und gegen dies unselige Eiland vertauscht! Ich komme von Fort Dauphin*, wo, wie ihr wißt, alle Weißen ermordet worden sind, und meine Absicht ist, Port au Prince zu erreichen, bevor es dem Ge- 10 neral Dessalines noch gelungen ist, es mit den Truppen, die er anführt, einzuschließen und zu belagern. – »Von Fort Dauphin!« rief die Alte. »Und es ist euch mit eurer Gesichtsfarbe geglückt, diesen ungeheuren Weg, mitten durch ein in Empörung begriffenes Mohrenland, zurückzule- 15 gen?« Gott und alle Heiligen, erwiderte der Fremde, haben mich beschützt! – Und ich bin nicht allein, gutes Mütterchen; in meinem Gefolge, das ich zurückgelassen, befindet sich ein ehrwürdiger alter Greis*, mein Oheim, mit seiner Gemahlin und fünf Kindern; mehrere Bediente und 20 Mägde, die zur Familie gehören, nicht zu erwähnen; ein Troß* von zwölf Menschen, den ich, mit Hülfe zweier elenden Maulesel, in unsäglich mühevollen Nachtwanderungen, da wir uns bei Tage auf der Heerstraße nicht zeigen dürfen, mit mir fortführen muß. »Ei, mein Himmel!« rief 25 die Alte, indem sie, unter mitleidigem Kopfschütteln, eine Prise Tabak nahm. »Wo befindet sich denn in diesem Augenblick eure Reisegesellschaft?« – Euch, versetzte der Fremde, nachdem er sich ein wenig besonnen hatte: euch kann ich mich anvertrauen; ⌜aus der Farbe eures Gesichts 30 schimmert mir ein Strahl von der meinigen entgegen⌝. Die Familie befindet sich, daß ihr es wißt, eine Meile von hier, zunächst dem Möwenweiher, in der Wildnis der angrenzenden Gebirgswaldung: Hunger und Durst zwangen uns vorgestern, diese Zuflucht aufzusuchen. Vergebens schick- 35

Befestigter Hafenplatz im Nordosten des damals franz. Teils von Haiti

Der Pleonasmus verstärkt das Alter Herrn Strömlis.

Der die Truppe mit Verpflegung und Munition versorgende Wagenpark, hier: Reisegesellschaft

ten wir in der verflossenen Nacht unsere Bedienten aus, um
ein wenig Brot und Wein bei den Einwohnern des Landes
aufzutreiben; Furcht, ergriffen und getötet zu werden, hielt
sie ab, die entscheidenden Schritte deshalb zu tun, dergestalt, daß ich mich selbst heute mit Gefahr meines Lebens
habe aufmachen müssen, um mein Glück zu versuchen.
Der Himmel, wenn mich nicht Alles trügt, fuhr er fort,
indem er die Hand der Alten drückte, hat mich mitleidigen
Menschen zugeführt, die jene grausame und unerhörte Erbitterung, welche alle Einwohner dieser Insel ergriffen hat,
nicht teilen. Habt die Gefälligkeit, mir für reichlichen Lohn
einige Körbe mit Lebensmitteln und Erfrischungen anzu-
füllen; wir haben nur noch fünf Tagereisen bis Port au
Prince, und wenn ihr uns die Mittel verschafft, diese Stadt
zu erreichen, so werden wir euch ewig als die Retter unseres Lebens ansehen. – »Ja, diese rasende Erbitterung,«
⌐heuchelte die Alte⌐. ⌐»Ist es nicht, als ob die Hände Eines
Körpers, oder die Zähne Eines Mundes gegen einander
wüten wollten, weil das Eine Glied nicht geschaffen ist, wie
das andere?⌐ Was kann ich, deren Vater aus St. Jago*, von
der Insel Cuba war, für den Schimmer von Licht, der auf
meinem Antlitz, wenn es Tag wird, erdämmert? Und was
kann meine Tochter, die in Europa empfangen und geboren ist, dafür, daß der volle Tag jenes Weltteils von dem
ihrigen widerscheint?« – Wie? rief der Fremde. Ihr, die ihr
nach eurer ganzen Gesichtsbildung eine Mulattin, und mithin afrikanischen Ursprungs seid, ihr wäret samt der lieblichen jungen Mestize, die mir das Haus aufmachte, mit
uns Europäern in Einer Verdammnis? – »Beim Himmel!«
erwiderte die Alte, indem sie die Brille von der Nase nahm;
»meint ihr, daß das kleine Eigentum, das wir uns in müh-
seligen und jammervollen Jahren durch die Arbeit unserer
Hände erworben haben, dies grimmige, aus der Hölle
stammende Räubergesindel nicht reizt? Wenn wir uns
nicht durch List und den ganzen Inbegriff jener Künste, die

die Notwehr dem Schwachen in die Hände gibt, vor ihrer
Verfolgung zu sichern wüßten: der Schatten von Ver-
wandtschaft, die über unsere Gesichter ausgebreitet ist,
der, könnt ihr sicher glauben, tut es nicht!« – Es ist nicht
möglich! rief der Fremde; und wer auf dieser Insel verfolgt 5
euch? »Der Besitzer dieses Hauses,« antwortete die Alte:
»der Neger Congo Hoango! Seit dem Tode Hrn. Guillau-
mes, des vormaligen Eigentümers dieser Pflanzung, der
durch seine grimmige Hand beim Ausbruch der Empörung
fiel, sind wir, die wir ihm als Verwandte die Wirtschaft 10
führen, seiner ganzen Willkür und Gewalttätigkeit preis
gegeben. Jedes Stück Brot, jeden Labetrunk den wir aus
Menschlichkeit Einem oder dem Andern der weißen
Flüchtlinge, die hier zuweilen die Straße vorüberziehen,
gewähren, rechnet er uns mit Schimpfwörtern und Miß- 15
handlungen an; und nichts wünscht er mehr, als die Rache
der Schwarzen über uns weiße und kreolische Halbhunde*,
wie er uns nennt, hereinhetzen zu können, teils um unserer
überhaupt, die wir seine Wildheit gegen die Weißen tadeln,
los zu werden, teils um das kleine Eigentum, das wir hin- 20
terlassen würden, in Besitz zu nehmen.« – Ihr Unglücklichen! sagte der Fremde; ihr Bejammernswürdigen! – Und
wo befindet sich in diesem Augenblick dieser Wüterich?
»Bei dem Heere des Generals Dessalines,« antwortete die
Alte, »dem er, mit den übrigen Schwarzen, die zu dieser 25
Pflanzung gehören, einen Transport von Pulver und Blei
zuführt, dessen der General bedürftig war. Wir erwarten
ihn, falls er nicht auf neue Unternehmungen auszieht, in
zehn oder zwölf Tagen zurück; und wenn er alsdann, was
Gott verhüten wolle, erführe, daß wir einem Weißen, der 30
nach Port au Prince wandert, Schutz und Obdach gegeben,
während er aus allen Kräften an dem Geschäft Teil nimmt,
das ganze Geschlecht derselben von der Insel zu vertilgen,
wir wären Alle, das könnt ihr glauben, Kinder des Todes.«
Der Himmel, der Menschlichkeit und Mitleiden liebt, ant- 35

Vgl. Erl. zu
76.20–21

wortete der Fremde, wird euch in dem, was ihr einem Unglücklichen tut, beschützen! – Und weil ihr euch, setzte er,
indem er der Alten näher rückte, hinzu, einmal in diesem
Falle des Negers Unwillen zugezogen haben würdet, und
der Gehorsam, wenn ihr auch dazu zurückkehren wolltet,
euch fürderhin zu nichts helfen würde; könnt ihr euch
wohl, für jede Belohnung, die ihr nur verlangen mögt, entschließen, meinem Oheim und seiner Familie, die durch die
Reise aufs Äußerste angegriffen sind, auf einen oder zwei
Tage in eurem Hause Obdach zu geben, damit sie sich ein
wenig erholten? – »Junger Herr!« sprach die Alte betroffen, »was verlangt ihr da? Wie ist es, in einem Hause, das
an der Landstraße liegt, möglich, einen Troß von solcher
Größe, als der eurige ist, zu beherbergen, ohne daß er den
Einwohnern des Landes verraten würde?« – Warum nicht?
versetzte der Fremde dringend: wenn ich sogleich selbst an
den Möwenweiher hinausginge, und die Gesellschaft, noch
vor Anbruch des Tages, in die Niederlassung einführte;
wenn man Alles, Herrschaft und Dienerschaft, in einem
und demselben Gemach des Hauses unterbrächte, und, für
den schlimmsten Fall, etwa noch die Vorsicht gebrauchte,
Türen und Fenster desselben sorgfältig zu verschließen? –
Die Alte erwiderte, nachdem sie den Vorschlag während
einiger Zeit erwogen hatte: »daß, wenn er, in der heutigen
Nacht, unternehmen wollte, den Troß aus seiner Berg-
schlucht in die Niederlassung einzuführen, er, bei der
Rückkehr von dort, unfehlbar auf einen Trupp bewaffneter
Neger stoßen würde, der, durch einige vorangeschickte
Schützen, auf der Heerstraße angesagt worden wäre.« –
Wohlan! versetzte der Fremde: so begnügen wir uns, für
diesen Augenblick, den Unglücklichen einen Korb mit Le-
bensmitteln zuzusenden, und sparen das Geschäft, sie in
die Niederlassung einzuführen, für die nächstfolgende
Nacht auf. Wollt ihr, gutes Mütterchen, das tun? – »Nun,«
sprach die Alte, ˹unter vielfachen Küssen, die von den Lip-

pen des Fremden auf ihre knöcherne Hand niederregneten⌐: »um des Europäers, meiner Tochter Vater willen, will ich euch, seinen bedrängten Landsleuten, diese Gefälligkeit erweisen. Setzt euch beim Anbruch des morgenden Tages hin, und ladet die Eurigen in einem Schreiben ein, sich zu mir in die Niederlassung zu verfügen; der Knabe, den ihr im Hofe gesehen, mag ihnen das Schreiben mit einigem Mundvorrat überbringen, die Nacht über zu ihrer Sicherheit in den Bergen verweilen, und dem Trosse beim Anbruch des nächstfolgenden Tages, wenn die Einladung angenommen wird, auf seinem Wege hierher zum Führer dienen.«

Inzwischen war Toni mit einem Mahl, das sie in der Küche bereitet hatte, wiedergekehrt, und fragte die Alte mit einem Blick auf den Fremden, schäkernd, indem sie den Tisch deckte: Nun, Mutter, sagt an! Hat sich der Herr von dem Schreck, der ihn vor der Tür ergriff, erholt? Hat er sich überzeugt, daß weder Gift noch Dolch auf ihn warten, und daß der Neger Hoango nicht zu Hause ist? Die Mutter sagte mit einem Seufzer: »mein Kind, der Gebrannte scheut, nach dem Sprichwort, das Feuer. Der Herr würde töricht gehandelt haben, wenn er sich früher in das Haus hineingewagt hätte, als bis er sich von dem Volksstamm, zu welchem seine Bewohner gehören, überzeugt hatte.« Das Mädchen stellte sich vor die Mutter, und erzählte ihr: wie sie die Laterne so gehalten, daß ihr der volle Strahl davon ins Gesicht gefallen wäre. ⌐Aber seine Einbildung, sprach sie, war ganz von Mohren und Negern erfüllt; und wenn ihm eine Dame von Paris oder Marseille die Türe geöffnet hätte, er würde sie für eine Negerin gehalten haben.⌐ Der Fremde, indem er den Arm sanft um ihren Leib schlug, sagte verlegen: daß der Hut, den sie aufgehabt, ihn verhindert hätte, ihr ins Gesicht zu schaun. Hätte ich dir, fuhr er fort, indem er sie lebhaft an seine Brust drückte, ins Auge sehen können, so wie ich es jetzt kann: so hätte ich, auch

wenn alles übrige an dir schwarz gewesen wäre, ⌐aus einem
vergifteten Becher mit dir trinken wollen⌐. Die Mutter nötigte ihn, der bei diesen Worten rot geworden war, sich zu
setzen, worauf Toni sich neben ihm an der Tafel niederließ,
und mit aufgestützten Armen, während der Fremde aß, in
sein Antlitz sah. Der Fremde fragte sie: wie alt sie wäre?
und wie ihre Vaterstadt hieße? worauf die Mutter das Wort
nahm und ihm sagte: »daß Toni vor funfzehn Jahren auf
einer Reise, welche sie mit der Frau des Hrn. Villeneuve,
ihres vormaligen Prinzipals, nach Europa gemacht hätte, in
Paris von ihr empfangen und geboren worden wäre. Sie
setzte hinzu, daß der Neger Komar, den sie nachher gehei-
ratet, sie zwar an Kindes statt angenommen hätte, daß ihr
Vater aber eigentlich ein reicher Marseiller Kaufmann, Namens Bertrand wäre, von dem sie auch Toni Bertrand
hieße.« – Toni fragte ihn: ob er einen solchen Herrn in
Frankreich kenne? Der Fremde erwiderte: nein! das Land
wäre groß, und während des kurzen Aufenthalts, den er bei
seiner Einschiffung nach Westindien darin genommen, sei
ihm keine Person dieses Namens vorgekommen. Die Alte
versetzte daß Hr. Bertrand auch, nach ziemlich sicheren
Nachrichten, die sie eingezogen, nicht mehr in Frankreich
befindlich sei. Sein ehrgeiziges und aufstrebendes Gemüt,
sprach sie, gefiel sich in dem Kreis bürgerlicher Tätigkeit
nicht; er mischte sich beim Ausbruch der Revolution in die
öffentlichen Geschäfte, und ging im Jahr 1795 mit einer
französischen Gesandtschaft an den türkischen Hof, von
wo er, meines Wissens, bis diesen Augenblick noch nicht
zurückgekehrt ist. Der Fremde sagte lächelnd zu Toni, indem er ihre Hand faßte: daß sie ja in diesem Falle ein vor-
nehmes und reiches Mädchen wäre. Er munterte sie auf,
diese Vorteile geltend zu machen, und meinte, daß sie Hoffnung hätte, noch einmal an der Hand ihres Vaters in glän-
zendere Verhältnisse, als in denen sie jetzt lebte, eingeführt
zu werden! »Schwerlich,« versetzte die Alte mit unter-

Vgl. Erl. zu
81.17

Vgl. Erl. zu
115.19–21

Veraltete
Bezeichnung
für verschie-
dene mit
Gelbsucht
verbundene
Krankheiten

drückter Empfindlichkeit*. ⌜»Herr Bertrand leugnete mir,
während meiner Schwangerschaft zu Paris, aus Scham vor
einer jungen reichen Braut, die er heiraten wollte, die Vaterschaft zu diesem Kinde vor Gericht ab. Ich werde den
Eidschwur*, den er die Frechheit hatte, mir ins Gesicht zu   5
leisten, niemals vergessen, ein Gallenfieber* war die Folge
davon, und bald darauf noch sechzig Peitschenhiebe, die
mir Hr. Villeneuve geben ließ, und in deren Folge ich noch
bis auf diesen Tag an der Schwindsucht leide.«⌝ – – Toni,
welche den Kopf gedankenvoll auf ihre Hand gelegt hatte,   10
fragte den Fremden: wer er denn wäre? wo er herkäme und
wo er hinginge? worauf dieser nach einer kurzen Verlegenheit, worin ihn die erbitterte Rede der Alten versetzt hatte,
erwiderte: daß er mit Hrn. Strömlis, seines Oheims Familie, die er, unter dem Schutze zweier jungen Vettern, in der   15
Bergwaldung am Möwenweiher zurückgelassen, vom Fort
Dauphin käme. Er erzählte, auf des Mädchens Bitte, mehrere Züge der in dieser Stadt ausgebrochenen Empörung;
wie zur Zeit der Mitternacht, da alles geschlafen, auf ein
verräterisch gegebenes Zeichen, das Gemetzel der Schwar-   20

Hier: militär.
Anführer

zen gegen die Weißen losgegangen wäre; wie der Chef* der
Negern, ein Sergeant bei dem französischen Pionierkorps,
die Bosheit gehabt, sogleich alle Schiffe im Hafen in Brand
zu stecken, um den Weißen die Flucht nach Europa abzu-
schneiden; wie die Familie kaum Zeit gehabt, sich mit ei-   25
nigen Habseligkeiten vor die Tore der Stadt zu retten, und
wie ihr, bei dem gleichzeitigen Auflodern der Empörung in
allen Küstenplätzen, nichts übrig geblieben wäre, als mit
Hülfe zweier Maulesel, die sie aufgetrieben, den Weg quer
durch das ganze Land nach Port au Prince einzuschlagen,   30
das allein noch, von einem starken französischen Heere
beschützt, der überhand nehmenden Macht der Negern in
diesem Augenblick Widerstand leiste. – Toni fragte: wodurch sich denn die Weißen daselbst so verhaßt gemacht
hätten? – Der Fremde erwiderte betroffen: durch das allge-   35

meine Verhältnis, das sie, als Herren der Insel, zu den Schwarzen hatten, und das ich, die Wahrheit zu gestehen, mich nicht unterfangen will, in Schutz zu nehmen; das aber schon seit vielen Jahrhunderten auf diese Weise bestand!
5 ⌐Der Wahnsinn der Freiheit⌐, der alle diese Pflanzungen ergriffen hat, trieb die Negern und Kreolen, die Ketten, die sie drückten, zu brechen, und an den Weißen wegen vielfacher und tadelnswürdiger Mißhandlungen, die sie von einigen schlechten Mitgliedern derselben erlitten, Rache zu
10 nehmen. – ⌐Besonders, fuhr er nach einem kurzen Stillschweigen fort, war mir die Tat eines jungen Mädchens schauderhaft und merkwürdig*. Dieses Mädchen, vom Stamm der Negern, lag gerade zur Zeit, da die Empörung auflloderte, an dem gelben Fieber krank, das zur Verdop-
15 pelung des Elends in der Stadt ausgebrochen war. Sie hatte drei Jahre zuvor einem Pflanzer vom Geschlecht der Weißen als Sklavin gedient, der sie aus Empfindlichkeit, weil sie sich seinen Wünschen nicht willfährig gezeigt hatte, hart behandelt und nachher an einen kreolischen Pflanzer
20 verkauft hatte. Da nun das Mädchen an dem Tage des allgemeinen Aufruhrs erfuhr, daß sich der Pflanzer, ihr ehemaliger Herr, vor der Wut der Negern, die ihn verfolgten, in einen nahegelegenen Holzstall geflüchtet hatte: so schickte sie, jener Mißhandlungen eingedenk, beim An-
25 bruch der Dämmerung, ihren Bruder zu ihm, mit der Einladung, bei ihr zu übernachten. Der Unglückliche, der weder wußte, daß das Mädchen unpäßlich war, noch an welcher Krankheit sie litt, kam und schloß sie voll Dankbarkeit, da er sich gerettet glaubte, in seine Arme: doch
30 kaum hatte er eine halbe Stunde unter Liebkosungen und Zärtlichkeiten in ihrem Bette zugebracht, als sie sich plötzlich mit dem Ausdruck wilder und kalter Wut, darin erhob und sprach: eine Pestkranke*, die den Tod in der Brust trägt, hast du geküßt: geh und gib das gelbe Fieber allen
35 denen, die dir gleichen! –⌐ Der Offizier, während die Alte

bemerkenswert, denkwürdig

Pest: allgemeine Bezeichnung für eine tödliche Krankheit

mit lauten Worten ihren Abscheu hierüber zu erkennen
gab, fragte Toni: ob *sie* wohl einer solchen Tat fähig wäre?
Nein! sagte Toni, indem sie verwirrt vor sich niedersah.
Der Fremde, indem er das Tuch auf dem Tische legte, versetzte: daß, nach dem Gefühl seiner Seele, keine Tyrannei, 5
die die Weißen je verübt, einen Verrat*, so niederträchtig
und abscheulich, rechtfertigen könnte. Die Rache des
Himmels, meinte er, indem er sich mit einem leidenschaft-
lichen Ausdruck erhob, würde dadurch entwaffnet: die Engel selbst, dadurch empört, stellten sich auf Seiten derer, 10
die Unrecht hätten, und nähmen, zur Aufrechthaltung
menschlicher und göttlicher Ordnung, ihre Sache! ⌐Er trat
bei diesen Worten auf einen Augenblick an das Fenster⌐,
und sah in die Nacht hinaus, die mit stürmischen Wolken
über den Mond und die Sterne vorüber zog; und da es ihm 15
schien, als ob Mutter und Tochter einander ansähen, obschon er auf keine Weise merkte, daß sie sich Winke zuge-
worfen hätten: so übernahm ihn ein widerwärtiges* und
verdrießliches Gefühl; er wandte sich und bat, daß man
ihm das Zimmer anweisen mögte, wo er schlafen könne. 20
Die Mutter bemerkte, indem sie nach der Wanduhr sah,
daß es überdies nahe an Mitternacht sei, nahm ein Licht in
die Hand, und forderte den Fremden auf, ihr zu folgen. Sie
führte ihn durch einen langen Gang in das für ihn bestimmte Zimmer; Toni trug den Überrock des Fremden 25
und mehrere andere Sachen, die er abgelegt hatte; die Mutter zeigte ihm ein von Polstern bequem aufgestapeltes Bett,
worin er schlafen sollte, und nachdem sie Toni noch befohlen hatte, dem Herrn ein Fußbad zu bereiten, wünschte sie
ihm eine gute Nacht und empfahl sich. Der Fremde stellte 30
seinen Degen in den Winkel und legte ein Paar Pistolen, die
er im Gürtel trug, auf den Tisch. Er sah sich, während Toni
das Bett vorschob und ein weißes Tuch darüber breitete, im
Zimmer um; und da er gar bald, aus der Pracht und dem
Geschmack, die darin herrschten, schloß, daß es dem vor- 35

maligen Besitzer der Pflanzung angehört haben müsse: so
legte sich ein Gefühl der Unruhe wie ein Geier um sein
Herz, und er wünschte sich, hungrig und durstig, wie er
gekommen war, wieder in die Waldung zu den Seinigen
5 zurück. ⌈Das Mädchen hatte mittlerweile, aus der nahbe-
legenen Küche, ein Gefäß mit warmem Wasser, von wohl-
riechenden Kräutern duftend, hereingeholt, und forderte
den Offizier, der sich in das Fenster gelehnt hatte, auf, sich
darin zu erquicken. Der Offizier ließ sich, während er sich
10 schweigend von der Halsbinde und der Weste befreite, auf
den Stuhl nieder; er schickte sich an, sich die Füße zu ent-
blößen, und während das Mädchen, auf ihre Knie vor ihm
hingekauert, die kleinen Vorkehrungen zum Bade be-
sorgte, betrachtete er ihre einnehmende Gestalt.⌉ Ihr Haar,
15 in dunkeln Locken schwellend, war ihr, als sie niederkniete, auf ihre jungen Brüste herabgerollt; ein Zug von
ausnehmender Anmut spielte um ihre Lippen und über ihre
langen, über die gesenkten Augen hervorragenden Augenwimpern; er hätte, bis auf die Farbe, die ihm anstößig war,
20 schwören mögen, daß er nie etwas Schöneres gesehen. Dabei fiel ihm eine entfernte Ähnlichkeit, er wußte noch selbst
nicht recht mit wem, auf, die er schon bei seinem Eintritt in
das Haus bemerkt hatte, und die seine ganze Seele für sie in
Anspruch nahm. Er ergriff sie, als sie in den Geschäften, die
25 sie betrieb, aufstand, bei der Hand, und da er gar richtig
schloß, daß es nur ein Mittel gab, zu erprüfen, ob das Mädchen ein Herz habe oder nicht, so zog er sie auf seinen
Schoß nieder und fragte sie: »ob sie schon einem Bräutigam verlobt wäre?« Nein! lispelte das Mädchen, indem sie
30 ihre großen schwarzen Augen in lieblicher Verschämtheit
zur Erde schlug. Sie setzte, ohne sich auf seinem Schoß zu
rühren, hinzu: Konelly, der junge Neger aus der Nachbarschaft, hätte zwar vor drei Monaten um sie angehalten; sie
hätte ihn aber, weil sie noch zu jung wäre, ausgeschlagen.
35 Der Fremde, der, mit seinen beiden Händen, ihren schlan-

ken Leib umfaßt hielt, sagte: »in seinem Vaterlande wäre, nach einem daselbst herrschenden Sprichwort, ⌐ein Mädchen von vierzehn Jahren und sieben Wochen bejahrt genug, um zu heiraten⌐.« Er fragte, während sie ein kleines, goldenes Kreuz, das er auf der Brust trug, betrachtete: »wie alt sie wäre?« – Funfzehn Jahre, erwiderte Toni. »Nun also!« sprach der Fremde. – »Fehlt es ihm denn an Vermögen, um sich häuslich, wie du es wünschest, mit dir niederzulassen?« Toni, ohne die Augen zu ihm aufzuschlagen, erwiderte: o nein! – Vielmehr, sprach sie, indem sie das Kreuz, das sie in der Hand hielt, fahren ließ: Konelly ist, seit der letzten Wendung der Dinge, ein reicher Mann geworden; seinem Vater ist die ganze Niederlassung, die sonst dem Pflanzer, seinem Herrn, gehörte, zugefallen. – »Warum lehntest du denn seinen Antrag ab?« fragte der Fremde. Er streichelte ihr freundlich das Haar von der Stirn und sprach: »gefiel er dir etwa nicht?« Das Mädchen, indem sie kurz mit dem Kopf schüttelte, lachte; und auf die Frage des Fremden, ihr scherzend ins Ohr geflüstert: ob es vielleicht ein Weißer sein müsse, der ihre Gunst davon tragen solle? legte sie sich plötzlich, nach einem flüchtigen, träumerischen Bedenken, unter einem überaus reizenden Erröten, das über ihr verbranntes Gesicht aufloderte, an seine Brust. Der Fremde, von ihrer Anmut und Lieblichkeit gerührt, nannte sie sein liebes Mädchen, und schloß sie, wie durch göttliche Hand von jeder Sorge erlöst, in seine Arme. Es war ihm unmöglich zu glauben daß alle diese Bewegungen, die er an ihr wahrnahm, der bloße elende Ausdruck einer kalten und gräßlichen Verräterei sein sollten. Die Gedanken, die ihn beunruhigt hatten, wichen, wie ein Heer schauerlicher Vögel, von ihm; er schalt sich, ihr Herz nur einen Augenblick verkannt zu haben, und während er sie auf seinen Knien schaukelte, und den süßen Atem einsog, den sie ihm heraufsandte, drückte er, gleichsam zum Zeichen der Aussöhnung und Vergebung, einen

Kuß auf ihre Stirn. Inzwischen hatte sich das Mädchen,
unter einem sonderbar plötzlichen Aufhorchen, als ob jemand von dem Gange her der Tür nahte, emporgerichtet;
sie rückte sich gedankenvoll und träumerisch das Tuch, das
5 sich über ihrer Brust verschoben hatte, zurecht; und erst als
sie sah, daß sie von einem Irrtum getäuscht worden war,
wandte sie sich mit einigem Ausdruck von Heiterkeit wieder zu dem Fremden zurück und erinnerte ihn: daß sich das
Wasser, wenn er nicht bald Gebrauch davon machte, ab-
10 kälten würde. – Nun? sagte sie betreten*, da der Fremde
schwieg und sie gedankenvoll betrachtete: was seht ihr
mich so aufmerksam an? Sie suchte, indem sie sich mit
ihrem Latz beschäftigte, die Verlegenheit, die sie ergriffen,
zu verbergen, und rief lachend: wunderlicher Herr, was
15 fällt euch in meinem Anblick so auf? Der Fremde, der sich
mit der Hand über die Stirn gefahren war, sagte, einen
Seufzer unterdrückend, indem er sie von seinem Schoß her-
unterhob: »eine wunderbare Ähnlichkeit zwischen dir und
einer Freundin!« – Toni, welche sichtbar bemerkte, daß
20 sich seine Heiterkeit zerstreut hatte*, nahm ihn freundlich
und teilnehmend bei der Hand, und fragte: mit welcher?
worauf jener, nach einer kurzen Besinnung das Wort nahm
und sprach: »Ihr Name war Mariane ⌈Congreve⌉ und ihre
Vaterstadt Straßburg. Ich hatte sie in dieser Stadt, wo ihr
25 Vater Kaufmann war, kurz vor dem Ausbruch der Revolution kennen gelernt, und war glücklich genug gewesen,
ihr Jawort und vorläufig auch ihrer Mutter Zustimmung
zu erhalten. Ach, es war die treuste Seele unter der Sonne;
und die schrecklichen und rührenden Umstände, unter de-
30 nen ich sie verlor, werden mir, wenn ich dich ansehe, so
gegenwärtig, daß ich mich vor Wehmut der Tränen nicht
enthalten kann.« Wie? sagte Toni, indem sie sich herzlich
und innig an ihn drückte: sie lebt nicht mehr? – »Sie starb,«
antwortete der Fremde, »und ich lernte den Inbegriff aller
35 Güte und Vortrefflichkeit erst mit ihrem Tode kennen.

Toni deutet
den Blick
Gustavs
fälschlich als
Ausdruck von
Misstrauen.

Eigentlich:
welche
bemerkte,
dass sich seine
Heiterkeit
sichtbar
zerstreut hatte

Gott weiß,« fuhr er fort, indem er sein Haupt schmerzlich an ihre Schulter lehnte, »wie ich die Unbesonnenheit so weit treiben konnte, mir eines Abends an einem öffentlichen Ort Äußerungen über das eben errichtete furchtbare Revolutionstribunal zu erlauben. Man verklagte, man 5 suchte mich; ja, in Ermangelung meiner*, der glücklich genug gewesen war, sich in die Vorstadt zu retten, lief ⌐die Rotte meiner rasenden Verfolger, die ein Opfer haben mußte¬, nach der Wohnung meiner Braut, und durch ihre wahrhaftige Versicherung, daß sie nicht wisse, wo ich sei, 10 erbittert, schleppte man dieselbe, unter dem Vorwand, daß sie mit mir im Einverständnis sei, mit unerhörter Leichtfertigkeit statt meiner auf den Richtplatz. Kaum war mir diese entsetzliche Nachricht hinterbracht worden, als ich sogleich aus dem Schlupfwinkel, in welchen ich mich ge- 15 flüchtet hatte, hervortrat, und indem ich, die Menge durchbrechend, nach dem Richtplatz eilte, laut ausrief: ⌐Hier, ihr Unmenschlichen¬, hier bin ich! Doch sie, die schon auf dem Gerüste der Guillotine stand, antwortete auf die Frage einiger Richter, denen ich unglücklicher Weise fremd sein 20 mußte, indem sie sich mit einem Blick, der mir unauslöschlich in die Seele geprägt ist, von mir abwandte: ⌐diesen Menschen kenne ich nicht¬! – worauf unter Trommeln und Lärmen, von den ungeduldigen Blutmenschen angezettelt, das Eisen, wenige Augenblicke nachher, herabfiel, und ihr 25 Haupt von seinem Rumpfe trennte. – Wie ich gerettet worden bin, das weiß ich nicht; ich befand mich, eine Viertelstunde darauf, in der Wohnung eines Freundes, wo ich aus einer Ohnmacht in die andere fiel, und halbwahnwitzig gegen Abend auf einen Wagen geladen und über den Rhein 30 geschafft wurde.« – Bei diesen Worten trat der Fremde, indem er das Mädchen losließ, an das Fenster*; und da diese sah, daß er sein Gesicht sehr gerührt in ein Tuch drückte: so übernahm sie, von manchen Seiten geweckt, ein menschliches Gefühl; sie folgte ihm mit einer plötzli- 35

da man meiner nicht habhaft werden konnte

Vgl. Erl. zu 88.12–13

chen Bewegung, fiel ihm um den Hals, und mischte ihre
Tränen mit den seinigen.

⌐Was weiter erfolgte, brauchen wir nicht zu melden, weil es
jeder, der an diese Stelle kommt, von selbst lies't.⌐ Der
5 Fremde, als er sich wieder gesammlet hatte, wußte nicht,
wohin ihn die Tat, die er begangen, führen würde; inzwischen sah er so viel ein, daß er gerettet, und in dem Hause,
in welchem er sich befand, für ihn nichts von dem Mädchen zu befürchten war. Er versuchte, da er sie mit ver-
10 schränkten Armen auf dem Bett weinen sah, alles nur
Mögliche, um sie zu beruhigen. ⌐Er nahm sich das kleine
goldene Kreuz, ein Geschenk der treuen Mariane, seiner
abgeschiedenen Braut, von der Brust; und, indem er sich
unter unendlichen Liebkosungen über sie neigte, hing er es
15 ihr als ein Brautgeschenk, wie er es nannte, um den Hals.⌐
Er setzte sich, da sie in Tränen zerfloß und auf seine Worte
nicht hörte, auf den Rand des Bettes nieder, und sagte ihr,
indem er ihre Hand bald streichelte, bald küßte: daß er bei
ihrer Mutter am Morgen des nächsten Tages um sie anhal-
20 ten wolle. Er beschrieb ihr, welch ein kleines Eigentum, frei
und unabhängig, er ⌐an den Ufern der Aar⌐ besitze; eine
Wohnung, bequem und geräumig genug, sie und auch ihre
Mutter, wenn ihr Alter die Reise zulasse, darin aufzunehmen; Felder, Gärten, Wiesen und Weinberge; und einen
25 alten ehrwürdigen Vater, der sie dankbar und liebreich daselbst, weil sie seinen Sohn gerettet, empfangen würde. Er
schloß sie, da ihre Tränen in unendlichen Ergießungen auf
das Bettkissen niederflossen, in seine Arme, und fragte sie,
von Rührung selber ergriffen: was er ihr zu Leide getan und
30 ob sie ihm nicht vergeben könne? Er schwor ihr*, daß die
Liebe für sie nie aus seinem Herzen weichen würde, und
daß nur, im Taumel wunderbar verwirrter Sinne, eine Mischung von Begierde und Angst, die sie ihm eingeflößt, ihn
zu einer solchen Tat habe verführen können. Er erinnerte
35 sie zuletzt, daß die Morgensterne funkelten, und daß, wenn

Vgl. Erl. zu
115.19–21

sie länger im Bette verweilte, die Mutter kommen und sie
darin überraschen würde; er forderte sie, ihrer Gesundheit
wegen, auf, sich zu erheben und noch einige Stunden auf
ihrem eignen Lager auszuruhen; er fragte sie, durch ihren
Zustand in die entsetzlichsten Besorgnisse gestürzt, ob er 5
sie vielleicht in seinen Armen aufheben und in ihre Kammer tragen solle; doch da sie auf Alles, was er vorbrachte,
nicht antwortete, und, ihr Haupt stilljammernd, ohne sich
zu rühren, in ihre Arme gedrückt, auf den verwirrten* Kissen des Bettes dalag: so blieb ihm zuletzt, hell wie der Tag 10
schon durch beide Fenster schimmerte, nichts übrig, als sie,
ohne weitere Rücksprache, aufzuheben; er trug sie, die wie
eine Leblose von seiner Schulter niederhing, die Treppe
hinauf in ihre Kammer, und nachdem er sie auf ihr Bette
niedergelegt, und ihr unter tausend Liebkosungen noch 15
einmal Alles, was er ihr schon gesagt, wiederholt hatte,
nannte er sie noch einmal seine liebe Braut, drückte einen
Kuß auf ihre Wangen, und eilte in sein Zimmer zurück.
Sobald der Tag völlig angebrochen war, begab sich die alte
Babekan zu ihrer Tochter hinauf, und eröffnete ihr, indem 20
sie sich an ihr Bett niedersetzte, welch' einen Plan sie mit
dem Fremden sowohl, als seiner Reisegesellschaft vor
habe. Sie meinte, daß, da der Neger Congo Hoango erst in
zwei Tagen wiederkehre, Alles darauf ankäme, den Fremden während dieser Zeit in dem Hause hinzuhalten, ohne 25
die Familie seiner Angehörigen, deren Gegenwart, ihrer
Menge wegen, gefährlich werden könnte, darin zuzulassen. Zu diesem Zweck, sprach sie, habe sie erdacht, dem
Fremden vorzuspiegeln, daß, einer so eben eingelaufenen
Nachricht zufolge, der General Dessalines sich mit seinem 30
Heer in diese Gegend wenden werde, und daß man mithin,
wegen allzugroßer Gefahr, erst am dritten Tage, wenn er
vorüber wäre, würde möglich machen können, die Familie,
seinem Wunsche gemäß, in dem Hause aufzunehmen. Die
Gesellschaft selbst, schloß sie, müsse inzwischen, damit sie 35

in Unordnung
gebrachten

nicht weiter reise, mit Lebensmitteln versorgt, und gleichfalls, um sich ihrer späterhin zu bemächtigen, in dem
Wahn, daß sie eine Zuflucht in dem Hause finden werde,
hingehalten werden. Sie bemerkte, daß die Sache wichtig
5 sei, indem die Familie wahrscheinlich beträchtliche Habseligkeiten mit sich führe; und forderte die Tochter auf, sie
aus allen Kräften in dem Vorhaben, das sie ihr angegeben,
zu unterstützen. Toni, halb im Bette aufgerichtet, indem die
Röte des Unwillens ihr Gesicht überflog, versetzte: »daß es
10 schändlich und niederträchtig wäre, das Gastrecht an Personen, die man in das Haus gelockt, also zu verletzen. Sie
meinte, daß ein Verfolgter, der sich ihrem Schutz anver-
traut, doppelt sicher bei ihnen sein sollte; und versicherte,
daß, wenn sie den blutigen Anschlag, den sie ihr geäußert,
15 nicht aufgäbe, sie auf der Stelle hingehen und dem Fremden
anzeigen würde, welch eine Mördergrube das Haus sei, in
welchem er geglaubt habe, seine Rettung zu finden.« Toni!
sagte die Mutter, ⌈indem sie die Arme in die Seite stämmte⌉,
und dieselbe mit großen Augen ansah. – »Gewiß!« erwi-
20 derte Toni, indem sie die Stimme senkte. »Was hat uns dieser Jüngling, der von Geburt gar nicht einmal ein Franzose,
sondern, wie wir gesehen haben, ein Schweizer ist, zu leide
getan, daß wir, nach Art der Räuber, über ihn herfallen,
ihn töten und ausplündern wollen? Gelten die Beschwer-
25 den, die man hier gegen die Pflanzer führt, auch in der
Gegend der Insel, aus welcher er herkömmt? Zeigt nicht
vielmehr Alles, daß er der edelste und vortrefflichste
Mensch ist, und gewiß das Unrecht, das die Schwarzen
seiner Gattung vorwerfen mögen, auf keine Weise teilt?« –
30 Die Alte, während sie den sonderbaren Ausdruck des Mädchens betrachtete, sagte bloß mit bebenden Lippen: daß sie
erstaune. Sie fragte, was der junge Portugiese verschuldet,
den man unter dem Torweg kürzlich mit Keulen zu Boden
geworfen habe? Sie fragte, was die beiden Holländer ver-
35 brochen, die vor drei Wochen durch die Kugeln der Neger

im Hofe gefallen wären? Sie wollte wissen, was man den drei Franzosen und so vielen andern einzelnen Flüchtlingen, vom Geschlecht der Weißen, zur Last gelegt habe, die mit Büchsen, Spießen und Dolchen, seit dem Ausbruch der Empörung, im Hause hingerichtet worden wären? »Beim 5 Licht der Sonne,« sagte die Tochter, indem sie wild aufstand, »du hast sehr Unrecht, mich an diese Greueltaten zu erinnern! Die Unmenschlichkeiten, an denen ihr mich Teil zu nehmen zwingt, empörten längst mein innerstes Gefühl; und um mir Gottes Rache wegen Alles, was vorgefallen, zu 10 versöhnen, so, schwöre ich dir, daß ich eher zehnfachen Todes sterben, als zugeben werde, daß diesem Jüngling, so lange er sich in unserm Hause befindet, auch nur ein Haar gekrümmt werden.« – Wohlan, sagte die Alte, mit einem plötzlichen Ausdruck von Nachgiebigkeit: so mag der 15 Fremde reisen! Aber wenn Congo Hoango zurückkömmt, setzte sie hinzu, indem sie um das Zimmer zu verlassen, aufstand, und erfährt, daß ein Weißer in unserm Hause übernachtet hat, so magst du das Mitleiden, das dich bewog, ihn gegen das ausdrückliche Gebot wieder abziehen 20 zu lassen, verantworten.

Auf diese Äußerung, bei welcher, trotz aller scheinbaren Milde, der Ingrimm[*] der Alten heimlich hervorbrach, blieb das Mädchen in nicht geringer Bestürzung im Zimmer zurück. Sie kannte den Haß der Alten gegen die Weißen zu 25 gut, als daß sie hätte glauben können, sie werde eine solche Gelegenheit, ihn zu sättigen, ungenutzt vorüber gehen lassen. Furcht, daß sie sogleich in die benachbarten Pflanzungen schicken und die Neger zur Überwältigung des Fremden herbeirufen möchte, bewog sie, sich anzukleiden und 30 ihr unverzüglich in das untere Wohnzimmer zu folgen. Sie stellte sich während diese verstört den Speiseschrank, bei welchem sie ein Geschäft zu haben schien, verließ, und sich an einen Spinnrocken niedersetzte, vor das an die Tür geschlagene Mandat, in welchem allen Schwarzen bei Le- 35

gesteigerte Zorn, heftige Grimm

bensstrafe verboten war, den Weißen Schutz und Obdach zu geben; ⌐und gleichsam als ob sie, von Schrecken ergriffen, das Unrecht, das sie begangen, einsähe, wandte sie sich plötzlich, und fiel der Mutter, die sie, wie sie wohl wußte, von hinten beobachtet hatte, zu Füßen⌐. Sie bat, die Knie derselben umklammernd, ihr die rasenden Äußerungen, die sie sich zu Gunsten des Fremden erlaubt, zu vergeben; entschuldigte sich mit dem Zustand, halb träumend, halb wachend, in welchem sie von ihr mit den Vorschlägen zu seiner Überlistung, da sie noch im Bette gelegen, überrascht worden sei, und meinte, daß sie ihn ganz und gar der Rache der bestehenden Landesgesetze, die seine Vernichtung einmal beschlossen, Preis gäbe. Die Alte, nach einer Pause, in der sie das Mädchen unverwandt betrachtete, sagte: »Beim Himmel, diese deine Erklärung rettet ihm für heute das Leben! Denn die Speise, da du ihn in deinen Schutz zu nehmen drohtest, war schon vergiftet, die ihn der Gewalt Congo Hoango's, seinem Befehl gemäß, wenigstens tot überliefert haben würde.« Und damit stand sie auf und schüttete einen Topf mit Milch, der auf dem Tisch stand, aus dem Fenster. Toni, welche ihren Sinnen nicht traute, starrte, von Entsetzen ergriffen, die Mutter an. Die Alte, während sie sich wieder niedersetzte, und das Mädchen, das noch immer auf den Knien dalag, vom Boden aufhob, fragte: »was denn im Lauf einer einzigen Nacht ihre Gedanken so plötzlich umgewandelt hätte? Ob sie gestern, nachdem sie ihm das Bad bereitet, noch lange bei ihm gewesen wäre? Und ob sie viel mit dem Fremden gesprochen hätte?« Doch Toni, deren Brust flog, antwortete hierauf nicht, oder nichts Bestimmtes; das Auge zu Boden geschlagen, stand sie, indem sie sich den Kopf hielt, und berief sich auf einen Traum; ein Blick jedoch auf die Brust ihrer unglücklichen Mutter, sprach sie, indem sie sich rasch bückte und ihre Hand küßte, rufe ihr die ganze Unmenschlichkeit der Gattung, zu der dieser Fremde gehöre, wieder ins Gedächtnis zurück: und beteuerte, indem sie sich umkehrte und das Gesicht in ihre Schürze drückte, daß, sobald der Neger Hoango eingetroffen wäre, sie sehen würde, ⌜was sie an ihr für eine Tochter habe⌝.

Babekan saß noch in Gedanken versenkt, und erwog, woher wohl die sonderbare Leidenschaftlichkeit des Mädchens entspringe: als der Fremde mit einem in seinem Schlafgemach geschriebenen Zettel, worin er die Familie einlud, einige Tage in der Pflanzung des Negers Hoango zuzubringen, in das Zimmer trat. Er grüßte sehr heiter und freundlich die Mutter und die Tochter, und bat, indem er der Alten den Zettel übergab: daß man sogleich in die Waldung schicken und für die Gesellschaft, dem ihm gegebenen Versprechen gemäß, Sorge tragen möchte. Babekan stand auf und sagte, mit einem Ausdruck von Unruhe, indem sie den Zettel in den Wandschrank legte: »Herr, wir müssen euch bitten, euch sogleich in euer Schlafzimmer zurück zu verfügen. Die Straße ist voll von einzelnen Negertrupps, die vorüberziehen und uns anmelden*, daß sich der General Dessalines mit seinem Heer in diese Gegend wenden werde. Dies Haus, das jedem offen steht, gewährt euch keine Sicherheit, falls ihr euch nicht in eurem, auf den Hof hinausgehenden, Schlafgemach verbergt, und die Türen sowohl, als auch die Fensterladen, auf das Sorgfältigste verschließt.« – Wie? sagte der Fremde betroffen: der General Dessalines – »Fragt nicht!« unterbrach ihn die Alte, indem sie mit einem Stock dreimal auf den Fußboden klopfte: »in eurem Schlafgemach, wohin ich euch folgen werde, will ich euch Alles erklären.« Der Fremde von der Alten mit ängstlichen Gebärden aus dem Zimmer gedrängt, wandte sich noch einmal unter der Tür und rief: aber wird man der Familie, die meiner harrt, nicht wenigstens einen Boten zusenden müssen, der sie – ? »Es wird Alles besorgt werden,« fiel ihm die Alte ein, während, durch ihr Klopfen gerufen, ⌜der Bastardknabe, den wir

*mitteilen, ankündigen

schon kennen[7], hereinkam; und damit befahl sie Toni, die, dem Fremden den Rücken zukehrend, vor den Spiegel getreten war, einen Korb mit Lebensmitteln, der in dem Winkel stand, aufzunehmen; und Mutter, Tochter, der Fremde und der Knabe begaben sich in das Schlafzimmer hinauf.

Hier erzählte die Alte, indem sie sich auf gemächliche Weise auf den Sessel niederließ, wie man die ganze Nacht über auf den, den Horizont abschneidenden* Bergen, die Feuer des Generals Dessalines schimmern gesehen: ein Umstand, der in der Tat gegründet war, obschon sich bis diesen Augenblick noch kein einziger Neger von seinem Heer, das südwestlich gegen Port au Prince anrückte, in dieser Gegend gezeigt hatte. Es gelang ihr, den Fremden dadurch in einen Wirbel von Unruhe zu stürzen, den sie jedoch nachher wieder durch die Versicherung, daß sie alles Mögliche, selbst in dem schlimmen Fall, daß sie Einquartierung bekäme, zu seiner Rettung beitragen würde, zu stillen* wußte. Sie nahm, auf die wiederholte inständige Erinnerung desselben, unter diesen Umständen seiner Familie wenigstens mit Lebensmitteln beizuspringen, der Tochter den Korb aus der Hand, und indem sie ihn dem Knaben gab, sagte sie ihm: »er solle an den Möwenweiher in die nahgelegnen Waldberge hinaus gehen, und ihn der daselbst befindlichen Familie des fremden Offiziers überbringen. Der Offizier selbst,« solle er hinzusetzen, »befinde sich wohl; Freunde der Weißen, die selbst viel der Partei wegen, die sie ergriffen, von den Schwarzen leiden müßten, hätten ihn in ihrem Hause mitleidig aufgenommen.« Sie schloß, daß sobald die Landstraße nur von den bewaffneten Negerhaufen, die man erwartete, befreit wäre, man sogleich Anstalten treffen würde, auch ihr, der Familie, ein Unterkommen in diesem Hause zu verschaffen. – Hast du verstanden? fragte sie, da sie geendet hatte. Der Knabe, indem er den Korb auf seinen Kopf setzte, antwortete: daß er den ihm beschriebenen Möwenweiher, an dem er zu-

verdeckenden

beschwichtigen, beruhigen

weilen mit seinen Kameraden zu fischen pflege, gar wohl kenne, und daß er Alles, wie man es ihm aufgetragen, an die daselbst übernachtende Familie des fremden Herrn bestellen würde. Der Fremde zog sich, auf die Frage der Alten: ob er noch etwas hinzuzusetzen hätte? noch einen Ring vom Finger, und händigte ihn dem Knaben ein, mit dem Auftrag, ihn zum Zeichen, daß es mit den überbrachten Meldungen seine Richtigkeit habe, dem Oberhaupt der Familie, Hrn. Strömli, zu übergeben. Hierauf traf die Mutter mehrere, die Sicherheit des Fremden, wie sie sagte, abzweckende* Veranstaltungen; befahl Toni, die Fensterladen zu verschließen, und zündete selbst, um die Nacht, die dadurch in dem Zimmer herrschend geworden war, zu zerstreuen, an einem auf dem Kaminsims befindlichen Feuerzeug*, nicht ohne Mühseligkeit, indem der Zunder nicht fangen wollte, ein Licht an. Der Fremde benutzte diesen Augenblick, um den Arm sanft um Toni's Leib zu legen, und ihr ins Ohr zu flüstern: wie sie geschlafen? und: ob er die Mutter nicht von dem, was vorgefallen, unterrichten solle? doch auf die erste Frage antwortete Toni nicht, und auf die andere versetzte sie, indem sie sich aus seinem Arm loswand: nein, wenn ihr mich liebt, kein Wort! Sie unterdrückte die Angst, die alle diese lügenhaften Anstalten in ihr erweckten; und unter dem Vorwand, dem Fremden ein Frühstück zu bereiten, stürzte sie eilig in das untere Wohnzimmer herab.

Sie nahm aus dem Schrank der Mutter den Brief, worin der Fremde in seiner Unschuld die Familie eingeladen hatte, dem Knaben in die Niederlassung zu folgen: und auf gut Glück hin, ob die Mutter ihn vermissen würde, entschlossen, im schlimmsten Falle den Tod mit ihm zu leiden, flog* sie damit dem schon auf der Landstraße wandernden Knaben nach. Denn sie sah den Jüngling, vor Gott und ihrem Herzen, nicht mehr als einen bloßen Gast, dem sie Schutz und Obdach gegeben, ┌sondern als ihren Verlobten und

---

Die Verlobung in St. Domingo

Gemahl an[7], und war Willens, sobald nur seine Partei im Hause stark genug sein würde, dies der Mutter, auf deren Bestürzung sie unter diesen Umständen rechnete, ohne Rückhalt zu erklären. »Nanky,« sprach sie, da sie den Kna-
5 ben atemlos und eilfertig auf der Landstraße erreicht hatte: »die Mutter hat ihren Plan, die Familie Hrn. Strömli's anbetreffend, umgeändert. Nimm diesen Brief! Er lautet an Hrn. Strömli, das alte Oberhaupt der Familie, und enthält die Einladung, einige Tage mit Allem, was zu ihm gehört, in
10 unserer Niederlassung zu verweilen. – Sei klug und trage selbst alles Mögliche dazu bei, diesen Entschluß zur Reife zu bringen*; Congo Hoango, der Neger, wird, wenn er wiederkömmt, es dir lohnen!« Gut, gut, Base* Toni, antwortete der Knabe. Er fragte, indem er den Brief sorgsam
15 eingewickelt in seine Tasche steckte: und ich soll dem Zuge, auf seinem Wege hierher, zum Führer dienen? »Allerdings,« versetzte Toni; »das versteht sich, weil sie die Gegend nicht kennen, von selbst. Doch wirst du, möglicher Truppenmärsche wegen, die auf der Landstraße statt fin-
20 den könnten, die Wanderung eher nicht, als um Mitternacht antreten; aber dann dieselbe auch so beschleunigen, daß du vor der Dämmerung des Tages hier eintriffst. – Kann man sich auf dich verlassen?« fragte sie. Verlaßt euch auf Nanky! antwortete der Knabe; ich weiß, warum ihr
25 diese weißen Flüchtlinge in die Pflanzung lockt, und der Neger Hoango soll mit mir zufrieden sein*!
Hierauf trug Toni dem Fremden das Frühstück auf; und nachdem es wieder abgenommen* war, begaben sich Mutter und Tochter, ihrer häuslichen Geschäfte wegen, in das
30 vordere Wohnzimmer zurück. Es konnte nicht fehlen, daß die Mutter einige Zeit darauf an den Schrank trat, und, wie es natürlich war, den Brief vermißte. Sie legte die Hand, ungläubig gegen ihr Gedächtnis, einen Augenblick an den Kopf, und fragte Toni: wo sie den Brief, den ihr der Fremde
35 gegeben, wohl hingelegt haben könne? Toni antwortete

Marginal notes:
- in die Tat umzusetzen
- Kusine
- Vgl. Erl. zu 98.3–4
- abgeräumt, weggetragen

nach einer kurzen Pause, in der sie auf den Boden niedersah: daß ihn der Fremde ja, ihres Wissens, wieder einge-
steckt und oben im Zimmer, in ihrer beider Gegenwart,
zerrissen habe! Die Mutter schaute das Mädchen mit großen Augen an; sie meinte, sich bestimmt zu erinnern, daß   5
sie den Brief aus seiner Hand empfangen und in den
Schrank gelegt habe; doch da sie ihn nach vielem vergeb-
lichen Suchen darin nicht fand, und ihrem Gedächtnis,
mehrerer ähnlichen Vorfälle wegen, mißtraute: so blieb ihr
zuletzt nichts übrig, als der Meinung, die ihr die Tochter   10
geäußert, Glauben zu schenken. Inzwischen konnte sie ihr
lebhaftes Mißvergnügen über diesen Umstand nicht unterdrücken, und meinte, daß der Brief dem Neger Hoango,
um die Familie in die Pflanzung hereinzubringen, von der
größten Wichtigkeit gewesen sein würde. Am Mittag und   15
Abend, da Toni den Fremden mit Speisen bediente, nahm
sie, zu seiner Unterhaltung an der Tischecke sitzend, meh-
reremal Gelegenheit, ihn nach dem Briefe zu fragen; doch
Toni war geschickt genug, das Gespräch, so oft es auf diesen gefährlichen Punkt kam, abzulenken oder zu verwir-   20
ren; dergestalt, daß die Mutter durch die Erklärungen des
Fremden über das eigentliche Schicksal des Briefes auf
keine Weise ins Reine kam. So verfloß der Tag; die Mutter
verschloß nach dem Abendessen aus Vorsicht, wie sie
sagte, des Fremden Zimmer; und nachdem sie noch mit   25
Toni überlegt hatte, durch welche List sie sich von neuem,
am folgenden Tage, in den Besitz eines solchen Briefes setzen könne, begab sie sich zur Ruhe, und befahl dem Mädchen gleichfalls, zu Bette zu gehen.
Sobald Toni, die diesen Augenblick mit Sehnsucht erwartet   30
hatte, ihre Schlafkammer erreicht und sich überzeugt
hatte, daß die Mutter entschlummert war, stellte sie das
Bildnis der heiligen Jungfrau, das neben ihrem Bette hing,
auf einen Sessel, und ließ sich mit verschränkten Händen
auf Knien davor nieder. Sie flehte den Erlöser, ihren gött-   35

lichen Sohn*, in einem Gebet voll unendlicher Inbrunst, um den göttlichen Sohn Marias Mut und Standhaftigkeit an, dem Jüngling, dem sie sich zu eigen gegeben, das Geständnis der Verbrechen, die ihren jungen Busen beschwerten, abzulegen. Sie gelobte, diesem,
5 was es ihrem Herzen auch kosten würde, nichts, auch nicht die Absicht, erbarmungslos und entsetzlich, in der sie ihn gestern in das Haus gelockt, zu verbergen; doch um der Schritte willen, die sie bereits zu seiner Rettung getan, wünschte sie, daß er ihr vergeben, und sie als sein treues
10 Weib mit sich nach Europa führen möchte. Durch dies Gebet wunderbar gestärkt, ergriff sie, indem sie aufstand, den Hauptschlüssel, der alle Gemächer des Hauses schloß, und schritt damit langsam, ohne Licht, über den schmalen Gang, der das Gebäude durchschnitt, dem Schlafgemach
15 des Fremden zu. Sie öffnete das Zimmer leise und trat vor sein Bett, wo er in tiefen Schlaf versenkt ruhte. Der Mond beschien sein blühendes Antlitz, und der Nachtwind, der durch die geöffneten Fenster eindrang, spielte mit dem Haar auf seiner Stirn. Sie neigte sich sanft über ihn und rief
20 ihn, seinen süßen Atem einsaugend, beim Namen; aber ein tiefer Traum, von dem sie der Gegenstand zu sein schien, beschäftigte ihn: wenigstens hörte sie, zu wiederholten Malen, von seinen glühenden, zitternden Lippen das geflüsterte Wort: Toni! Wehmut, die nicht zu beschreiben ist,
25 ergriff sie; sie konnte sich nicht entschließen, ihn aus den Himmeln lieblicher Einbildung in die Tiefe einer gemeinen und elenden Wirklichkeit herabzureißen; und in der Gewißheit, daß er ja früh oder spät von selbst erwachen müsse, kniete sie an seinem Bette nieder und überdeckte
30 seine teure Hand mit Küssen*. Vgl. Erl. zu 83.35–84.2
Aber wer beschreibt das Entsetzen, das wenige Augenblicke darauf ihren Busen ergriff, als sie plötzlich, im Innern des Hofraums, ein Geräusch von Menschen, Pferden und Waffen hörte, und darunter ganz deutlich die Stimme
35 des Negers Congo Hoango erkannte, der unvermuteter

Weise mit seinem ganzen Troß aus dem Lager des Generals Dessalines zurückgekehrt war. Sie stürzte, den Mondschein, der sie zu verraten drohte, sorgsam vermeidend, hinter die Vorhänge des Fensters, und hörte auch schon die Mutter, welche dem Neger von Allem, was während dessen vorgefallen war, auch von der Anwesenheit des europäischen Flüchtlings im Hause, Nachricht gab. Der Neger befahl den Seinigen, mit gedämpfter Stimme, im Hofe still zu sein. Er fragte die Alte, wo der Fremde in diesem Augenblick befindlich sei? worauf diese ihm das Zimmer bezeichnete, und sogleich auch Gelegenheit nahm, ihn von dem sonderbaren und auffallenden Gespräch, das sie, den Flüchtling betreffend, mit der Tochter gehabt hatte, zu unterrichten. Sie versicherte dem Neger, daß das Mädchen eine Verräterin, und der ganze Anschlag, desselben habhaft zu werden, in Gefahr sei, zu scheitern. Wenigstens sei die Spitzbübin, wie sie bemerkt, heimlich beim Einbruch der Nacht in sein Bette geschlichen, wo sie noch bis diesen Augenblick in guter Ruhe befindlich sei; und wahrscheinlich, wenn der Fremde nicht schon entflohen sei, werde derselbe eben jetzt gewarnt, und die Mittel, wie seine Flucht zu bewerkstelligen sei, mit ihm verabredet. Der Neger, der die Treue des Mädchens schon in ähnlichen Fällen erprobt hatte, antwortete: es wäre wohl nicht möglich? Und: Kelly! rief er wütend, und: Omra! Nehmt eure Büchsen! Und damit, ohne weiter ein Wort zu sagen, stieg er, im Gefolge aller seiner Neger, die Treppe hinauf, und begab sich in das Zimmer des Fremden.

Toni, vor deren Augen sich, während weniger Minuten, dieser ganze Auftritt abgespielt hatte, stand, gelähmt an allen Gliedern, als ob sie ein Wetterstrahl getroffen hätte, da. Sie dachte einen Augenblick daran, den Fremden zu wecken; doch teils war, wegen Besetzung des Hofraums, keine Flucht für ihn möglich, teils auch sah sie voraus, daß er zu den Waffen greifen, und somit bei der Überlegenheit der

Neger, Zubodenstreckung unmittelbar sein Los sein würde. Ja, die entsetzlichste Rücksicht, die sie zu nehmen genötigt war, war diese, daß der Unglückliche sie selbst, wenn er sie in dieser Stunde bei seinem Bette fände, für eine Verräterin halten, und, statt auf ihren Rat zu hören, in der Raserei eines so heillosen Wahns, dem Neger Hoango völlig besinnungslos in die Arme laufen würde. In dieser unaussprechlichen Angst fiel ihr ein Strick in die Augen, welcher, der Himmel weiß durch welchen Zufall, an dem Riegel der Wand hing. Gott selbst, meinte sie, indem sie ihn herabriß, hätte ihn zu ihrer und des Freundes Rettung dahin geführt. Sie umschlang den Jüngling, vielfache Knoten schürzend, an Händen und Füßen damit; und nachdem sie, ohne darauf zu achten, daß er sich rührte und sträubte, die Enden angezogen und an das Gestell des Bettes festgebunden hatte: drückte sie, froh, des Augenblicks mächtig geworden zu sein, einen Kuß auf seine Lippen, und eilte dem Neger Hoango, der schon auf der Treppe klirrte, entgegen.

Der Neger, der dem Bericht der Alten, Toni anbetreffend, immer noch keinen Glauben schenkte, stand, als er sie aus dem bezeichneten Zimmer hervortreten sah, bestürzt und verwirrt, im Korridor mit seinem Troß von Fackeln und Bewaffneten still. Er rief: »die Treulose! die Bundbrüchige!« und indem er sich zu Babekan wandte, welche einige Schritte vorwärts gegen die Tür des Fremden getan hatte, fragte er: »ist der Fremde entflohn?« Babekan, welche die Tür, ohne hineinzusehen, offen gefunden hatte, rief, indem sie als eine Wütende zurückkehrte: Die Gaunerin! Sie hat ihn entwischen lassen! Eilt, und besetzt die Ausgänge, ehe er das weite Feld erreicht! »Was gibt's?« fragte Toni, indem sie mit dem Ausdruck des Erstaunens den Alten und die Neger, die ihn umringten, ansah. Was es gibt? erwiderte Hoango; und damit ergriff er sie bei der Brust und schleppte sie nach dem Zimmer hin. »Seid ihr rasend?« rief Toni, indem sie den Alten, der bei dem sich

ihm darbietenden Anblick erstarrte, von sich stieß: »da
liegt der Fremde, von mir in seinem Bette festgebunden;
⌐und, beim Himmel, es ist nicht die schlechteste Tat, die ich
in meinem Leben getan⌐!« Bei diesen Worten kehrte sie ihm
den Rücken zu, und setzte sich, als ob sie weinte, an einen   5
Tisch nieder. Der Alte wandte sich gegen die in Verwirrung
zur Seite stehende Mutter und sprach: o Babekan, mit welchem Märchen hast du mich getäuscht? »Dem Himmel sei
Dank,« antwortete die Mutter, indem sie die Stricke, mit
welchen der Fremden gebunden war, verlegen untersuchte;   10
»der Fremde ist da, obschon ich von dem Zusammenhang
nichts begreife.« Der Neger trat, das Schwert in die Scheide
steckend, an das Bett und fragte den Fremden: wer er sei?
woher er komme und wohin er reise? Doch da dieser, unter
krampfhaften Anstrengungen sich loszuwinden, nichts   15
hervorbrachte, als, auf jämmerlich schmerzhafte Weise: o
Toni! o Toni! – so nahm die Mutter das Wort und bedeutete ihm, daß er ein Schweizer sei, Namens Gustav von der

Vgl. Erl. zu
76.20–21

Ried, und daß er mit einer ganzen Familie europäischer
Hunde*, welche in diesem Augenblick in den Berghöhlen   20
am Möwenweiher versteckt sei, von dem Küstenplatz Fort
Dauphin komme. Hoango, der das Mädchen, den Kopf
schwermütig auf ihre Hände gestützt, dasitzen sah, trat zu
ihr und nannte sie sein liebes Mädchen; klopfte ihr die
Wangen, und forderte sie auf, ihm den übereilten Verdacht,   25
den er ihr geäußert, zu vergeben. Die Alte, die gleichfalls

Vgl. Erl. zu
95.18

vor das Mädchen hingetreten war, stämmte die Arme
kopfschüttelnd in die Seite* und fragte: weshalb sie denn
den Fremden, der doch von der Gefahr, in der er sich befunden, gar nichts gewußt, mit Stricken in dem Bette fest-   30
gebunden habe? Toni, vor Schmerz und Wut in der Tat
weinend, antwortete, plötzlich zur Mutter gekehrt: »weil
du keine Augen und Ohren hast! Weil er die Gefahr, in der
er schwebte, gar wohl begriff! Weil er entfliehen wollte;
weil er mich gebeten hatte, ihm zu seiner Flucht behülflich   35

zu sein; weil er einen Anschlag auf dein eignes Leben gemacht hatte, und sein Vorhaben bei Anbruch des Tages
ohne Zweifel, wenn ich ihn nicht schlafend gebunden
hätte, in Ausführung gebracht haben würde.« Der Alte
liebkosete und beruhigte das Mädchen, und befahl Babekan, von dieser Sache zu schweigen. Er rief ein Paar Schützen mit Büchsen vor, um das Gesetz, dem der Fremdling
verfallen war, augenblicklich an demselben zu vollstrek-
ken; aber Babekan flüsterte ihm heimlich zu: »nein, um's
Himmels willen, Hoango!« – Sie nahm ihn auf die Seite
und bedeutete ihm: »Der Fremde müsse, bevor er hingerichtet werde, eine Einladung aufsetzen, um vermittelst
derselben die Familie, deren Bekämpfung im Walde manchen Gefahren ausgesetzt sei, in die Pflanzung zu locken.« –
Hoango, in Erwägung, daß die Familie wahrscheinlich
nicht unbewaffnet sein werde, gab diesem Vorschlage seinen Beifall; er stellte, weil es zu spät war, den Brief verab-
redeter Maßen schreiben zu lassen, zwei Wachen bei dem
weißen Flüchtling aus; und nachdem er noch, der Sicherheit wegen, die Stricke untersucht, auch, weil er sie zu lok-
ker befand, ein Paar Leute herbeigerufen hatte, um sie noch
enger zusammenzuziehen, verließ er mit seinem ganzen
Troß das Zimmer, und Alles nach und nach begab sich zur
Ruh.
Aber Toni, welche nur scheinbar dem Alten, der ihr noch
einmal die Hand gereicht, gute Nacht gesagt und sich zu
Bette gelegt hatte, stand, sobald sie Alles im Hause still sah,
wieder auf, schlich sich durch eine Hinterpforte des Hauses
auf das freie Feld hinaus, und lief, die wildeste Verzweiflung im Herzen, auf dem, die Landstraße durchkreuzen-
den, Wege der Gegend zu, von welcher die Familie Hrn.
Strömli's herankommen mußte. ⌜Denn die Blicke voll Verachtung, die der Fremde von seinem Bette aus auf sie geworfen hatte, waren ihr empfindlich, wie Messerstiche,
durchs Herz gegangen; es mischte sich ein Gefühl heißer

Bitterkeit in ihre Liebe zu ihm, und sie frohlockte bei dem Gedanken, in dieser zu seiner Rettung angeordneten Unternehmung zu sterben.[7] Sie stellte sich, in der Besorgnis, die Familie zu verfehlen, an den Stamm einer Pinie, bei welcher, falls die Einladung angenommen worden war, die ⁵ Gesellschaft vorüberziehen mußte, und kaum war auch, der Verabredung gemäß, der erste Strahl der Dämmerung am Horizont angebrochen, als Nankys, des Knaben, Stimme, der dem Trosse zum Führer diente, schon fernher unter den Bäumen des Waldes hörbar ward. ¹⁰

Der Zug bestand aus Hrn. Strömli und seiner Gemahlin, welche letztere auf einem Maulesel ritt; fünf Kindern desselben, deren zwei, Adelbert und Gottfried, Jünglinge von 18 und 17 Jahren, neben dem Maulesel hergingen; drei Dienern und zwei Mägden, wovon die eine, einen Säugling ¹⁵ an der Brust, auf dem andern Maulesel ritt; in allem aus zwölf Personen. Er bewegte sich langsam über die den Weg durchflechtenden Kienwurzeln, dem Stamm der Pinie zu: wo Toni, so geräuschlos, als niemand zu erschrecken nötig war, aus dem Schatten des Baums hervortrat, und dem ²⁰ Zuge zurief: Halt! Der Knabe kannte* sie sogleich; und auf ihre Frage: wo Herr Strömli sei? während Männer, Weiber und Kinder sie umringten, stellte dieser sie freudig dem alten Oberhaupt der Familie, Herrn Strömli, vor. »Edler Herr!« sagte Toni, indem sie die Begrüßungen desselben ²⁵ mit fester Stimme unterbrach: »der Neger Hoango ist, auf überraschende Weise, mit seinem ganzen Troß in die Niederlassung zurück gekommen. Ihr könnt jetzt, ohne die größeste Lebensgefahr, nicht darin einkehren; ja, euer Vetter, der zu seinem Unglück eine Aufnahme darin fand, ist ³⁰ verloren, wenn ihr nicht zu den Waffen greift, und mir, zu seiner Befreiung aus der Haft, in welcher ihn der Neger Hoango gefangen hält, in die Pflanzung folgt!« Gott im Himmel! riefen, von Schrecken erfaßt, alle Mitglieder der Familie; und die Mutter, die krank und von der Reise er- ³⁵

erkannte

Die Verlobung in St. Domingo

schöpft war, fiel von dem Maultier ohnmächtig auf den Boden nieder. Toni, während, auf den Ruf Herrn Strömli's die Mägde herbeieilten, um ihrer Frau* zu helfen, führte, *Herrin* von den Jünglingen mit Fragen bestürmt, Herrn Strömli

5 und die übrigen Männer, aus Furcht vor dem Knaben Nanky, auf die Seite. Sie erzählte den Männern, ihre Tränen vor Scham und Reue nicht zurückhaltend, Alles, was vorgefallen; wie die Verhältnisse, in dem Augenblick, da der Jüngling eingetroffen, im Hause bestanden; wie das

10 Gespräch, das sie unter vier Augen mit ihm gehabt, dieselben auf ganz unbegreifliche Weise verändert; was sie bei der Ankunft des Negers, fast wahnsinnig vor Angst, getan, und wie sie nun Tod und Leben daran setzen wolle, ihn aus der Gefangenschaft, worin sie ihn selbst gestürzt, wieder zu

15 befreien. – Meine Waffen! rief Herr Strömli, indem er zu dem Maultier seiner Frau eilte und seine Büchse herabnahm. Er sagte, während auch Adelbert und Gottfried, seine rüstigen Söhne, und die drei wackern Diener sich bewaffneten: Vetter ⌜Gustav⌝ hat mehr als Einem von uns das

20 Leben gerettet; jetzt ist es an uns, ihm den gleichen Dienst zu tun; und damit hob er seine Frau, welche sich erholt hatte, wieder auf das Maultier, ließ dem Knaben Nanky, aus Vorsicht, als eine Art von Geißel, die Hände binden; schickte den ganzen Troß, Weiber und Kinder, unter dem

25 bloßen Schutz seines dreizehnjährigen, gleichfalls bewaffneten Sohnes, Ferdinand, an den Möwenweiher zurück; und nachdem er noch Toni, welche selbst einen Helm und einen Spieß genommen hatte, über die Stärke der Neger und ihre Verteilung im Hofraume ausgefragt und ihr ver-

30 sprochen hatte, Hoango's sowohl, als ihrer Mutter, so viel es sich tun ließ, bei dieser Unternehmung zu schonen: stellte er sich mutig, und auf Gott vertrauend, an die Spitze seines kleinen Haufens, und brach, von Toni geführt, in die Niederlassung auf.

35 Toni, sobald der Haufen durch die hintere Pforte ein-

geschlichen war, zeigte Herrn Strömli das Zimmer, in welchem Hoango und Babekan ruhten; und während Herr Strömli geräuschlos mit seinen Leuten in das offne Haus eintrat, und sich sämtlicher zusammengesetzter Gewehre der Neger bemächtigte, schlich sie zur Seite ab in den Stall, 5 in welchem der fünfjährige Halbbruder des Nanky, Seppy, schlief. Denn Nanky und Seppy, Bastardkinder des alten Hoango, waren diesem, besonders der letzte, dessen Mutter kürzlich gestorben war, sehr teuer; und da, selbst in dem Fall, daß man den gefangenen Jüngling befreite, der 10 Rückzug an den Möwenweiher und die Flucht von dort nach Port au Prince, der sie sich anzuschließen gedachte, noch mancherlei Schwierigkeiten ausgesetzt war: so schloß sie nicht unrichtig, daß der Besitz beider Knaben, als einer

Druckmittel

Art von Unterpfand*, dem Zuge, bei etwaniger Verfolgung 15 der Negern, von großem Vorteil sein würde. Es gelang ihr, den Knaben ungesehen aus seinem Bette zu heben, und in ihren Armen, halb schlafend, halb wachend, in das Hauptgebäude hinüberzutragen. Inzwischen war Herr Strömli, so heimlich, als es sich tun ließ, mit seinem Haufen in Ho- 20 ango's Stubentüre eingetreten; aber statt ihn und Babekan, wie er glaubte, im Bette zu finden, standen, durch das Geräusch geweckt, beide, obschon halbnackt und hülflos, in der Mitte des Zimmers da. Herr Strömli, indem er seine Büchse in die Hand nahm, rief: sie sollten sich ergeben, 25 oder sie wären des Todes! doch Hoango, statt aller Ant-

gab einen
Schuss in die
Menge ab

wort, riß ein Pistol von der Wand und platzte* es, Herrn Strömli am Kopf streifend, unter die Menge los. Herrn Strömli's Haufen, auf dies Signal, fiel wütend über ihn her; Hoango, nach einem zweiten Schuß, der einem Diener die 30 Schulter durchbohrte, ward durch einen Säbelhieb an der Hand verwundet, und beide, Babekan und er, wurden niedergeworfen und mit Stricken am Gestell eines großen Tisches fest gebunden. Mittlerweile waren, durch die Schüsse geweckt, die Neger des Hoango, zwanzig und mehr an der 35

Zahl, aus ihren Ställen hervorgestürzt, und drangen, da sie die alte Babekan im Hause schreien hörten, wütend gegen dasselbe vor, um ihre Waffen wieder zu erobern. Vergebens postierte Herr Strömli, dessen Wunde von keiner Bedeu-
5 tung war, seine Leute an die Fenster des Hauses, und ließ, um die Kerle im Zaum zu halten, mit Büchsen unter sie feuern; sie achteten zweier Toten nicht, die schon auf dem Hofe umher lagen, und waren im Begriff, Äxte und Brech-stangen zu holen, um die Haustür, welche Hr. Strömli ver-
10 riegelt hatte, einzusprengen, als Toni, zitternd und bebend, den Knaben Seppy auf dem Arm, in Hoangos Zimmer trat. Herr Strömli, dem diese Erscheinung äußerst erwünscht war, riß ihr den Knaben vom Arm; er wandte sich, indem er seinen Hirschfänger* zog, zu Hoango, und schwor, daß
15 er den Jungen augenblicklich töten würde, wenn er den Negern nicht zuriefe, von ihrem Vorhaben abzustehen. Hoango, dessen Kraft durch den Hieb über die drei Finger der Hand gebrochen war, und der sein eignes Leben, im Fall einer Weigerung, ausgesetzt haben würde, erwiderte
20 nach einigen Bedenken, indem er sich vom Boden aufheben ließ: »daß er dies tun wolle;« er stellte sich, von Herrn Strömli geführt, an das Fenster, und mit einem Schnupf-tuch, das er in die linke Hand nahm, über den Hof hinaus-winkend, rief er den Negern zu: »daß sie die Tür, indem es,
25 sein Leben zu retten, keiner Hülfe bedürfe, unberührt las-sen sollten und in ihre Ställe zurückkehren möchten!« Hierauf beruhigte sich der Kampf ein wenig; Hoango schickte, auf Verlangen Herrn Strömli's, einen im Hause eingefangenen Neger, mit der Wiederholung dieses Be-
30 fehls, zu dem im Hofe noch verweilenden und sich berat-schlagenden Haufen hinab; und da die Schwarzen, so we-nig sie auch von der Sache begriffen, den Worten dieses förmlichen Botschafters Folge leisten mußten, so gaben sie ihren Anschlag, zu dessen Ausführung schon Alles in Be-
35 reitschaft war, auf, und verfügten sich nach und nach, ob-

*Seitengewehr, mit dem bei der Hetzjagd dem Tier der Todesstoß versetzt wird

schon murrend und schimpfend, in ihre Ställe zurück. Herr Strömli, indem er dem Knaben Seppy vor den Augen Hoango's die Hände binden ließ, sagte diesem: »daß seine Absicht keine andere sei, als den Offizier, seinen Vetter aus der in der Pflanzung über ihn verhängten Haft zu befreien, und daß, wenn seiner Flucht nach Port au Prince keine Hindernisse in den Weg gelegt würden, weder für sein, Hoango's, noch für seiner Kinder Leben, die er ihm wiedergeben würde, etwas zu befürchten sein würde.« Babekan, welcher Toni sich näherte und zum Abschied in einer Rührung, die sie nicht unterdrücken konnte, die Hand geben wollte, stieß diese heftig von sich. Sie nannte sie eine Niederträchtige und Verräterin, und meinte, indem sie sich am Gestell des Tisches, an dem sie lag, umkehrte: die Rache Gottes würde sie, noch ehe sie ihrer Schandtat froh geworden, ereilen. Toni antwortete: ⌐»ich habe euch nicht verraten; ich bin eine Weiße, und dem Jüngling, den ihr gefangen haltet, verlobt; ich gehöre zu dem Geschlecht derer, mit denen ihr im offenen Kriege liegt, und werde vor Gott, daß ich mich auf ihre Seite stellte, zu verantworten wissen.«⌐ Hierauf gab Herr Strömli dem Neger Hoango, den er zur Sicherheit wieder hatte fesseln und an die Pfosten der Tür festbinden lassen, eine Wache; er ließ den Diener, der, mit zersplittertem Schulterknochen, ohnmächtig am Boden lag, aufheben und wegtragen; und nachdem er dem Hoango noch gesagt hatte, daß er beide Kinder, den Nanky sowohl als den Seppy, nach Verlauf einiger Tage, in Sainte Lüze*, wo die ersten französischen Vorposten stünden, abholen lassen könne, nahm er Toni, die, von mancherlei Gefühlen bestürmt, sich nicht enthalten konnte zu weinen, bei der Hand, und führte sie, unter den Flüchen Babekans und des alten Hoango, aus dem Schlafzimmer fort.

Inzwischen waren Adelbert und Gottfried, Hrn. Strömli's Söhne, schon nach Beendigung des ersten, an den Fenstern gefochtenen Hauptkampfs, auf Befehl des Vaters, in das

Zimmer ihres Vetters Gustav geeilt, und waren glücklich genug gewesen, die beiden Schwarzen, die diesen bewachten, nach einem hartnäckigen Widerstand zu überwältigen. Der eine lag tot im Zimmer; der andere hatte sich mit einer schweren Schußwunde bis auf den Korridor hinausgeschleppt. Die Brüder, deren einer, der Ältere, dabei selbst, obschon nur leicht, am Schenkel verwundet worden war, banden den teuren lieben Vetter los: sie umarmten und küßten ihn, und forderten ihn jauchzend, indem sie ihm Gewehr und Waffen gaben, auf, ihnen nach dem vorderen Zimmer, in welchem, da der Sieg entschieden, Herr Strömli wahrscheinlich Alles schon zum Rückzug anordne, zu folgen. Aber Vetter Gustav, halb im Bette aufgerichtet, drückte ihnen freundlich die Hand; im übrigen war er still und zerstreut, und statt die Pistolen, die sie ihm darreichten, zu ergreifen, hob er die Rechte, und strich sich, mit einem unaussprechlichen Ausdruck von Gram, damit über die Stirn. Die Jünglinge, die sich bei ihm niedergesetzt hatten, fragten: was ihm fehle? und schon, da er sie mit seinem Arm umschloß, und sich mit dem Kopf schweigend an die Schulter des Jüngern lehnte, wollte Adelbert sich erheben, und ihm im Wahn, daß ihn eine Ohnmacht anwandle, einen Trunk Wasser herbeiholen: als Toni, den Knaben Seppy auf dem Arm, an der Hand Herrn Strömli's, in das Zimmer trat. Gustav wechselte bei diesem Anblick die Farbe; er hielt sich, indem er aufstand, als ob er umsinken wollte, an den Leibern der Freunde fest; und ehe die Jünglinge noch wußten, was er mit dem Pistol, das er ihnen jetzt aus der Hand nahm, anfangen wollte: drückte er dasselbe schon, knirschend vor Wut, gegen Toni ab. Der Schuß war ihr mitten durch die Brust gegangen; und da sie, mit einem gebrochenen Laut des Schmerzes, noch einige Schritte gegen ihn tat, und sodann, indem sie den Knaben an Herrn Strömli gab, vor ihm niedersank: schleuderte er das Pistol über sie, stieß sie mit dem Fuß von sich, und warf sich,

indem er sie eine Hure nannte, wieder auf das Bette nieder.
»Du ungeheurer Mensch!« riefen Herr Strömli und seine
beiden Söhne. Die Jünglinge warfen sich über das Mädchen, und riefen, indem sie es aufhoben, einen der alten
Diener herbei, der dem Zuge schon in manchen ähnlichen, 5
verzweiflungsvollen Fällen die Hülfe eines Arztes geleistet
hatte; aber das Mädchen, das sich mit der Hand krampf-
haft die Wunde hielt, drückte die Freunde hinweg, und:
»sagt ihm –!« stammelte sie röchelnd, auf ihn, der sie er-
schossen, hindeutend, und wiederholte: »sagt ihm – –!« 10
»Was sollen wir ihm sagen?« fragte Herr Strömli, da der
Tod ihr die Sprache raubte. Adelbert und Gottfried standen
auf und riefen dem unbegreiflich gräßlichen Mörder zu: ob
er wisse, daß das Mädchen seine Retterin sei; daß sie ihn
liebe und daß es ihre Absicht gewesen sei, mit ihm, dem sie 15
Alles, Eltern und Eigentum, aufgeopfert, nach Port au
Prince zu entfliehen? – Sie donnerten ihm: Gustav! in die
Ohren, und fragten ihn: ob er nichts höre? und schüttelten
ihn und griffen ihn in die Haare, da er unempfindlich*, und
ohne auf sie zu achten, auf dem Bette lag. Gustav richtete 20
sich auf. Er warf einen Blick auf das in seinem Blut sich
wälzende Mädchen; und die Wut, die diese Tat veranlaßt
hatte, machte, auf natürliche Weise, einem Gefühl gemeinen Mitleidens Platz. Hr. Strömli, heiße Tränen auf sein
Schnupftuch niederweinend, fragte: warum, Elender, hast 25
du das getan? Vetter Gustav, der von dem Bette aufgestanden war, und das Mädchen, indem er sich den Schweiß von
der Stirn abwischte, betrachtete, antwortete: daß sie ihn
schändlicher Weise zur Nachtzeit gebunden, und dem Neger Hoango übergeben habe. »Ach!« rief Toni, und 30
streckte, mit einem unbeschreiblichen Blick, ihre Hand
nach ihm aus: »dich, liebsten Freund, band ich, weil – –!«
Aber sie konnte nicht reden und ihn auch mit der Hand
nicht erreichen; sie fiel, mit einer plötzlichen Erschlaffung
der Kraft, wieder auf den Schoß Herrn Strömli's zurück. 35

empfin-
dungslos

Weshalb? fragte Gustav blaß, indem er zu ihr niederkniete.
Herr Strömli, nach einer langen, nur durch das Röcheln
Toni's unterbrochenen Pause, in welcher man vergebens
auf eine Antwort von ihr gehofft hatte, nahm das Wort und
5 sprach: weil, nach der Ankunft Hoango's, dich, Unglücklichen, zu retten, kein anderes Mittel war; weil sie den
Kampf, den du unfehlbar eingegangen wärest, vermeiden,
weil sie Zeit gewinnen wollte, bis wir, die wir schon ver-
möge ihrer Veranstaltung herbeieilten, deine Befreiung mit
10 den Waffen in der Hand erzwingen konnten. Gustav legte
die Hände vor sein Gesicht. Oh! rief er, ohne aufzusehen,
und meinte, die Erde versänke unter seinen Füßen: ist das,
was ihr mir sagt, wahr? Er legte seine Arme um ihren Leib
und sah ihr mit jammervoll zerrissenem Herzen ins Ge-
15 sicht. »Ach,« rief Toni, und dies waren ihre letzten Worte:
»du hättest mir nicht mißtrauen sollen!« ⌐Und damit
hauchte sie ihre schöne Seele aus.⌐ Gustav raufte sich die
Haare. Gewiß! sagte er, da ihn die Vettern von der Leiche
wegrissen: ⌐ich hätte dir nicht mißtrauen sollen; denn du
20 warst mir durch einen Eidschwur verlobt, obschon wir
keine Worte darüber gewechselt hatten⌐! Herr Strömli
drückte jammernd den Latz, der des Mädchens Brust umschloß, nieder. Er ermunterte den Diener, der mit einigen
unvollkommenen Rettungs-Werkzeugen neben ihm stand,
25 die Kugel, die, wie er meinte, in dem Brustknochen stecken
müsse, auszuziehen; aber alle Bemühung, wie gesagt, war
vergebens, sie war von dem Blei ganz durchbohrt, und ihre
Seele schon zu besseren Sternen entflohn. – Inzwischen war
Gustav ans Fenster getreten*; und während Herr Strömli
30 und seine Söhne unter stillen Tränen beratschlagten, was
mit der Leiche anzufangen sei, und ob man nicht die Mutter herbeirufen solle: jagte Gustav sich die Kugel, womit
das andere Pistol geladen war, durchs Hirn. Diese neue
Schreckenstat raubte den Verwandten völlig alle Besin-
35 nung. Die Hülfe wandte sich jetzt auf ihn; ⌐aber des Ärm-

Vgl. Erl. zu
88.12–13

stem Schädel war ganz zerschmettert, und hing, da er sich
das Pistol in den Mund gesetzt hatte, zum Teil an den Wänden umher[7]. Herr Strömli war der Erste, der sich wieder
sammelte. Denn da der Tag schon ganz hell durch die Fenster schien, und auch Nachrichten einliefen, daß die Neger   5
sich schon wieder auf dem Hofe zeigten: so blieb nichts
übrig, als ungesäumt an den Rückzug zu denken. Man
legte die beiden Leichen, die man nicht der mutwilligen
Gewalt der Neger überlassen wollte, auf ein Brett, und
nachdem die Büchsen von neuem geladen waren, brach der   10
traurige Zug nach dem Möwenweiher auf. Herr Strömli,
den Knaben Seppy auf dem Arm, ging voran; ihm folgten
die beiden stärksten Diener, welche auf ihren Schultern die
Leichen trugen; der Verwundete schwankte an einem Stabe
hinterher; und Adelbert und Gottfried gingen mit gespann-   15
ten Büchsen dem langsam fortschreitenden Leichenzuge
zur Seite. Die Neger, da sie den Haufen so schwach erblick-
ten, traten mit Spießen und Gabeln aus ihren Wohnungen
hervor, und schienen Miene zu machen, angreifen zu wollen; aber Hoango, den man die Vorsicht beobachtet hatte,   20
loszubinden, trat auf die Treppe des Hauses hinaus, und
winkte den Negern, zu ruhen. »In Sainte Lüze!« rief er
Herrn Strömli zu, der schon mit den Leichen unter dem
Torweg war. »In Sainte Lüze!« antwortete dieser: worauf
der Zug, ohne verfolgt zu werden, auf das Feld hinauskam   25
und die Waldung erreichte. Am Möwenweiher, wo man die
Familie fand, grub man, unter vielen Tränen, den Leichen
ein Grab; und nachdem man noch die Ringe, die sie an der
Hand trugen, gewechselt hatte, senkte man sie unter stillen
Gebeten in die Wohnungen des ewigen Friedens ein. Herr   30
Strömli war glücklich genug, mit seiner Frau und seinen
Kindern, fünf Tage darauf, Sainte Lüze zu erreichen, wo er
die beiden Negerknaben, seinem Versprechen gemäß, zu-
rückließ. Er traf kurz vor Anfang der Belagerung in Port au
Prince ein, wo er noch auf den Wällen für die Sache der   35

Die Verlobung in St. Domingo

Weißen focht; und als die Stadt nach einer hartnäckigen
Gegenwehr an den General Dessalines überging*, rettete er
sich mit dem französischen Heer auf die englische Flotte,
von wo die Familie nach Europa überschiffte, und ohne
weitere Unfälle ihr Vaterland, die Schweiz, erreichte. Herr
Strömli kaufte sich daselbst mit dem Rest seines kleinen
Vermögens, in der Gegend des Rigi, an; und noch im Jahr
1807 war unter den Büschen seines Gartens das Denkmal
zu sehen, das er Gustav, seinem Vetter, und der Verlobten
desselben, der treuen Toni, hatte setzen lassen.

übergeben wurde

Kommentar

Zeittafel

1777 18.10.: Bernd Heinrich Wilhelm von Kleist wird als ältester Sohn des Kapitäns im Leopold von Braunschweigischen Regiment Joachim Friedrich von Kleist (1728–1788) und seiner zweiten Frau Juliane Ulrike, geb. von Pannwitz (1746–1793), in Frankfurt/Oder geboren.

1781 Erster Unterricht gemeinsam mit seinem Vetter Karl von Pannwitz bei dem Theologiestudenten und späteren Rektor der Frankfurter Bürgerschule Christian Ernst Martini (1762–1833).

1788 Mit seinen Vettern Ernst von Schönfeldt und Ludwig von Pannwitz bei dem Hugenotten-Prediger Samuel Heinrich Catel (1758–1838) in Berlin. Unterricht am Gymnasium der franz.-reform. Gemeinde. – 18.6.: Tod des Vaters. – 19.6.: Bitte der Mutter an den König um Gewährung einer Pension wird abgelehnt.

1789 4.7.: Erfolgloser Versuch der Mutter, ihren Sohn Heinrich in die Militärakademie aufzunehmen.

1792 1.6.: Heinrich v. Kleist tritt als 5. Gefreiterkorporal im 3. Bataillon des Regiments Garde Nr. 15b, Potsdam, in den Militärdienst ein. – 20.6.: Konfirmation in Frankfurt/Oder; danach Dienstantritt in Potsdam.

1793 3.2.: Tod der Mutter. – Anfang März: Kleist reist zu seinem Regiment nach Frankfurt/Main, das am Rheinfeldzug teilnimmt. – 4.4.–2.7.: Belagerung von Mainz.

1795 5.4.: Friedensschluss zwischen Frankreich und Preußen in Basel. – 14.5.: Kleists Ernennung zum Portepee-Fähnrich in Osnabrück.

1797 7.3.: Beförderung zum Sekondeleutnant.

1799 4.4.: Erbetener Abschied vom Militär; Aufnahme eines Studiums wird gestattet und eine spätere Verwendung im Zivildienst in Aussicht gestellt. – 10.4.: Immatrikulation an der Universität zu Frankfurt/Oder für die philosophische Fakultät.

1800 April/Mai: Öffentlich nicht angezeigte Verlobung mit Wilhelmine von Zenge (1780–1852). – Abbruch des Studiums nach drei Semestern.

1801 Juli-Mitte November: Aufenthalt Kleists und seiner Schwester Ulrike in Paris; Bekanntschaft mit Wilhelm v. Humboldt, dem preuß. Gesandten Lucchesini und dem Maler Heinrich Lohse. – Dezember: Weiterreise in die Schweiz. Freundliche Aufnahme in Bern bei Heinrich Zschokke (1771–1848), Ludwig Wieland (1777–1819) und dem Verleger Heinrich Geßner (1768–1813). Kleist will ein Landgut am Thuner See erwerben.

1802 Anfang April: Kleist bezieht ein gemietetes Haus auf der so genannten Delosea-Insel am Ausfluss der Aare in den Thuner See. – November-Dezember: Aufenthalt in Weimar. – 30.11.: Anonyme Publikation in Zürich: *Die Familie Schroffenstein*. Ein Trauerspiel in fünf Aufzügen. Bern und Zürich, bei Heinrich Gessner. 1803.

1803 Januar-Februar: Aufenthalt bei Christoph Martin Wieland (1733–1813) auf dem Gut Oßmannstedt. Arbeit am *Robert Guiskard*. – August bis Dezember: Aufenthalt in Paris und im nordfranz. St. Omer. Kleist will in den franz. Kriegsdienst treten und an der napoleon. Invasion Englands teilnehmen, wird jedoch vom preuß. Gesandten Lucchesini nach Preußen zurückbeordert. Vernichtung des *Robert-Guiskard*-Manuskripts.

1804 9.1.: Uraufführung der *Familie Schroffenstein* in Graz. – Schwere Erkrankung im Frühjahr. In Mainz übernimmt ein ehemaliger Jakobiner die Behandlung Kleists. – Mitte Juni: Ankunft in Berlin.

1805 Seit Januar: Anstellung im Verwaltungsdienst, Ausbildung im Finanzdepartement, die ab Mai in Königsberg fortgesetzt wird. – Mitte Juni: Erneut schwere Erkrankung, die Kleist ans Bett fesselt.

1806 Kleist erhält einen sechsmonatigen Genesungsurlaub. – Mitte August: Kleist schickt das Manuskript des Lustspiels *Der zerbrochne Krug* an seine Cousine Marie von Kleist, geb. v. Gualtieri (1761–1831).

1807 Mitte Januar: Kleist bricht mit dem Ziel Dresden zunächst nach Berlin auf. Mit den verabschiedeten Offizieren Gauvrain und Ehrenberg wird er unter Spionageverdacht verhaftet. – 31.1.–5.3.: Die drei Gefangenen wer-

den in die Jura-Festung Fort de Joux bei Pontarlier gebracht. – Mitte April: Verlegung der Gefangenen nach
Chalons-sur-Marne. – Anfang Mai erscheint: *Heinrich
von Kleists Amphitryon, ein Lustspiel nach Molière.*
Herausgegeben von Adam H. Müller. Dresden, in der
Arnoldschen Buchhandlung. – 13.7.: Nach dem Frieden
zu Tilsit zwischen Preußen und Frankreich wird Kleist
aus der Gefangenschaft entlassen. Er reist nach Dresden. – Mitte September: Die Erzählung *Jeronimo und Josephe* erscheint im *Morgenblatt für gebildete Stände.*

1808 Ab Januar: Gemeinsam mit Adam Müller (1779–1829)
gibt Kleist die neue Zeitschrift *Phöbus. Ein Journal für
die Kunst* monatlich heraus. – Im Februar-Heft: *Die Marquise von O....* – Ab Ende Juli: Auslieferung der *Penthesilea. Ein Trauerspiel von Heinrich von Kleist.* Tübingen, im Verlage der Cottaischen Buchhandlung und ge-
druckt in Dresden bei Gärtner. – 2.10.: Kleist übersendet
dem österr. Schriftsteller Heinrich Joseph von Collin
(1771–1811) eine Bühnenfassung seines Schauspiels *Das
Käthchen von Heilbronn* zur Prüfung seiner Bühnen-
tauglichkeit am Wiener Theater.
Mitte Oktober: Auslieferung des Juni-Heftes des *Phöbus,*
darin: *Michael Kohlhaas.* – Anfang Dezember: Die Tragödie *Die Hermannsschlacht*, von der verschiedene Ab-
schriften kursieren, wird in einer Dresdner Gesellschaft
vorgelesen.

1809 Mitte März: Das Erscheinen des *Phöbus* muss aus finan-
ziellen Gründen eingestellt werden. – Frühjahr: Kleist
verfasst patriotische Schriften, die teilweise von der Zensur verboten werden. – November-Dezember: Aufenthalt
in Berlin. Begegnungen mit Joseph (1788–1857) und
Wilhelm von Eichendorff (1786–1849), Ernst Moritz
Arndt (1769–1860) und Kontakt zu seinem späteren
Verleger Andreas Reimer (1776–1842).

1810 Januar-Februar: Bekanntschaft mit Achim von Arnim
(1781–1831), Clemens Brentano (1778–1842) und
Friedrich de la Motte Fouqué (1777–1843).
17.3.: Uraufführung des Schauspiels *Das Käthchen von*

Heilbronn im Theater an der Wien. – 19.7.: Durch den Tod Königin Luises von Preußen verliert Kleist seine Pension. – Ende September: Bei Reimer erscheinen der erste Band der Kleist'schen *Erzählungen* (*Michael Kohlhaas, Die Marquise von O. . . ., Das Erdbeben in Chili*) und das Drama *Das Käthchen von Heilbronn oder die Feuerprobe.* – 1.10.: Die erste Nummer der von Kleist herausgegebenen *Berliner Abendblätter* erscheint mit Originalbeiträgen von Arnim, Adam Müller, Brentano, Wetzel, Fouqué u. a. Im 10. Blatt: Kleists Anekdote *Das Bettelweib von Locarno.* – 15.–17.11.: Im 40.–42. Blatt der *Berliner Abendblätter* erscheint die Erzählung *Die heilige Cäcilie oder die Gewalt der Musik. Eine Legende.* – 12.–15.12.: Im 63.–66. Blatt Publikation des Aufsatzes »Über das Marionettentheater«.

1811   Anfang Februar: Bei Reimer erscheint Kleists Lustspiel *Der zerbrochne Krug.* – 25.3.–5.4.: In der vom Berliner Verleger August Kuhn herausgegebenen Zeitschrift *Der Freimüthige* erscheint Kleists Erzählung *Die Verlobung.* – 30.3.: Die *Berliner Abendblätter* stellen ihr Erscheinen ein. – Mai/Juni: Kleist erbittet in Briefen an den Prinzen Wilhelm von Preußen und den König Friedrich Wilhelm III. eine Anstellung im Zivildienst. – Ende Juni: Kleist bietet Reimer das in Reinschrift fertig gestellte Drama *Prinz von Homburg* zum Druck an. – Anfang August: Bei Reimer erscheint der zweite Band der *Erzählungen.* Darin: *Die Verlobung in St. Domingo, Das Bettelweib von Locarno, Der Findling, Die heilige Cäcilie, oder die Gewalt der Musik, Der Zweikampf.* – 9.9.: Audienz beim König. Für den Fall eines Krieges wird die Rückkehr in den Militärdienst in Aussicht gestellt. – Herbst: Enge Verbindung mit der an Krebs erkrankten Adolphine Sophie Henriette Vogel, geb. Keber (1777–1811). – 20./21.11.: Henriette Vogel und Kleist treffen im »Neuen Krug« am Kleinen Wannsee ein. Am Nachmittag des folgenden Tages erschießt Kleist zunächst Henriette Vogel und dann sich selbst durch einen Kopfschuss.

1821   Ludwig Tieck (1773–1853) gibt in Berlin *Heinrich von*

Kleists hinterlassene Schriften heraus. Hierin Erstdruck der Dramen *Prinz Friedrich von Homburg* und *Die Hermannsschlacht*. – 3.10.: *Prinz Friedrich von Homburg* wird u. d. T. *Die Schlacht bey Fehrbellin* am Wiener Burgtheater uraufgeführt.

1860   18.10.: Uraufführung der *Hermannsschlacht* in der Bearbeitung von Feodor Wehl am Stadttheater Breslau.

1876   25.4.: Im Königlichen Schauspielhaus am Gendarmenmarkt zu Berlin Uraufführung der *Penthesilea*.

1899   8.4.: Uraufführung des *Amphitryon* am Neuen Theater in Berlin.

1901   6.4.: Das Fragment *Robert Guiskard* am Berliner Theater uraufgeführt.

Entstehungs- und Wirkungsgeschichte

Wie entscheidend Publikationsart, Publikationsforum sowie Kontext und Mechanismen der literarischen Öffentlichkeit für die unmittelbare Wirkung und Rezeptionsgeschichte literarischer Werke sind, belegen nachhaltig die in diesem Band versammelten Erzählungen Heinrich von Kleists. Als 1807 im Cotta'schen *Morgenblatt für gebildete Stände* (10.–15. 9. 1807, Nr. 217–221) unter dem Titel *Jeronimo und Josephe. Eine Scene aus dem Erdbeben zu Chili, vom Jahr 1647* der Erstdruck der später umbenannten Erzählung *Das Erdbeben in Chili* erschien, blieb das Echo der Literaturkritik ebenso aus wie nach der Veröffentlichung der *Verlobung in St. Domingo* 1810 in der Zeitschrift *Der Freimüthige. Berlinisches Unterhaltungsblatt für gebildete, unbefangene Leser* (25.3.–5.4.1810, Nr. 60–68). Dokumente über eine wie auch immer geartete Wirkung der beiden Erzählungen sind genauso wenig überliefert wie Zeugnisse über ihre Entstehung oder gar Autographe, so dass auch Hinweise hinsichtlich möglicher Quellen oder Vorlagen für die beiden Erzählungen in den Bereich der Spekulation gehören.

Erstveröffentlichung der *Marquise*

Dagegen löste die Erstveröffentlichung der *Marquise von O....* lebhafte, ja heftige Reaktionen aus, und dies um so mehr, als mit der von Kleist und seinem Freund Adam Heinrich Müller im Januar 1808 herausgegebenen neuen Zeitschrift *Phöbus. Ein Journal für die Kunst* hochgesteckte Erwartungen geweckt worden waren. Das doppelte Leserinteresse bezog sich – wie Christian Ferdinand Hartmanns (1774–1842) Umschlagbild des Lichtgottes Phöbus Apoll (Schulz 2006, S. 342) und die an ihn anknüpfende, von den Herausgebern formulierte programmatische Zielsetzung (FKA 3, S. 645 ff.) indizieren – sowohl auf das Dynamik, Formwillen und Kreativität favorisierende Journal mit den thematischen Schwerpunkten Literatur, Philosophie und bildende Kunst als auch auf die publizierten Beiträge selbst. Das dezidierte Ziel der beiden Herausgeber bestand nicht in der Glorifizierung schon etablierter Künstler und ihrer Werke und somit in einer Bestätigung des ästhetischen Status quo, sondern im Willen zur Veränderung.

»Unter dem Schutze des daherfahrenden Gottes eröffnen wir einen Wettlauf; jeder treibt es so weit er kann, und bleibt unüberwunden, da niemand das Ziel vollkommen erreichen, aber dafür jeder neue Gemüter für den erhabenen Streit entzünden kann, ohne Ende fort.« (FKA 3, S. 645 f.)

Stieß schon das im Eröffnungsheft abgedruckte *Organische Fragment* aus Kleists Tragödie *Penthesilea* »fast überall auf Befremden und Widerspruch« (Doering 2004, S. 54), so erregten die Beiträge des 2. Heftes vom Februar 1808 strikte Ablehnung und sogar Widerwillen. Diese Reaktionen bezogen sich v. a. auf die ohne Verfassernamen – der erst im Inhaltsverzeichnis genannt wird – auf den Seiten 3 bis 32 abgedruckte Erzählung *Die Marquise von O....*, die den Erwartungen an ein Journal, das sich vollmundig, aber auch irreführend »der Begünstigung Göthes« (ebd., S. 648) rühmte, offensichtlich nicht entsprach. Der mit dem Namen Goethe angezeigte Erwartungshorizont führte zu einer fehlgeleiteten Rezeptionshaltung vieler Leser, die die Generalintention des Journals ausblendeten sowie das Neue und Neuartige, ja Radikale des Kleist'schen Textes nicht zu erkennen und zu würdigen imstande waren.

Insbesondere das Sujet der Erzählung erregte moralische Bedenken. Karl August Böttiger (1760–1835) empört sich in der von August von Kotzebue (1761–1819) herausgegebenen Zeitschrift *Der Freimüthige* vom 4. 3. 1808, dass allein die Skizzierung der Fabel dazu führe, »sie aus den gesitteten Zirkeln [zu] verbannen«, da der Verfasser offenkundig »für das Schamerröthen der weiblichen Unschuld die hohe Ehrfurcht nicht zu haben scheint« (zit. n. Doering 2004, S. 56). Der Rezensent vermisst Unterhaltungswert und stilistische Qualitäten gleichermaßen.

Reaktionen auf die *Marquise*

»Schon nach den ersten Seiten erräth man den Schluß des Ganzen, und die Menschen darin benehmen sich alle so inkonsequent, albern, selbst moralisch unmoralisch, daß für keinen Charakter irgend ein Interesse gewonnen werden kann. [...] Was jedoch den Styl betrifft, so ist dieser zu undeutsch, steif, verschroben, und wieder zu gemein, um nicht unwillig darüber einige Proben zu geben.« (Ebd., S. 56)

Seinen besonderen Unwillen erregt die an Rousseaus (1712–1778) Roman *Nouvelle Héloïse* (1761) angelehnte Versöhnungsszene zwischen Vater und Tochter (68.7–69.2), die er als Verhöhnung des Lesers vor dem Hintergrund der hehren *Phöbus*-Ankündigung empfindet: »Darf so etwas in einer Zeitschrift vorkommen, die sich *Göthes* besondern Schutzes, ankündigungsgemäß, zu erfreuen hat, so muß entweder der Herausgeber mit uns scherzen wollen, oder dieser – oder Göthe – Brechen wir ab.« (Ebd., S. 57)

A. Müllers Verteidigung

Sachlicher und detaillierter setzt sich Adam Müller mit kritischen Stimmen über Kleists Erzählung auseinander. Auf abfällige Äußerungen in einem verloren gegangenen Brief seines Förderers Friedrich Gentz (1764–1832) antwortet er am 14.3.1808, in dem er die Verantwortung für die Publikation übernimmt, die er gegen »Kleist's Absicht und auf [s]einen dringenden Wunsch« (ebd., S. 60) durchgesetzt habe, und begründet seine Entscheidung mit der Intention der Erzählung, ihrer besonderen Art der Darstellung sowie ihres großformalen Aufbaus:

> Nicht wegen »Herzensergreifung und königlicher (im Gegensatz der gemeinen natürlichen und pöbelhaften) Wahrheit – sondern wegen der unvergleichlichen Kunst in der Darstellung habe ich darauf gedrungen, daß schon das zweite Heft damit geschmückt, und meine *kleinen* Arbeiten durch seine Gesellschaft erhoben werden sollten. [...] Überrascht werden Sie nicht in dieser Novelle: auf der zweiten und dritten Seite wissen Sie dar *irdische* Geheimnis, damit im Verfolg die klare Betrachtung der Entschleierung des *göttlichen* Geheimnisses nirgends gestört werde.« (Ebd., S. 60 f.)

Dies führe beim Leser dazu, dass sein Herz während des »Wechsel[s] von Verwicklung und Entwicklung« in einer harmonischen und »freundschaftliche[n] Schwingung« während der gesamten Dauer der Handlung gehalten werde. Und nahezu hellsichtig erklärt Müller am Ende seines Briefes generalisierend das Unzeitgemäße der im *Phöbus* erscheinenden Werke: »Vielleicht sind sie etwas zu *frühzeitig*, und das wäre ihr einziger, schöner Vorwurf« (ebd., S. 62) – ein »Vorwurf«, auf den noch zu rekurrieren sein wird (vgl. Kap. Deutungsaspekte, S. 136).

Veränderter Rezeptionskontext durch Buchausgabe

Mit der Herausgabe der Kleist'schen Erzählungen in zwei Bänden in Georg Andreas Reimers (1776–1842) Berliner »Realschulbuchhandlung« (der erste Band im September 1810, der zweite im August 1811) hatten sich Publikationsart, Publikationsforum und damit auch der Rezeptionskontext wesentlich verändert. Nicht mehr der prätentiöse, Subskribenten anlockende und falsche ästhetische Vorstellungen weckende Anspruch des *Phöbus*, dessen Erscheinen bereits Anfang 1809 aufgrund finanzieller Probleme wieder eingestellt werden musste, sondern die erzählerischen Werke selbst bildeten nunmehr die Folie, den Referenzpunkt für literarische Kritik und Wertung. Bereits der erste Erzählband, der *Michael Kohlhaas, Die Marquise von O....* und *Das Erdbeben in Chili* enthielt, verfehlte seine Wirkung nicht und führte in der institutionalisierten Literaturkritik zu einem freundlicheren, wenn auch insgesamt geteilten Echo auf die quer zur Erzähltradition des 18. Jahrhunderts stehenden Prosawerke.

Kein Geringerer als Wilhelm Grimm (1786–1859), der Jüngere der Brüder Grimm, setzte sich in zwei groß angelegten Rezensionen, die zeitweise Friedrich de la Motte-Fouqué (1777–1843) zugeschrieben worden sind (vgl. Appelt/Grathoff 2004, S. 97 f.; Sembdner 1984, S. 303–311), in der *Zeitung für die elegante Welt* vom 24.11.1810 und am 10.10.1811 (hinsichtlich des nunmehr erschienenen zweiten Bandes, aber mit ausdrücklichem Rekurs auf den ersten) mit Kleists Prosa unter literaturwissenschaftlich zu nennenden Gesichtspunkten auseinander. Dieser Doppel-Besprechung ließ er nach Kleists Tod im Jahre 1811 in der *Leipziger Literaturzeitung* vom 28.9.1812 eine weitere Rezension folgen und krönte seine Serie mit einer differenzierten Würdigung der Kleist'schen Erzählungen am 14.10. 1812 in der Halle'schen *Allgemeinen Literatur-Zeitung*. W. Grimms Rezensionen

Die allen Rezensionen zugrunde liegende Intention besteht in dem Versuch Grimms, die Neuartigkeit, ja Modernität der Kleist'schen Prosa deskriptiv zu erfassen, sie literarhistorisch in den Kontext zeitgenössischer Erzählungen einzuordnen, sie – weit ausholend – genretypologisch zu bestimmen sowie eine poetologische Kennzeichnung vorzunehmen, um die für die Erzählungen strukturbildenden Prinzipien benennen zu können. Aus diesem Grund sollen diese Dokumente der Wirkungsgeschichte hier auch nicht chronologisch, sondern systematisch-kategorial in den Argumentationszusammenhang eingebracht werden. Intention W. Grimms

Bevor Grimm in die Würdigung einzelner Erzählungen eintritt, steckt er zunächst den literarischen Rahmen, den Erwartungs- oder Rezeptionshorizont ab, vor dem er – gleichsam als Folie – seine literarische Wertung vornimmt. Besonders hebt er die Eigenständigkeit, die unverwechselbare Identität der Kleist'schen Prosa hervor, die sich – ähnlich wie die Tragödien Lessings (1729–1781) zur Etablierung eines deutschen Nationaltheaters von den französischen Trauerspielen Corneilles (1606–1684) oder Racines (1639–1699) sich abheben – von italienischen (Boccaccio, 1313–1375) und spanischen (Cervantes, 1547–1616) Vorbildern befreien konnte. Seine Erzählungen seien »keineswegs französischer, sondern durchaus deutscher Art, und nur um so vortrefflicher. Sie verdienen unstreitig den besten beigezählt zu werden, welche unsere Literatur aufzuweisen hat, und sind besonders in Rücksicht der Gründlichkeit, der Tiefe und des reinen Lebenssinnes, sowie der kraftvollen, anschaulichen und tiefwirkenden Darstellung nicht genug zu rühmen.« (Zit. n. Appelt/Grathoff 2004, S. 99)

Abgrenzung von zeitgenössischer Trivialliteratur

Zugleich grenzt er sie von zeitgenössischer Trivialliteratur deutscher und französischer Provenienz sowie von Beiträgen ab, die sich etwa seit 1740 in den so genannten ›Moralischen Wochenschriften‹ (vgl. Martens 1974) ausgebildet haben. Der Leser solch moralisierender, auf Lebenshilfe ausgerichteter Werke, so meint Grimm, wünsche sich nämlich nichts lieber als »empfindungsselige Liebesgeschichten oder triviale Szenen aus dem häuslichen Leben, mit breiten Reflexionen und moralischen Nutzanwendungen ausstaffiert, oder tolle Abenteuerlichkeiten, von einer fieberhaften Phantasie ausgeboren« (ebd.). Kleist stelle dem gegenüber das Menschliche in den Mittelpunkt seiner Prosa, das er »von allen Seiten zu erfassen und mit Bestimmtheit vollständig darzulegen« (ebd., S. 100) gewillt sei.

Bewertung von Kleists Stil

Bewertungsschwierigkeiten räumt der Rezensent – ähnlich wie Böttinger (vgl. S. 127) – jedoch hinsichtlich der darstellerischen Mittel, der künstlerischen Verfahren, d. h. des Stils als Summe der angewendeten Erzählverfahren in den besprochenen Werken ein.

»Es scheint seiner Schreibart noch etwas Hartes, Strenges, ja Nachdrückliches eigen zu sein, und ihr zum Teil jene Anmut

abzugehen, die alle Kunst vergessen und einen ganz unge-
störten, reinen Genuß erst möglich macht. Diese Strenge und
etwas harte Nachdrücklichkeit des Stils ist jedoch nichts weniger als erkünstelt, [...] sie macht sich nur insofern auf eine
nicht angenehme Weise bemerkbar, als sie, die doch immer
etwas Einseitiges, Beschränktes mit sich führt, dieses Einsei-
tige nicht genug zu mildern und völlig zu dem Grad von An-
mutigkeit zu bilden weiß, dessen sie, um ganz zu gefallen,
fähig scheint.« (Ebd., S. 100 f.)

Was Wilhelm Grimm mit diesen Ausführungen unter wirkungs-
und rezeptionsästhetischem Blickwinkel darzulegen versucht,
kann als typischer Reflex auf eine nicht völlig erfasste literarische Umbruchphase, auf einen Wechsel von einer bisher kano-
nisierten Form im Genre der Erzählung des ausgehenden 18. zur
neuen des beginnenden 19. Jahrhunderts verstanden werden,
wobei erschwerend hinzutritt, dass der neue Kanonisierungs-
prozess noch auf sich warten ließ. Zwar hat sich eine grundlegende Änderung in der Wahl der Erzählsujets und mit ihnen der
Werkintentionen vollzogen, aber die damit einhergehende »ästhetische Differenz« in den eingesetzten erzähltechnischen Verfahren stößt beim Leser »von nicht beschränkter Bildung« (ebd.,
S. 104) – und nur um diesen geht es – wirkungsästhetisch immer
noch auf Befremden, weil sie bislang ohne Beispiel sind und der
›alte‹ ästhetische Kanon immer noch durchscheint. Damit ist –
unter dem Aspekt des Umbruchs vor dem Hintergrund einer
Theorie der literarischen Evolution (vgl. Tynjanov 1967) – ein
Dominanten*wechsel*, ja ein Dominanten*bruch* vollzogen worden, der von den Lesern jedoch lediglich als Dominanten*rü-
ckung* rezipiert wurde, weil sie die Radikalität, die Modernität
des Kleist'schen Erzählens kategorial nicht einordnen konnten.
Besonders der immer wieder befremdlich wirkende, »künstlich
verschlungene, und doch nachlässig sich gebende Periodenbau«
(zit. n. Appelt/Grathoff 2004, S. 106) evoziert Orientierungslosigkeit, da es für ihn kein gleichartiges erzählerisches Vorbild
gibt.

Dominanten-
bruch

Als Indiz für die erhebliche Unsicherheit in der Einschätzung des
neuartigen Erzählstils ist Grimms fast schon hilflos zu nennende
Forderung zu sehen, dass man Kleists »Erzeugnisse zwar über-

haupt nicht streng nach den Regeln der Kunst beurtheilen, am allerwenigsten aber sie an das Muster des nach der feinen Umgangssprache geglätteten Erzählungstones halten« (ebd., S. 104) dürfe. Im weiteren Verlauf seiner Rezension räumt er aber beschwichtigend ein, dass »diese Manier so durchaus gleichartig und mit sich selbst übereinstimmend ist, daß man fühlt, sie gehöre der Individualität des Dichters an« (ebd., S. 106).

Was Kleist also auf der Ebene der gewählten Stoffe Grimm zufolge offensichtlich geglückt zu sein scheint, bleibt hinsichtlich erzähltechnischer Verfahren zwar deskriptiv angemessen erfasst (»So wie der Vf. nirgends moralisirt, so ist er auch von der zurechtweisenden, die Person oder gar die Subjectivität des Dichters einmischenden Manier durchaus frey; er tritt nirgends vor, [...] überall läßt er seine gediegene ansprechende Darstellung selbst reden.« Ebd., S. 106), poetologisch aber unbestimmt. Kleists Bruch mit der Tradition hinsichtlich der von ihm eingesetzten Verfahren, von denen noch differenzierter zu handeln sein wird (vgl. Kap. Deutungsaspekte, S. 138 ff.), bewirkt Irritation und tastende Suche nach Vergleichen oder poetischen Vorbildern, die aber nicht – wie Christa Bürger (1985) historisch verfälschend argumentiert – in Kleists behaupteter Nähe zur romantischen Autonomieästhetik, die »den Zusammenhang von Erzählen und Räsonnieren« (ebd., S. 103) zerreiße und damit den Rezipienten aus dem Erzählprozess ausschließe, zu finden sind. Darum verweisen auch Grimms Rezensionen nicht »auf den zentralen Widerspruch [...], Kunst und Moral als voneinander getrennte Bereiche zu denken« (ebd., S. 90), sondern auf Schwierigkeiten, mit denen die zeitgenössische Literaturkritik hinsichtlich der kategorialen Erfassung der andersartigen Erzählkunst Kleists und ihrer neuartigen Funktionen zu kämpfen hatte, standen doch eine adäquate, seine ›modernen‹ Erzählformen erfassende Poetik und umfassendere Ästhetik überhaupt noch nicht zur Verfügung.

W. Grimm über die Marquise Von diesem Befund legen auch die Einzelwürdigungen der Erzählungen beredtes Zeugnis ab. Die Grimm nicht verborgen gebliebene moralische Empörung seiner Kollegen über das Sujet der *Marquise von O.…* schwächt er ab, indem er das vermeintlich ›Anstößige‹ der Fabel in den funktionalen Zusammenhang der Erzählkomposition rückt:

»Ist nun gleich der Gegenstand dieser Geschichte indecent zu nennen, so ist doch die Behandlung desselben nichts weniger als die guten Sitten beleidigend. Der Abscheu vor der schändlichen Tat ist laut ausgesprochen, und die bösen Folgen derselben sind in ihrer ganzen Stärke geschildert – ja die Schandtat dient nur dazu, die hohe Charakterwürde der unglücklichen Marquise in ihrer ganzen Herrlichkeit zu entwickeln.« (Zit. n. Doering 2004, S. 63)

Und wiederum ist es die Brillanz der Darstellung, die der Rezensent gegen das gewählte Sujet der Erzählung ausspielt, »möchte man [doch] wünschen, daß er sie auf einen anderen Stoff verwendet« (ebd., S. 64). Und auch die Nähe zur erotischen Literatur hält er für irreführend, denn »[a]m wenigsten darf man bey jener Vergleichung an die üppige Sinnlichkeit des Boccaccio [vgl. S. 130) denken, wovon hier durchaus das Gegentheil, deutscher Ernst und Züchtigkeit sichtbar ist« (zit. n. Appelt/Grathoff 2004, S. 104).

Die stofflichen Vorwürfe der beiden anderen in diesem Band aufgenommenen Erzählungen sind für Grimm weniger problematisch, vermag er doch gerade in ihnen den Grund für das Neuartige der Kleist'schen Erzählungen zu sehen, die er genretypologisch als *Novellen* bezeichnet sehen will. Denn »das wahrhaft *Neue*, das Seltne und Ausserordentliche in Charakteren, Begebenheiten, Lagen und Verhältnissen wird in ihnen dargestellt«, das selbst vor der Schilderung des »furchtbare[n] Geheimnisvolle[n]« nicht zurückschreckt. »Doch ist nicht zu leugnen, daß dieser Hang zum Furchtbaren unsern Dichter zuweilen beherrscht, und ihn verleitet, ins Grässliche und Empörende auszuschweifen.« (Ebd., S. 103)

Als Nachweis für diese Typisierung führt er – wenig überraschend – v. a. *Das Erdbeben in Chili* an, ist doch diese ›Novelle‹ »ein schaudervolles Gemälde von dem Wechsel des menschlichen Schicksals – die Contraste des Glücks und Unglücks in den höchsten Graden sind so ungeheuer, wie ihre Veranlassung, die entsetzlichste aller Naturbegebenheiten« (ebd., S. 103 f.). Und auch den andersartigen Darstellungsmodus und Erzählduktus im Verhältnis zur *Marquise* und zum *Kohlhaas* erkennt Grimm, wenn er konstatiert, dass das *Erdbeben* »von den vorigen wie-

W. Grimm über *Das Erdbeben*

derum merklich verschieden, rascher fortschreitend, abwech-
selnder und mehr auf glänzenden Effect berechnet« sei, damit es
eine »erschütternde Wirkung« (ebd., S. 107) hervorrufe.

W. Grimm
über
Die Verlobung
Mit höchstem Lob bedenkt Grimm die erste Erzählung des zweiten Bandes, *Die Verlobung in St. Domingo*,

>»worin der Verfasser in der Kunst, die innersten Gefühle der
Menschenbrust in ihrem Entstehen und Stufengange zu ent-
hüllen, die wechselnden Gemütslagen anschaulich vor den
inneren Sinn zu bringen, das Interesse zu spannen, zu rühren
und zu erschüttern, das Höchste errungen hat. War es Vorgefühl des eignen ähnlichen Schicksals, was ihn bei der Schilderung dieser Szenen leitete? [...] Wahr und ergreifend ist vor
allem jener Moment gezeichnet, wo die Liebe den Sieg in dem
Herzen eines Mädchens erringt, das vorher mit Trug und Arglist erfüllt war.« (Zit. n. Sembdner 1967, S. 625)

Wenn Grimm in der Würdigung einzelner Erzählungen fast
durchgängig auf die mit und durch spezifische Erzähltechniken
hervorgerufene Wirkung beim Rezipienten abhebt, so steht dieser für ihn zentrale Aspekt in engem Zusammenhang mit seiner
vorsichtigen Suche nach einer Bestimmung fundamentaler poetischer Verfahren der Kleist'schen Prosa. In seinem Bemühen,
diese auch genretypologisch im Vergleich zu den Novellen des
Decamerone des Boccaccio oder der *Novelas ejemplares* des
Cervantes (vgl. S. 130) und in Differenz zu den stofflichen Vor-
würfen zu benennen, greift er darüber hinaus sowohl den zeitgenössischen, ›gemeinen‹ Geschmack des breiten Lesepubli-
kums als auch die zum Kitsch herabgesunkenen ›Machwerke‹ in
den ›Moralischen Wochenschriften‹ seiner Zeit an. So nämlich,
wie es Kleist

>»gefallen hat, diese Erzählungen zu geben, den Kern durchaus
gut und gediegen, die Schale ziemlich rauh und unscheinbar,
können sie als treffliches Gegenmittel wider Verzärtelung des
Geschmacks dienen: denn von all den verschiedenen Behand-
lungsarten, womit sich der neuere Erzählungsgeschmack dem
Gaumen der Leser wohlgefällig zu machen gesucht hat (man
hat sie wohl ästhetischen [!] Brühen genannt), als da sind: die
empfindelnde Schwärmerey, die triviale Häuslichkeit, der
moralisierende oder philosophierende Ton u.s.f., ist hier

auch nicht die entfernteste Spur zu erkennen« (zit. n. Appelt/
Grathoff 2004, S. 105 f.).

Vielleicht ist in diesen, ex negativo formulierten stilistischen Besonderheiten der Erzählungen auch der Grund zu finden, warum
Kleist bei den Vorbereitungen zur Publikation seiner beiden Pro-
sabände letztlich darauf verzichtet hat, sie unter dem Titel *Moralische Erzählungen* erscheinen zu lassen (vgl. hierzu: ebd.,
S. 81–84, u. Conrady 1963, der das Moralische kurzerhand zur
»Wahrheitssuche« umdeutet). Nicht nur wollte er sich von den
v. a. in Frankreich populären »contes moraux« und »contes phi-
losophiques« eines Voltaire (1694–1778) und Diderot (1713–
1784) abgrenzen, nicht nur »in lauter Personen verwandelte *Tugenden* und *Laster*, lauter Menschen aus der Unschuldswelt,
lauter *Ideale* von Güte« – wie es Kleists Zeitgenosse Christoph
Martin Wieland (1733–1813) in seinem »Vorbericht« zum No-
vellenkranz *Das Hexameron von Rosenhain* (1805) erklären
lässt – dem Publikum zumuten, sondern gänzlich moralische Intentionen aus seinem Werk verbannen (vgl. S. 132). Wie umsich-
tig ein solcher Verzicht war, erhellt allein schon die Tatsache,
dass unmittelbar nach Erscheinen der beiden Erzählbände die
Wiener Zensur v. a. im Hinblick auf das *Erdbeben* und die *Marquise* sich zu einem Verbot wegen »unmoralische[r] Stellen« und
»wegen der wiederholt vorkommenden Stellen, die auffallend
seien und alles Zartgefühl beleidigten« (Appelt/Grathoff 2004,
S. 108), genötigt sah. Der Verdacht des Tabubruchs und des Ver-
stoßes gegen zeitgenössische moralische Normen reichten für
eine Indizierung.

Deutungsaspekte

Kleists Bruch mit der Erzähltradition des 18. Jahrhunderts

Die von Wilhelm Grimm und anderen zeitgenössischen Kritikern diagnostizierte Widerständigkeit der Kleist'schen Erzählungen gegenüber der Tradition des 18. Jahrhunderts währte länger als sie vermuten konnten. Weil nämlich der in diesen Werken vollzogene Bruch mit beispielloser Vehemenz und Radikalität waltete, blieb die eigentlich fällige *neue* Kanonisierung aus, so dass Kleists unzeitgemäße Prosa wie ein erratischer Block das beginnende 19. Jahrhundert überragt. Somit kann von einer kontinuierlichen Entwicklung im Sinne einer Theorie literarischer Evolution (vgl. S. 131) nur sehr bedingt gesprochen werden.

Diese singuläre Stellung der Kleist'schen Werke, deren »schroffe Originalität« (Schmidt) führte auf verschiedenen Ebenen und Gebieten zu Konsequenzen, die in einem engen, ja kausalen Zusammenhang gesehen werden müssen. Zum einen werden sie in den Schwierigkeiten einer präzisen oder zumindest plausiblen literaturgeschichtlichen Verortung sichtbar, wie die beinahe willkürlich zu nennende Zuordnung zur Klassik oder Romantik dokumentiert, die Hans Zeller (1994) in einem kursorischen Überblick literarhistorischer Urteile festhält. Kleists »Dramen oder Erzählungen stehen thematisch wie formal nur in lockerer Beziehung zu den dominierenden Gattungsentwicklungen seiner Zeit«, urteilt etwa Ernst Ribbat. Einige sehen seine Werke »in der Nähe der Romantik« (Hans Joachim Kreutzer). Andere »wiederum sprechen von der geschichtlichen ›Ortlosigkeit‹ oder der Unzeitgemäßheit des Kleist'schen Œuvres und leiten daraus oft dessen ›Modernität‹ ab« (Zeller 1994, S. 83). Und es sollte nahezu ein Jahrhundert dauern, bis man in einem ähnlich konstituierten Erzählkorpus – dem Franz Kafkas (1883–1924) – Parallelen zur vielfach berufenen Modernität Kleists meinte wieder entdecken zu können (vgl. hierzu: Allemann 1980).

Gründe für die bis dahin beispiellose Prosa Kleists wurden – zum anderen – in der Forschung von Anfang an primär in der völlig

Schwierigkeit literar- historischer Verortung

Epische Leistung Kleists

neuartigen Weise seines Erzählens gesehen. Es verwundert darum nicht, dass – in der weitesten Bedeutung des Begriffs – am Formalen die eigentliche epische Leistung seiner Werke festgemacht wurde. Wenn etwa Wolfgang Kayser (1958) in einem frühen Stadium der Erzählforschung das Verhältnis zwischen Erzähler, Erzählperspektive und dargestellter Wirklichkeit in Kleist Erzählungen zu bestimmen sucht

> (»Der Erzähler steht ganz im Banne des Geschehens, das er erzählt und das die Wirklichkeit ist. Er steht im Banne: er besitzt keine Überlegenheit über die Figuren, [...] überschaut nicht einmal das Ganze des Geschehens; seine Voraussetzungen sind nur partiell, und seine Wertungen [...] gelten fast immer der jeweiligen Situation. Von ihm dürfen wir keine Sinngebungen des Ganzen erwarten – und sind doch zunächst ganz auf ihn als Vermittler dieser Wirklichkeit angewiesen«, ebd., S. 236 f.);

wenn Walter Müller-Seidel (1954) nach »einer die Dichtung Kleists bestimmenden Struktur« fragt und sie im Prinzip des Widerspruchs, des Paradoxen auf der Ebene der Handlungsführung, des Erzählmodus und der verwendeten Syntax meint gefunden zu haben, das »einen Zusammenhang von Sehen und Versehen, von Schein und Sein« (ebd., S. 507) stiftet; und wenn schließlich Hans Peter Herrmann (1961) mit seiner Studie einen wichtigen Beitrag zu einer Poetologie der Kleist'schen Novellistik anhand der Konstituierungsproblematik von Welt und Ich durch den »Zufall« leisten will, in der die sinnstiftende Einheit der Werke nur durch und mit Sprache, d. h. im Vorgang des Erzählens selbst geschaffen werde; wenn er Kleists Dichtungen »gerade als poetische Gebilde in der ›allmählichen Verfertigung‹ ihrer syntaktischen und kompositorischen Einheit« (ebd., S. 97) auffasst und behauptet, dass der »Gegenstand seiner Poesie nicht nur mit Hilfe der Sprache, sondern in der Sprache selbst« (ebd., S. 94) sich darstelle, gleichsam die Erzählung als Erzählen *in progress* sich darbiete – dann wird die immer wieder erhobene, nahezu unabweisbare Forderung verständlich, die hochkomplexen Prosawerke Kleists analytisch differenzierter in den Blick zu nehmen. Darum soll auch im Folgenden in gebotener Kürze der Versuch unternommen werden, über approximativ, keineswegs normativ zu verstehende Grundeinsichten in die poetische Verfasstheit der Erzählungen Kleists, die ihren Aus-

Bruch mit der Erzähltradition des 18. Jh.s

gangspunkt vom schon mehrfach erwähnten Bruch mit der Erzähltradition des 18. Jahrhunderts nehmen, zu einer kritischen Würdigung der Forschungsliteratur – wie sie etwa Horn (1975, 1978), Ledanff (1986), Fischer (1988) oder Hermann (1998) vornehmen – über die drei hier ausgewählten Werke zu gelangen.

Schwerpunkte solcher Untersuchungen lagen dabei nicht nur auf der Ebene des Erzählens selbst, d. h. der Erzählperspektivik oder der Erzählmodi, sondern auch auf der der Handlungsführung, der Handlungskausalität, der Kohärenz zwischen einzelnen Handlungssegmenten und der Konstituierung von Sinn, die den Leser immer wieder vor schwer lösbare Probleme stellt. Gerade die durch den Erzähler hervorgerufene bewusste Verweigerung einer unmittelbar zu rezipierenden Kohärenz in der Darstellung erzählter Wirklichkeit, die Unentscheidbarkeit, ob implizite oder explizite Wertungen vom Erzähler oder handelnden Personen vorgenommen werden und das daraus resultierende

Problem der »Vielstimmigkeit« von Kleists Erzählens

Problem der »Vielstimmigkeit« seines Erzählens (Mecklenburg 1998), die teilweise eklatante Missachtung sprachlogischer Prinzipien, metaphorische, anspielungsreiche Darbietung von Sachverhalten bis hin zum Topos und zum literarischen Zitat u. a. m. machen überdeutlich, dass Kleist in seinen Erzählungen den tradierten und zeitgenössischen Erzählnormen trotzt und die Interpreten mit ungeklärten Voraussetzungen konfrontiert.

»Das hat in der Kleist-Forschung zu einem selbst für die deutsche Literaturwissenschaft ungewöhnlichen Nebeneinander von anregenden und nicht mehr nachvollziehbaren Deutungen geführt. Inzwischen ist die Kritik an überzogenen Interpretationsversuchen (anderer) ebenso zum Topos geworden wie der Vorschlag, die ›Unverläßlichkeit‹ von Kleists Erzählen hinzunehmen, da sie die Modernität seiner Texte ausmache.« (Herrmann 1998, S. 113)

Diesem wenig beruhigenden Befund über den möglicherweise ruinösen Zustand der Kleist-Forschung ist zuzustimmen, mehr noch: Es bedarf – zum dritten – der Untersuchung nach seinen institutionellen wie historischen Bedingungen und Vorausset-

zungen. Hierzu leistet v. a. Hans Zeller (1994) einen herausra- H. Zeller über die »Instanz des Erzählers«
genden Beitrag, nimmt er doch nicht nur den zeitgenössischen
Rezipienten, sondern auch den professionell arbeitenden Interpreten in den Blick. Mit Rekurs auf Grimms Rezensionen (vgl.
Kap. Entstehungs- und Wirkungsgeschichte, S. 129 ff.) versucht
er, Kleists Bruch mit der Tradition nicht metaphorisch, sondern
wissenschaftlich exakt zu bestimmen. Dazu bedient er sich des
hochdifferenzierten Begriffssystems und Kategorieninstrumen-
tariums, das die internationale Narrativik, insbesondere die Arbeiten Tzvetan Todorovs (1971) und Gérard Genettes (1972,
1998), bereitgestellt hat.

Entscheidend ist dabei für ihn die »*Instanz des Erzählers*« (Zeller 1994, S. 85) und mit ihr die der Perspektivik und des Standpunktes. Da der Erzähler in den Kleist'schen Prosatexten keine
Figur der erzählten Welt sei, dominiere aperspektivisches Erzählen, das eine sichere Bestimmung seines Standpunktes zum dargestellten Geschehen erschwere (vgl. S. 150). Damit stünden –
entgegen der bisherigen Tradition – dessen Verlässlichkeit und
Glaubwürdigkeit auf dem Spiel, die bisher nicht in Zweifel gezogen worden sind.

> »Die Verletzungen der geltenden Erzählnormen beschränken
> sich [nun] nicht darauf, daß im Kontext von Kleists scheinbar
> traditionell erzählten Novellen nicht erkennbar ist, ob er-
> zählt, ob gewertet wird vom Standpunkt einer Figur oder des
> Erzählers, sondern daß dem Leser auch die mangelnde Ver-
> läßlichkeit des Erzählers nicht angezeigt wird, z. B. durch
> [...] besondere Textsignale« (ebd., S. 93), wie sie etwa die
> Ironie darstellen.

Darüber hinaus verstoße Kleist gegen Maximen der Verständi-
gung, wie sie in den so genannten »*Konversationsregeln von
Grice*« (ebd., S. 95) festgelegt worden seien. Er verweigere dem
Leser alle für das Verständnis *notwendigen* Informationen über
das dargestellte Geschehen und liefere zudem einen *Überschuss*
an Details, so dass die immer wieder von der Forschung be-
schworene »strenge Kausalität von Kleists Erzählen« genauso
extrapoliert erscheine wie »die Motivierungen für das Verhalten
der Figuren«, die in zahlreichen Interpretationen erörtert werden, »als ob sie im Text stünden, mit großen Divergenzen in den

Ergebnissen. Man behandelt Kleists Novellen, als ob sie in traditioneller Weise erzählt wären« (ebd., S. 97), oder zumindest so, ließe sich ergänzen, wie sie im Horizont nicht hinterfragter Rezeptionsvoraussetzungen wahrgenommen wurden.

Ablesbar sei dieses Phänomen allein schon an der Tatsache, dass der Leser oder Interpret oft nicht wisse, was das Thema der Kleist'schen Erzählungen sei, d. h. »wovon eigentlich die Rede ist, sei es an einer bestimmten Stelle, sei es im Ganzen, worauf es folglich ankommt; er weiß nicht, was für das Verständnis einer Welt, wie sie hier dargestellt wird, wichtig und was unwichtig ist: jedes Detail kann das Entscheidende enthalten« (ebd., S. 98).

Damit würden Voraussetzungen für konsistente Deutungen der Kleist'schen Texte unterhöhlt, die auch deshalb fundamental in Zweifel zu ziehen seien, weil Kleist »die Verwendung des Unwahrscheinlichen zur Konstruktion der Fabel« wähle, die seine »Novellen in die Nähe der romantischen Novellen rücken« (ebd., S. 99). Zufall, ›unwahrscheinliche Wahrhaftigkeiten‹ – so der Titel einer Kleist-Anekdote (FKA 3, S. 376–379) – und entsprechende markante Formulierungen in den Erzähltexten verwiesen zwar auf kompositorische Gesetzmäßigkeiten der zeitgenössischen Trivialliteratur und Erzählungen der Romantiker, seien diesen aber nur entlehnt und mit völlig anderen Funktionen in Kleists Werke integriert.

Mit diesen Erläuterungen lassen sich die bereits erwähnten Irritationen zeitgenössischer Kritiker und heutiger Interpreten präziser bestimmen. Wenn nämlich

»Kleist in seinen erzählenden […] Gedichten gleichsam zum Prinzip der Fabelkonstruktion erhebt, was nur der Trivialgeschichte, der Abenteuerliteratur [und – so ließe sich ergänzen – den ›Moralischen Wochenschriften‹ und ›philosophischen Erzählungen‹] gut genug war: das Unwahrscheinliche, so bricht er mit einem ehrwürdigen Kanon. Der Bruch kann verschieden interpretiert werden. Er beruht offenbar auf dem Gegensatz von Kanon, ›Kunst‹ versus Wirklichkeit, ›Nichtkunst‹. Er kann bedeuten, daß der Kanon des Wahrscheinlichen, die klassische Tradition, verbraucht, unkünstlerisch geworden sei und die neue Kunst einem anderen Prinzip folge. Er kann zudem (oder stattdessen) bedeuten, daß diese neue

Kunst den Anspruch erhebe, die Wirklichkeit zu erzählen, also die nicht von der papieren gewordenen Literatur verfälschte Wahrheit.« (Zeller 1994, S. 101)

Zwei verschiedene Systeme träfen also aufeinander, die Zeller mit Rekurs auf die Begrifflichkeit des russischen Strukturalisten Jurij Lotman (1972) als »Ästhetik der Identität« und »Ästhetik der Opposition« (ebd., S. 102) bezeichnet, wobei ein Werk des zweiten Typs nur auf der Folie des ersten wahrgenommen werde, da es teilweise immer noch nach dessen Regeln funktioniere. Das Neuartige der Kleist'schen Erzählungen, ihr Bruch mit der Tradition im Sinne eines Modells literarischer Evolution, wie es Tynjanov (vgl. Kap. Entstehungs- und Wirkungsgeschichte, S. 131) entwickelt hat, kann nunmehr konkret erfasst und bestimmt werden, so dass Klassifizierungen wie ›Modernität‹ oder ›Originalität‹ für Kleists Werke ihren unscharf-metaphorischen Status verlieren.

Aus dem dargelegten Sachverhalt nämlich zieht Roland Reuß, R. Reuß einer der Herausgeber und Kommentatoren der *Berliner*, seit 1991 in *Brandenburger Ausgabe* umbenannten Edition der Werke Kleists, radikale Konsequenzen. Textliche Inkonsistenzen sowie Kleists Interpunktion übernimmt er aus den Erstausgaben, und die in vielen Ausgaben geglätteten Passagen und vorgenommenen Konjekturen eliminiert er wieder, da er gerade solche Konventionsverstöße für interpretationsrelevant hält. Was Reuß über *Das Erdbeben in Chili* in poetologischer Hinsicht resümiert, gilt für die Erzählungen generell, entfaltet Kleist doch

> »seine Poetik nicht allein, ja nicht einmal vorwiegend, anhand expliziter Referenzen auf die Kunst [...]. Mindestens ebensogroße Aufmerksamkeit verdienen die, teilweise weit ins 20. Jahrhundert vorausgreifenden, technischen Verfahren, mit denen dieser Text auf je verschiedene Weise und auf unterschiedlichsten Ebenen das Problematische seines eigenen Status, Gemachtes zu sein und doch den Anschein eines Lebendigen zu haben, hervorkehrt.« (Reuß 1993, S. 19)

Der Herausgeber zielt offensichtlich auf den mit Saussure'schen Begriffen zu bezeichnenden Sachverhalt, dass Kleists epischen Texten eine doppelte Signifikat-Struktur eingeschrieben ist, will

heißen: Im Verhältnis zwischen der erzählenden Signifikanten-
und der erzählten Signifikat-Ebene wird die Signifikanten-Ebene
selbst wieder zu einer zweiten Signifikat-Ebene, die den Prozess
der Konstituierung von Bedeutung qua poetischen Ausdruck
und bewusst eingesetzte künstlerische Verfahren thematisiert.
Die »semantische Kraft der Syntax« und der Lexik – wie es bei
Reuß an anderer Stelle heißt (Reuß 1988, S. 11) –, die sich nicht
nur im bloß Referentiellen erschöpft, sondern kraft ihrer Eigenständigkeit eine zweite Bedeutungsebene über das Gemeinte
legt, die diese verstehensrelevant verändert, führt zu einer Doppelsignatur der Kleist'schen Texte. Die Konstruiertheit der Texte
wird somit auf einer eigenen Ebene repräsentiert, die somit eine
Dimension aufweist, die der der romantischen Ironie ähnlich ist
(vgl. hierzu: Fischer 1988).

Mit der Feststellung der verweigerten Eindeutigkeit dargestellter
Wirklichkeit in Kleists Erzählungen ist der Nährboden für die
Annahme der Polyvalenz seiner Texte bereitet, die unhintergeh-
bar scheint. Hand in Hand mit der theoretischen sowie metho-
dologischen Entwicklung und Ausdifferenzierung der Literaturwissenschaft ab den 1960er Jahren im Allgemeinen und den Ergebnissen der internationalen Narrativik im Besonderen geriet
Kleists Prosa nicht unbegründet immer mehr in den Fokus des
wissenschaftlichen Interesses. Als Ausfluss dieser Entwicklung
darf exemplarisch David Wellberys viel beachteter Sammelband
zum *Erdbeben in Chili* (1985) gesehen werden. Hier führt der
Herausgeber und Mitautor acht »Modellanalysen« dieser Erzählung zusammen, die unterschiedlicher nicht hätten ausfallen
können. Weil nämlich die potentiell unabschließbare Vieldeutig-
keit der Kleist'schen Erzählungen als evident angesehen wird,
gerät das *Erdbeben* (vgl. S. 144 ff.). beispielhaft zum Exerzier-
feld verschiedener literaturwissenschaftlicher Textzugänge mit
naturgemäß unterschiedlichen Ergebnissen. Hermeneutisch,
strukturalistisch, geistesgeschichtlich oder diskurstheoretisch
orientierte Verfahren liefern divergierende, teilweise inkompa-
tible oder einander widersprechende, aber auch in hohem Maße
übereinstimmende Ergebnisse. Aber nicht in deren Verschieden-
artigkeit liegt das Beunruhigende, sondern in der mangelnden
vorgängigen Aufgaben- und Zielreflexion derjenigen, die die unterschiedlichen Verfahren anwenden.

Statt lediglich von einem hinzunehmenden Methoden*pluralismus* zu sprechen, käme es auf eine Methoden*klassifikation* und *-differenzierung* an, die exakt Unterschiede und Gemeinsamkeiten der angewendeten Methoden benennt. Im Sinne einer solchen Klassifikation methodischer Praxis müsste ein Unterscheidungskriteriums formuliert werden, das im verschiedenartigen Umgang mit den Texten und seinen Zielsetzungen zu suchen ist.

»Konkret bestehen die divergierenden Zielprojektionen darin, daß sie überwiegend *Erkenntnisse über einen bestimmten Text* oder aber primär *texttranszendierende Erkenntnisse* enthalten. Die Opposition ›*textintern*‹ vs. ›*textextern*‹ bestimmt also die Beziehung zwischen den angewendeten Methoden und ihren jeweiligen Ergebnistypen, so daß also entweder von primär *textorientierten* oder primär *kontextorientierten* Methodentypen gesprochen werden kann.« (Nobis 1987, S. 353)

Die Anwendung der einen oder anderen Methode führt naturgemäß nicht nur zu verschiedenen Ergebnissen, sondern von vornherein zu divergierenden Ergebnis*typen*, die bestimmte Ergebnisse a limine ausschließen. Zwar bildet stets ein identischer Text den Untersuchungsgegenstand, aber das Erkenntnis leitende Interesse bezieht sich einmal auf die Bestimmung seiner Regeln, nach denen er ›funktioniert‹, sowie ihren Bedeutungen, ein andermal auf die über den Text hinausgehenden Verweisungs- und Bedeutungszusammenhänge, so dass der Text nur Anlass, Epiphänomen für andere als ausschließlich literaturwissenschaftliche Fragestellungen im engeren Sinne wird. So kann ein psychoanalytischer Zugriff, wie er etwa Politzer auf die *Marquise* (vgl. S. 161) vornimmt, nicht zur gleichen *Art* von Ergebnissen führen wie ein geistesgeschichtlicher Ansatz, wie er vor dem Hintergrund der europäischen Spätaufklärung von Schmidt (vgl. S. 162) durchgeführt wird – wohl aber zu widerspruchsfreien Einzelresultaten.

Der enge, beinahe systematisch zu nennende Zusammenhang zwischen dem Bruch Kleists mit der Erzähltradition des 18. Jahrhunderts, die Schwierigkeit, eine exakte literarhistorische Zuordnung vornehmen zu können, die vagen Versuche hin-

Probleme der Kleist-Forschung

sichtlich der Ausarbeitung einer Poetik der Prosa Kleists, die damit einhergehenden methodischen Schwierigkeiten und die Disparatheit der daraus resultierenden Interpretationsergebnisse spiegeln die Unsicherheiten wider, die auch in den nachfolgenden kritischen Würdigungen von Werkinterpretationen zu den drei ausgewählten Erzählungen unübersehbar sind. Und nur en passant sei darauf verwiesen, dass sicher nicht zufällig zu einer der populärsten Erzählungen Kafkas – dem *Urteil* – ein Sammelband mit zehn »Modellanalysen« unter dem gemeinsamen Bezugspunkt der Literaturtheorie und damit auch zur literaturwissenschaftlichen Methodologie erschienen ist (Jahraus/Neuhaus 2002).

Das Erdbeben in Chili

Die »Erschütterung des Bewußtseins«, von der nicht nur nahezu alle Protagonisten in Kleists Erzählung, sondern auch zeitgenössische wie heutige Interpreten des *Erdbebens* ergriffen werden, währte weder für jene noch für diese allzu lange, wie selbst ein nur oberflächlicher Blick auf die Forschungslage bestätigt. Denn mit dem Epoche machenden Sammelband David Wellberys (s. S. 142) eröffnete sich trotz aller Einzelkritik (Fischer 1987, Nobis 1987, Gebhardt 1988/89, Anz 1989) für die Kleist-Forschung die Möglichkeit, auf der Grundlage einer kritischen Sichtung bisher erzielter Ergebnisse eine Neuorientierung vorzunehmen. Denn viele »Ergebnisse, Fragestellungen und Anregungen des Bandes [– so urteilt ein Rezensent –] gehen über die alten Schematismen der Kleist-Interpretation hinaus. Es scheint, daß wir uns in wesentlichen Fragen der Kleist-Forschung noch immer am Anfang eines Erkenntnisprozesses befinden.« (Gebhardt 1988/89, S. 489) Strenger Methoden geleitet und literaturtheoretisch reflektierter hätte die wissenschaftliche Auseinandersetzung mit Kleists herausforderndem Prosatext danach geführt werden können oder gar müssen, und dies um so mehr, als mittlerweile mit den kommentierten Ausgaben von Reuß (1988 ff.) und Müller-Salget (1990) zwei maßgebliche Editionen zur Verfügung stehen. Statt dessen muss man erstaunt zur Kenntnis nehmen, dass Anz in seiner Wellbery-Rezension nach einer differenzierten Beurteilung der einzelnen Beiträge und ihrer Ergebnisse resigniert und ernüchtert meint urteilen zu können, dass die vorgelegten »Modellanalysen« zeigen, »wie weitgehend konform Literaturwissenschaftler trotz theoretisch behaupteter Divergenzen in der Praxis verfahren« (Anz 1989, S. 22). Offensichtlich verwechselt er Methoden mit Ergebnissen und verkennt die Möglichkeit, auf unterschiedlichen Wegen zu gleichen oder ähnlichen Einsichten zu gelangen. Das fundamentalere Problem, welche Ergebnis*typen* oder *-arten* mit welchen Methoden überhaupt nur zu erzielen sind, klammert er aus.

Entgegen solchem Defätismus genießen die im Wellbery-Band versammelten Beiträge (vgl. S. 153 ff.) den Vorzug, nicht einem oberflächlichen ›Methodenpluralismus‹ zu frönen, indem sie verschiedene textanalytische Zugriffe auf das *Erdbeben* gleichsam als Tour d'horizon aneinanderreihen, sondern tiefere Einblicke in Voraussetzungen interpretierender Praxis zu gewähren, die allerdings expliziter hätten freigelegt werden sollen. Aber allein der Aufweis unterschiedlicher Ergebnis*typen* als Resultat divergierender Textzugänge rechtfertigt die herausragende Stellung dieses bis dahin konkurrenzlosen Unternehmens. Nicht nur hermeneutisch orientierte Interpreten

Textanalytische Zugriffe im Wellbery-Band

»nehmen den Text als Herausforderung, dem Inkonsistenten, Widersprüchlichen, sich Deutungen Verweigernden doch noch einen geschlossenen Sinnzusammenhang zu supponieren, erklären Kleists *Erdbeben* kurzerhand zum Paradigma des hermeneutischen Auslegungsverfahrens oder versuchen – vorschnelle Festlegungen vermeidend –, einen Sinn darin zu sehen, daß ein Sinn nicht auszumachen ist« (Liebrand 1992, S. 96 f.).

Auch Strukturalisten, Semiotiker, Diskursanalytiker oder Dekonstruktivisten steuern einen Beitrag zum wie auch immer gearteten Verstehen dieses sperrigen Kleist-Textes bei.

Die aus dieser kurzen Bilanz zu ziehenden Konsequenzen für eine kritisch-systematische Sichtung der Forschungsliteratur scheinen simpel: Zu unterscheiden ist zwischen solchen Beiträgen, die primär textorientiert, und solchen, die primär kontextorientiert angelegt sind (vgl. S. 143). Wird in jenen versucht, die Prinzipien der Textkonstitution, die Regeln und Mechanismen des literarischen Systems zu bestimmen, kurz: die Literarität der Kleist'schen Erzählungen zu erhellen, so ist in diesen der Blick auf kontextuelle Einbindungen oder außertextuelle Verweisungen gerichtet, die im Primärtext verankert sind. Und es überrascht keineswegs, wenn die Prioritätensetzung in der Kleist-Forschung – und nicht nur hier – etwa seit Mitte der 1970er Jahre genau in dieser Abfolge verlaufen ist.

Die wissenschaftliche Auseinandersetzung mit Kleists Erzählungen hat schon in ihren Anfängen dazu geführt, dass man wegen der verweigerten Sinnstiftung den Texten interpretierend Sinneinheit zu unterschieben trachtete oder sich auf die Erhellung der je spezifischen Verfasstheit der Erzählungen konzentrierte. Gerade das *Erdbeben* reizte – wie etwa Frickes (1929) Deutung zeigt – zu einem religiös, theologisch oder existentialistisch geprägten Verständnis der Erzählung vor dem Hintergrund der Philosophie Søren Kierkegaards (1813–1855) oder zu einem moralisch begründeten Optimismus nach der Destruktion der »besten aller Welten« mit Bezug auf den viel zitierten Schlusssatz. Diese Interpretationslinie lässt sich bis in die Mitte der 1970er Jahre nachweisen.

W. Kayser über das Prinzip des Paradoxen bei Kleist Wolfgang Kayser war einer der ersten, der mit Blick auf die behauptete Sinnverweigerung oder Sinnabstinenz der Erzählung und das paradoxe »Doppelantlitz der [dargestellten] Wirklichkeit« den Vorgang des Erzählens zum Gegenstand einer Untersuchung erhob.

»Wir begegnen solcher Paradoxie als einem Wesenszug der erzählten Welt immer wieder (der Graf in der *Marquise von O.* Engel und Teufel; das Erdbeben in Chili von den einen als himmlische Strafe, von den andern als himmlische Errettung gedeutet); hier begnügen wir uns mit der Betonung, daß solche Doppelgesichtigkeit nicht das Werten entwerten, jede beurteilende Stellungnahme zur Welt unmöglich machen soll. Eher im Gegenteil: dieser Erzähler wertet dauernd, er kann gar nicht anders, und wir sollen es mit ihm tun. Wohl aber ist richtig, daß wir uns angesichts solcher mit aller Schärfe empfundenen und ausgesprochenen Paradoxien der Unheimlichkeit, der verwirrenden Eigenart der Welt bewußt werden und werden sollen.« (Kayser 1967, S. 234)

Und ohne den Unterschied zwischen Autor und Erzähler auch nur anzudeuten, resümiert er schließlich, dass hier

»kein Literat [spreche], der einem Publikum eine Geschichte erzählt. Dem Publikum dreht er den Rücken zu; er schafft keine Gemeinsamkeit mit ihm, es gibt keine Anspielungen, die einen Kreis gleichgebildeter Leser abgrenzten, für die erzählt würde[.] [...] Kleist als Erzähler ordnet sich dem Erzählten unter, er läßt sich von daher bestimmen, und so wird die Untersuchung des Erzählens um so wichtiger, da offenbar in den Kategorien des Erzählens zugleich die Kategorien der erzählten Welt spürbar sind.« (Ebd., S. 236 f.)

Wenn auch mit dem Prinzip des Paradoxen *eine* grundlegende Signatur des Kleist'schen Erzählens (v. a. auf syntaktischer Ebene) und der dargestellten Welt benannt ist, so bleibt das umfassendere Problem der strukturellen Einheit seiner Texte noch ungelöst. Ausgehend von der extremen Fragmentierung der Handlungen in Kleists Erzählungen, die für das *Erdbeben* – Kleist reduzierte die ursprünglich 31 (!) Absätze umfassende Erzählung im Erstdruck aus dem Jahre 1807 auf gerade noch drei für die Buchausgabe 1810 (vgl. den Paralleldruck in FKA 3, S. 188–221) – wie für die *Verlobung* gleichermaßen gilt, untersucht Hans Peter Herrmann das Spannungsverhältnis zwischen einer kontingenten Welt und dem menschlichen Handeln.

H. P. Herrmann über das Spannungs-verhältnis zw. kontingenter Welt u. menschlichem Handeln

»Eine Welt, in der der Zufall vorherrscht, ist in ihrer Einheit gefährdet. Ihre Ereignisse stehen ohne Beziehung nebeneinander, ihre Zeitabläufe zerfallen in isolierte Augenblicke. Dem Eindruck so weitgehender Diskontinuität der Erzählung widerspricht aber Kleists Novellistik. Seine Welt scheint im Gegenteil gerade sehr dicht gefügt und seine Zeitabläufe voll Spannung und Gefälle zu sein. So müssen auf einer bisher noch nicht berücksichtigten Ebene Verbindungen zwischen ihren einzelnen Gliedern bestehen, die das zufällige Nebeneinanderstehende zumindest über Abschnitte hinweg in sich verklammern und ihm seine Einheit vermitteln.« (Herrmann 1961, S. 73 f.)

Hier nun komme die Konstitution der handelnden Personen ins Spiel, die nicht auf einer vorgängigen Charakterisierung basiere, sondern als Reaktion auf unterschiedliche Situationen sich bilde, so dass nicht »das Wesen, sondern das Handeln der Menschen [...] die erstrebte Einheit [schaffe]; ihr Wesen ist selber vom Zufall affiziert. Denn die Zufälle lösen das Tun der handelnden Menschen allererst aus, sie wirken nicht nur in ihr Schicksal, sondern auch tief in ihren ›Charakter‹ hinein.« (Ebd., S. 78)

Offenkundig bestehe zwischen einer – im Sinne Kleists – durch Zufall geprägten Welt und einem solcher Kontingenz ausgelieferten Ich ein struktureller Zusammenhang, den Herrmann in der allmählichen »Verfertigung der Einheit der Welt als wechselseitige Determination von Ereigniskette und Person« sieht und als »Grundfigur Kleistscher Novellen« (ebd., S. 82) bezeichnet. Die im Prozess des Erzählens sich allererst entwickelnde dargestellte Wirklichkeit und die noch undeterminierten Personen ließen nämlich eine vorgegebene, »übergreifende, objektive Einheit stiftende Ordnung der Wirklichkeit« (ebd.) nicht erkennen.

Diese Grundsituation erführen im *Erdbeben* die beiden Hauptprotagonisten Jeronimo und Josephe. Durch den zufälligen Ausbruch der Naturkatastrophe genössen sie für kurze Zeit im ›Tal Eden‹ den Schutz einer idealistisch überhöhten Gesellschaft im Geiste Rousseaus, um nach derart scheinbar gelungener Sinnstiftung in die von fragwürdiger Ordnung bestimmte Stadt zurückzukehren, in der sie auf brutale Weise durch wieder aufgerichtete gesellschaftliche Institutionen vernichtet werden. Nach Herrmann gingen die Liebenden und der kleine Juan deshalb »angesichts einer unbegriffenen, ja unbegreifbaren Welt physisch zugrunde«, weil die »Sinnhaftigkeit des Weltlaufs nicht nur vom Ich, sondern ebenso von den Bedingungen der ihm begegnenden Ereignisse abhängt« (ebd., S. 91). Da aber keine Macht die Gunst dieser Bedingungen garantieren könne, komme es zu »Situationen und Situationsketten [...], in denen der Mensch der Zufälligkeit des Geschehens nicht Herr« werde. Der Zufall verdichte sich im *Erdbeben* »zu einer eigenen Macht, zur blinden Naturkraft« (ebd.).

Wenn derart aus der gesuchten Einheit eines Sinnes die Sinnverweigerung resultiere, dann werde die Aufmerksamkeit für einen so gestalteten Prozess auf die Verwendung der künstlerischen

Mittel gelenkt. Das Dichten selbst werde als sprachliche Bewältigung von Wirklichkeit »zum Handeln« und rücke »in die Dimension der Sinngebung« (ebd., S. 95). Gerade die adäquate sprachlich-künstlerische Vermittlung, »den ›spannenden‹ Zusammenstoß zwischen Zufall und Ich in ihr unmittelbar zu vergegenwärtigen«, sei so stark, dass der poetische Wille »sich von der inhaltlichen Darstellung löst und zu einem selbständig wirkenden Prinzip der Sprachformung wird, das an vielen Stellen auch [...] Teile einer Situation [...] noch einmal aufspannt und mit syntaktischen Einbrüchen in den Ablauf des Erzählens durchsetzt«. Damit werde »die sprachliche Form zum eigentlichen Träger« (ebd., S. 93) einer ebenso brüchigen Welt.

Wenn Herrmann noch in der Adäquatheit zwischen den von Kleist verwendeten künstlerischen Verfahren und der situativen Konstituierung von Welt und Personen, im Vorgang des Erzählens selbst die gesuchte »Dimension der Sinngebung« (ebd., S. 95) in der Erzählung außerhalb der dargestellten Ereignisse sehen will, so knüpft Wolfgang Wittkowski (1969) an die Untersuchung der individuellen sprachlich-künstlerischen Verfasstheit des *Erdbebens* an, ohne die Suche nach einem einheitsstiftenden Prinzip zu vernachlässigen. Dieses leitet er nicht nur aus dem bereits erwähnten Schlusssatz, sondern auch aus dem Ende des Mittelteils der Erzählung ab, so dass der Schluss in die kompositorische Gesamtstruktur absichtsvoll einbezogen sei. Hier, im so genannten ›Tal Eden‹ (S. 18 ff.), berichte der Erzähler von einer »sittlichen Erneuerung der schwer heimgesuchten Stadtbevölkerung« (Wittkowski 1969, S. 249), in der Wittkowski »das innere Zentrum, den ideellen Kern« (ebd., S. 250) der Erzählung sieht. Alle berichteten Handlungen zeugten von moralischer Größe, von grenzenloser Selbstaufopferung und tugendhafter Noblesse, wie sie etwa in der Hilfsbereitschaft Josephes, beide Kinder zu stillen, im öffentlichen Bekenntnis Jeronimos zu seiner Identität in der Dominikanerkirche und im heldenhaften Kampf Don Fernandos um die beiden Kinder erkennbar werde. Moralische

»Verbindlichkeit wird von den Hauptfiguren die ganze Novelle hindurch vorgeführt. Sie allein bleibt siegreich übrig, nachdem die metaphysische Frage als verfehlt abgetan wur-

W. Wittkowski über die sprachliche Verfasstheit der Erzählung

de. Nicht ein religiöser Glaube, sondern allein das praktische moralische Verhalten macht die wahrhaft existentielle Dimension aus und die Qualität solchen Verhaltens den eigentlichen Wert des Menschen. Das ist ›die Botschaft‹ dieser Dichtung.« (Ebd., S. 254)

Aus der Not, jedweder weltanschaulich-metaphysischen Deutung des Geschehens rechtens misstrauen zu müssen, macht Wittkowski die Tugend, im idealistisch überhöhten, heroischen Handeln der drei Hauptfiguren die sinnstiftende Einheit der Erzählung zu verankern. Erkenntnis- und Bedeutungsskepsis angesichts des widersprüchlichen Geschehens führen bei ihm zu einem »Vorrang des Ethischen vor dem Erkennen oder Glauben« (ebd., S. 277), wodurch die Dimension des Moralischen wieder an Bedeutung gewinnt.

Ein solches Resultat werde auch nicht durch vom Erzähler vorgenommene Werturteile über Handlungen der Personen unterminiert. Analysiere man nämlich – ähnlich wie Kayser (vgl. S. 146 f.) – die Instanz des Erzählers, finde sich eine Bestätigung der erzielten Ergebnisse. Weil nämlich in der Forschung – wie etwa bei v. Wiese (1955) – weder exakt zwischen Religion und Ethik, zwischen direkter und metaphorischer Ausdrucksweise unterschieden noch eine genaue Bestimmung des Standpunkts, nicht der Perspektive, des Erzählers vorgenommen werde, sei die Annahme, es gebe »nur eine erzählende Instanz« (Wittkowski 1969, S. 257), aufzugeben. Da auch Wittkowski eine präzise Analyse der Erzählinstanz und v. a. des für das *Erdbeben*, aber auch für die *Verlobung* grundlegenden Unterschieds zwischen Perspektive und Standpunkt oder Einstellung nicht vornehmen kann – dafür fehlt ihm das kategoriale Instrumentarium, wie es etwa von Uspenskij (1975) bereitgestellt wird –, führt er, anstatt der poetischen Besonderheit Rechnung zu tragen, dass im *Erdbeben* überwiegend verschiedene, teilweise nicht miteinander vereinbarende Standpunkte und Einstellungen betroffener Personen gegenüber dem Naturereignis dargelegt und keine Deskriptionen vorgenommen werden, den bislang ausgeklammerten Autor wieder ein:

»Vielleicht aber liegt das Verwirrende und liegt zugleich die Erklärung der Erzählstruktur gerade darin, daß der Erzähler den Standpunkt des Dichters teils vermittelt, teils verhüllt, daß er teils sich irrt und teils allwissend ist[,][...] daß er sich das Urteil des Dichters nur vorübergehend – in der Domszene – aneignet und es vorher wie ganz zuletzt ohne sein Wissen, unbeabsichtigt hervorlugen läßt: eben an jenen Stellen, an denen der Dichter ihm gleichsam über die Schulter blickt und für ihn die Karten zieht. So ist der Erzähler das Medium zwischen Dichter, Geschichte und Leser. Er informiert und führt uns irre, ohne es zu wollen noch zu wissen. Er ist naiv. Seine Perspektive ist beschränkt. Sie leitet Signale des Autors weiter und verhüllt auch wieder dessen Position. Dabei ist er selbst Gegenstand der Ironie: die ironische Maske, hinter der Kleist sich deutlich verbirgt und sich undeutlich zu erkennen gibt. Die Erzählstruktur der Novelle ist durch und durch ironisch.« (Wittkowski 1969, S. 257)

Wittkowskis überraschende Volte besteht nicht im kaum widerlegbaren Aufweis der ironischen Erzählstruktur im *Erdbeben*, der auch Bernd Fischer (1988, Schlussbetrachtungen) in extenso nachgeht, sondern in der apodiktisch formulierten Gewissheit, dass zwischen dem Standpunkt des Erzählers und dem des Autors genau unterschieden werden könne. Dies setzt eine übergeordnete, eine Meta-Instanz voraus, die der Leser nicht kennt und die er darum auch nicht anrufen kann. Er ist auf den Text verwiesen, und dieser potenziert noch die Suche nach Gewissheit, indem er es nicht nur an Eindeutigkeit ob des dargestellten Geschehens fehlen lässt, sondern den Leser auch explizit durch nahezu inflationär verwendete Als-ob-Strukturen in der Syntax zusätzlich verunsichert.

B. Fischer über den Standpunkt des Erzählers und den des Autors

Diesem künstlerischen Verfahren und seinen Funktionen widmet Wittkowski eine detaillierte Untersuchung (1969, S. 259–271) auf mikrostruktureller Ebene, um die als Gleichnisse oder Metaphern auftretenden Wendungen in ihren konkreten Kontexten aufzuschlüsseln. Dabei gelangt er zu dem Ergebnis, dass sie

»nichts über das Sein aussagen, sondern ausschließlich die perspektivische Brechung menschlicher Apperzeption bezeichnen. [...] Die Als-ob-Wendungen sind Chiffren. Sie spiegeln das objektiv Gegebene nicht rein, sondern perspektivisch abgewandelt. Sie betreffen direkt nicht das Sein, sondern die Erkenntnis, das Verhältnis zwischen Subjekt, subjektivem Eindruck und Objekt. Und auch dieses Verhältnis bezeichnen sie nur indirekt, vergleichsweise. Als derartige Chiffren gehören sie in den Umkreis des Metaphorischen, des stilistischen Als-ob.« (Ebd., S. 262)

Um ihre je konkreten Funktionen zu erhellen, bedürfe es sorgfältiger Differenzierung. Die in Erzähler- und Personenrede ausgiebig verwendeten Als-ob-Konstruktionen drückten einen Erkenntnisvorbehalt hinsichtlich des Gesagten aus, der jedoch nicht auf einen Agnostizismus, sondern vielmehr auf die Möglichkeit von Gewissheit ziele. In solchen Wendungen werde der wiedergegebene subjektive Eindruck bestätigt, die Möglichkeit, dass es sich tatsächlich auch anders verhalten könne, nicht ausgeschlossen. Wenn etwa Jeronimo auf den Ausbruch des Erdbebens reagiere, »gleich als ob sein ganzes Bewußtsein zerschmettert worden wäre« (11.4–5), dann sei dies eine metaphorische Ausdrucksweise, die keinen Anspruch auf objektive Gültigkeit erhebe. Der uneigentlichen Als-ob-Aussage ist die Möglichkeit der tatsächlichen Andersartigkeit stets inhärent. Insofern könne man in diesen Fällen dem Erzähler trauen.

Dies treffe jedoch nicht auf Aussagen zu, die des kritischen Vorbehalts entraten. Wenn die beiden Liebenden als Unglückliche bezeichnet werden, »die ein Wunder des Himmels gerettet hatte!« (13.34–35), so erweise sich diese Aussage im weiteren Handlungsverlauf als falsch, ohne dass der Leser vom Erzähler auf diesen Irrtum aufmerksam gemacht werde. Eine solche Unzuverlässigkeit des Erzählers führt Wittkowski auf das ironische Erzählen zurück. »Der Dichter steht [...] ironisch hinter und über den Figuren und dem Erzähler. Wenn wir Leser uns vertrauensselig seiner Führung überlassen, werden wir das Opfer dieses ironischen Als-ob, das der Dichter über uns verhängt.« (1969, S. 271)

Auch Wittkowski vermag – wie vor ihm schon Kayser, Müller-Seidel, Herrmann und andere – die Suche nach einer sinnstiftenden Einheit des *Erdbebens* nicht zu einem schlüssigen Resultat zu führen. So wichtig und erhellend die von ihm herausgearbeiteten Ergebnisse zur Als-ob-Struktur der Erzählung auch sind –

es bleibt ungeklärt, ob sich die durch das behauptete Spannungs-
verhältnis zwischen Autor und Erzähler hervorgerufene ironische Brechung auf den gesamten Text oder nur auf nicht näher
bestimmte Teile oder Schichten bezieht und welche spezifischen
Unterschiede zwischen der romantischen und der Kleist'schen
Ironie bestehen, um die sich ohne exakte Abgrenzung auch Fischer (1988, Kap. Schlussbetrachtungen) bemüht.

Ein nicht unbeträchtliches Maß an Klarheit hinsichtlich der bislang angesprochenen Problemzusammenhänge bieten die Ergebnisse, die David Wellbery (1985) in dem von ihm herausgegebenen Sammelband (vgl. S. 142) vorgelegt hat. Methodisch
sehr diszipliniert, aber nicht streng bis zur letzten Konsequenz,
unterzieht er die Erzählung dem typisch semiotischen Verfahren: Im Anschluss an die grundlegende, strukturale Segmentierung des Textes in drei Abschnitte (›Erdbeben‹ – ›Täuschung‹ –
›Mord‹), die dem Handlungsprinzip ›Verbot – Übertretung –
Strafe‹ folgt, analysiert er die Erzählung sowohl syntagmatisch
als auch paradigmatisch. Der *syntagmatische* Zusammenhang
des Textes beruhe auf der tiefenstrukturell wirksam werdenden
Opposition ›natürliche Liebe‹ versus ›Gesetz‹. Diese Opposition
werde auf der Handlungsebene durch das Erdbeben in Bewegung gesetzt, gleichsam dynamisiert, so dass es »als ›Aufhebung
des Gesetzes‹ sowohl im Sinne von ›Institution‹ wie im Sinne von
›Autorität‹« (ebd., S. 74) fungiere, wobei das ›Begehren nach
dem Gesetz‹ – wie sich herausstellt – nicht ausgeschlossen sei.
Denn das ›narrative Programm‹ der Erzählung bestehe darin, die
durch den generalisierten Zufall (Erdbeben) unterbrochene Geltung bestehender Gesetze (Vollzug der Todesstrafe) durch die
Errichtung der alten Institutionen (Familie, Kirche, Staat) wie-
derherzustellen. Der alles entscheidende Zufall führe dazu, dass
durch ihn nicht nur das ›Gesetz‹ aufgehoben werde, »sondern
überhaupt die narrative Kontinuität. Wo der Zufall herrscht, ist
kein zweckmäßiges, zielgerichtetes Handeln möglich.« (Ebd.,
S. 75) Darum könne man dem Zufall in der Erzählung zwar eine
zentrale Rolle für die Dynamik der Handlung – wie ihre zahlreichen Umschwünge oder Wendungen zeigten – zuweisen, einen eigenen »narrativen Sinn« (ebd.) besitze er jedoch nicht.
Auf der paradigmatischen Ebene der Erzählung kann Wellbery

D. Wellberys
semiotische
Untersuchung

dem Erdbeben wenigstens zwei verschiedene Bedeutungsfelder entnehmen: Zum einen manifestiere sich seine Zerstörungskraft in den natürlichen Elementen ›Erde‹ (Häusereinsturz), ›Feuer‹ (Klosterbrand) und ›Wasser‹ (Mapachofluss), zum anderen ließe es sich als Gesamtphänomen als ›Geburt‹, ›Ende der Welt‹, ›Anarchie‹ oder ›totale Willkürherrschaft‹ verstehen. Damit seien semantische Kontexte benannt, die unterschiedliche »Lesarten« (ebd., S. 77) der Erzählung (familiale, religiöse, politisch-gesellschaftliche) ermöglichten.

Als Voraussetzung für solche Bedeutungskontexte sei jedoch zunächst die Einheit der erzählten Handlung aufzuweisen, die Wellbery in der symmetrischen Anordnung der drei Textsegmente mit dem Mittelteil als ›Symmetrieachse‹ angelegt sieht. Sie sei auch auf der Ebene der Konfiguration an den beiden Familien und den Änderungen, denen sie unterliegen, ablesbar. Am kleinen Philipp nämlich werde der Übergang von einer ›natürlichen‹ Familie zu einer ›gesetzlich anerkannten‹ deutlich,

> »wobei die Stadien dieser Bewegung den drei Abschnitten der Novelle zugeordnet sind. In Teil A entsteht, zunächst außerhalb des Gesetzes (die ›Erzeugung‹ des Kindes ist ein ›Verbrechen‹) und durch Aufhebung desselben (›Erdbeben‹ als ›Geburt‹) eine ›natürliche Familie‹. [...] In Abschnitt B wird – herbeigeführt durch einen ›Tausch‹ – eine Einheit zwischen ›natürlicher‹ und ›gesetzlicher anerkannter‹ Familie etabliert. Und schließlich werden in Teil C die zwei Familien gewaltsam getrennt, indem die ›natürliche‹ Familie vernichtet und das Kind in die ›gesetzlich anerkannte‹ aufgenommen wird. Aus dem ›Bastard‹ wird, so der Text, ein ›Pflegesohn‹.« (Ebd., S. 78)

Der Mittelteil der Erzählung entfalte in einer »kognitiven Dimension« miteinander konkurrierende Interpretationen des vergangenen (Einschätzung der Bedeutung des Erdbebens) und des gegenwärtigen Geschehens im ›Tal Eden‹ (Utopie, erkannte Täuschung, transitorisches Phänomen oder illusionäre Vorstellung), die zu einer Änderung der Handlungsabsichten der beiden Liebenden führten (statt ihre Flucht nach Europa zu betreiben, wollen sie sich dem Vizekönig zu Füßen werfen), ohne dass der Text dem Leser verlässlich anzeige, ob ›Eden‹ dargestellte Wirklichkeit oder Ausfluss dichterischer Phantasie sei.

»Der ›Täuschung‹, der die Figuren möglicherweise unterliegen, entspricht auf der Ebene der narrativen Kommunikation ein Verzicht auf Eindeutigkeit. Damit gerät aber auch der Leser in eine Situation, in der er sich täuschen kann. Der Text nimmt selber den Charakter des Imaginären an (man bemerke diesbezüglich das Schillernde von Gleichnis und *als-ob*-Satz), indem er die Erfahrung des Imaginären schildert.« (Ebd., S. 80)

Vor diesem Hintergrund ließen sich die dargestellten Ereignisse auf je verschiedene Art lesen. Die *religiöse* Lesart basiere auf der nahezu unübersehbaren Fülle religiöser Anspielungen (Sündenfall, Fronleichnamsfest, Garten Eden, Predigt des Chorherrn, Passion, ›Kreuzigung‹, Weltgericht, vgl. hierzu auch die Einzelerläuterungen, S. 201 ff.) und ermögliche eine heilsgeschichtlichen Rezeption, wobei den nachweisbaren Allusionen primär keine religionskritischen Funktionen zukämen, sondern ausschließlich »als Material zur Konstruktion seines eigenen symbolischen Systems« (ebd.) mit eigener Bedeutung verwendet würden (vgl. hierzu kritischer: Hamacher 1985). Religiöse Lesart der Erzählung

Die im Kontrast zu der in den Rahmenabschnitten klar erkennbaren gesetzlichen Ordnung sich einstellende ›Anarchie‹ im ›Tal Eden‹ bedeute in *gesellschaftlich-politischer* Lesart einen von Idyllik geprägten Gegenentwurf zur gesetzlichen Ordnung. Er umfasse als Resultat einer revolutionären Bewegung, die in der Erzählung stellvertretend für den menschlichen Gewaltakt im Erdbeben gesehen werde, sowohl die Aufhebung der ständischen Ordnung und gesetzlichen Institutionen als auch eine »natürliche Ethik der Menschenliebe« (vgl. Wittkowskis Begriff der »Noblesse«, S. 149 f.). Die kurze Episode finde ihr Ende im Bedürfnis der kleinen Gesellschaft um Don Fernando und Jeronimo nach rituellen Dankbarkeitsäußerungen sowie im elementaren Begehren der Menge nach dem Gesetz, dessen unterbrochene Geltung durch einen rituellen Opfermord wiederhergestellt werden solle. »Der ›Mord‹ ermöglicht also die Rückkehr zur gesetzlichen Ordnung nach deren Aufhebung durch das ›Erdbeben‹; er ist die gesetzlose Tat, die das Gesetz begründet.« (Ebd., S. 84) Der funktional enge Zusammenhang zwischen der natürlichen Gewalt des Erdbebens und der menschlichen Ge- Gesellschaftlich-politische Lesart der Erzählung walt des Mordes begründe ihren gleichrangigen Stellenwert. Für Wellbery bedeutet der Mord »die Umkehrung des ›Erdbebens‹«. Dieses »hebt die Dominanz des ›Gesetzes‹ auf und führt zur Dominanz der ›Natur‹, jener negiert die Dominanz der ›Natur‹ und verschafft dem ›Gesetz‹ wieder seine ursprüngliche Geltung« (ebd., S. 83).

Familiale
Lesart der
Erzählung
In *familialer* Lesart ergebe sich im Text eine Dominanzverschiebung vom Prinzip der Mutterschaft zu dem der Vaterschaft, von einem primär natürlichen zu einem gesetzlichen Verständnis der Familie. Auch in dieser Lesart lasse sich – wie schon in den beiden anderen – erkennen, dass v. a. der durch brutale Gewalt ausgelöste radikale Bruch ins Zentrum des Erzählten gerückt werde. »Die Symbolik des Textes kreist also um die doppelte Funktion der Gewalt, die sowohl Aufhebung als auch Etablierung des Gesetzes ist. Deshalb erzählt die Novelle von einem ›Erdbeben‹ und einem ›Mord‹.« (Ebd., S. 84) Die Art und Weise, in der sie dieses Geschehen darstelle, zeuge

> »von einer Problematisierung des Narrativen, die den kulturellen Vorgang des Erzählens in Frage stellt. Dies wird vor allem an der Handhabung des Zufalls sichtbar, die die narrative Kontinuität aufhebt und innerhalb der Narration selbst die Wirksamkeit einer ihr fremden Macht [nämlich Gewalt] erkennen läßt. Die Predigt des Chorherrn, die wir als Verdrängung des Zufalls durch die Narration bezeichnet haben, stellt gleichfalls eine kritische Selbstreflexion innerhalb der Erzählung dar.« (Ebd., S. 86)

Gerade in der von Wellbery herausgestellten ›Verdrängung des Zufalls durch Narration‹, in der – wie in der Predigt des Chorherrn – das Prinzip der Gewalt herrscht, wird Kleists poetisches Programm sichtbar, das nunmehr genauer bestimmt werden kann. In Kleists *Erdbeben* ist – so ließe sich resümieren – die poetische Konstruktion der Erzählung derart reflektiert und zugleich zur Anschauung gebracht, dass auf der Ebene der Narration, also des Erzählens, dem Kontingenten unterworfene, jedes eindeutigen Sinnes entbehrende Geschehnisse eine ›gewaltsame‹ nach einer schon subjektiv vorgenommenen Deutung erfahren, die nicht nur den Zufall verdrängt, sondern auch bisher disparate Ereignisse in einen nachträglichen Sinnzusammenhang stellt, der seinerseits in Frage gestellt wird. Die in solchen Narrationen waltende Willkür oder Beliebigkeit (z. B. die Naturerscheinung ›Erdbeben‹ als Strafgericht Gottes oder rettende Tat deuten) legt die Bedingungen der Möglichkeit von Erzählen frei. Von dieser Willkür, von diesem radikalen Bruch mit der teleologisch ausgerichteten Erzähltradition des 18. Jahrhunderts handelt Kleists *Erdbeben in Chili*.

Wellberys Beitrag als Resultat eines konsequent angewendeten semiotischen Verfahrens kann gar nicht hoch genug eingeschätzt werden. Die meisten der von ihm vorgelegten Ergebnisse finden sich auch in anderen Beiträgen des Sammelbandes, allerdings mit dem gravierenden Unterschied, dass jeweils unterschiedliche Verfahren eingesetzt werden mussten, um sie zu erzielen. Wenn etwa die hermeneutischen Überlegungen Norbert Altenhofers (1985) zu den Erkenntnissen führen, dass der »Text als Rätsel, das Leben als unverständliches Buch, die Auslegung als unendliche Aufgabe« gesehen, das Verstehen zu einer »nie abzuschließenden Tätigkeit« (ebd., S. 53) und die Verweigerung eines eindeutigen Sinnes zum eigentlichen Thema der Erzählung erklärt werden, wobei die Gefahr interpretierender Beliebigkeit nicht erkannt wird; wenn Karlheinz Stierles strukturalistisch-formalistisch ausgerichteter Beitrag wesentliche kompositorische Prinzipien der Erzählung (triadische Struktur, häufiger Wechsel der vornarrativen Grundstruktur ›Glück – Unglück‹, Funktion des Zufalls) bis hin zu einer genretypologischen Einordnung des Textes vor dem Hintergrund der Novellistik Boccaccios herausstellt, dann finden sich nahezu gleiche Resultate in Wellberys Beitrag. Und selbst Hamachers eigenwilliger Beitrag, der eine W. Hamacher
hocheffiziente Kombination zwischen gebildeästhetischer und geistesgeschichtlicher Interpretation darstellt, zeitigt Ergebnisse, die in der ›religiösen Lesart‹ des *Erdbebens* schon im Keim angelegt sind.

> »Hamacher stellt Kleists Erzählung in den Zusammenhang der Teleologie- und Theodizee-Diskussionen des 18. Jahrhunderts, die das Erdbeben von Lissabon (1755) aufgeworfen hat (Voltaire, Rousseau, Kant). Er liest Kleists Text als ›Replik‹ auf Voltaires ›aufklärerische Satire‹ *Candide ou l'Optimisme* (1759), welche die ›individuelle Anfälligkeit für

teleologische Erklärungen‹ als ›lächerlichen Tic‹ verspottet.«
(Gebhardt 1988/89, S. 482 f.)

Und seine zugespitzten Explikationen zum Begriff des Zufalls
lesen sich – parallel zu Wellberys Ergebnissen – wie Funktions-
bestimmungen der Kontingenz in Kleists Erzählung. Diese nämlich

> »handelt nicht von glücklichen oder unglücklichen Zufällen,
> sondern von ihrer Zufälligkeit; nicht von kontingenten Ereig-
> nissen, sondern von ihrer unversicherbaren Kontingenz;
> nicht von Fällen, die unter keine Regel gebracht werden kön-
> nen, sondern davon, daß diese Fälle auch selbst keine Regel
> bilden. Sie inszeniert den Prozeß einer nicht-synthetischen
> Dialektik der Kontingenz.« (Hamacher 1985, S. 154)

Es sind – ironischerweise – auch und gerade die primär kontextorientierten Beiträge und deren Ergebnisse, die Wellberys Einsichten stützen. Ob Schneiders (1985) sozialgeschichtliche
Werkinterpretation neben den beiden Erdbeben von Santiago
1647 und Lissabon 1755 die Französische Revolution als historischen Bezugspunkt benennt und in Don Fernando das neue
Subjekt eines nachrevolutionären Handlungsparadigmas sehen
will, oder ob Girard (1985) mit einem mythologisch-anthropo-
logischen Ansatz den Zusammenhang zwischen Mythos, Ritual,
Gewalt und Religion und somit das brutale Gemetzel vor der
Dominikanerkirche als rituelle Opferhandlung ins Zentrum seiner Analysearbeit stellt – stets erweist sich die semiotische Methode als integrierendes Verfahren, das textuelle Besonderheiten
und kontextuelle Verweisungen offen zu legen und in ihren
Funktionen zu bestimmen vermag.

Die Dominanz kontextorientierten Forschens setzte sich nach
dem Erscheinen des Wellbery-Bandes fort. Mit ausdrücklichem
Rekurs auf seine nichthermeneutischen Beiträge – v. a. die
Schneiders, Girards und Hamachers – geht Susanne Ledanff
(1986) den philosophischen Implikationen und extratextuellen
Bezügen der *Erdbeben*-Erzählung hinsichtlich der Theodizee-
Frage nach, der auch Appelt/Grathoff (2004, S. 53–80) breiten
Raum geben. Die durch das Lissaboner Erdbeben von 1755 neu
und heftiger denn je entfachte Diskussion, wie ein allgütiger
Gott das Übel in der Welt zulassen könne, erfahre v. a. in den

S. Ledanff
über die Theo-
dizee-Frage

Kommentar

Schriften Voltaires (in seinem Gedicht »Poème sur le Désastre de Lisbonne«, 1756, und dem Roman *Candide*, 1759) eine entschieden pessimistische, gegen Leibniz (1646–1716) und seine Idee von der ›besten aller möglichen Welten‹ gerichtete Wendung, die auch Kleist nahezu ein halbes Jahrhundert später (durch die Schriften Kants) nicht entgangen sein dürfte. Ledanff bindet diese Problematik im letzten Teil ihrer Untersuchung (1986, S. 145–155) zurück an Kleists ästhetisches Programm. Die auf die Erkenntniskrise folgende literarische ›Erschütterung der Darstellung‹ führe in seinem Schaffen zu einer neuen ästhetischen Dimension, die sie als »erzählerische Kybernetik« bezeichnet. Diese werde als Erzählmodus in der *Erdbeben*-Erzählung wirksam und versetze

»Erzählerische Kybernetik«

> »die Natur-Mensch-Situation experimentierend in eine Störung[.] [...] In den in der Erzählung durch markante Wendepunkte deutlich erkennbaren Abschnitten, die als paradoxe Zuständlichkeiten der menschlichen Verfassung aufeinanderfolgen, ist es vor allem die untergründige symbolisch-archaische und religiöse Ausgestaltung, in der die Ästhetisierung des Theodizeethemas überhaupt erst ihre eigene poetische Kraft entfaltet. Vier Systeme [...] nehmen jeweils die Zwiespältigkeit der Natur-Mensch-Korrespondenz in sich auf und gehen jedes für sich in die Richtung einer Fast-Realisierung eines der in ihnen angelegten Pole: Verderbnis oder Harmonie.« (Ebd., S. 147)

In vier verschiedenen Variationen des Paradoxons von Heil und Verderbnis gebe Kleist im *Erdbeben* eine ästhetische Antwort auf das philosophische Theodizee-Problem, ohne allerdings selbst an seiner Lösung interessiert zu sein, wie schon früher Horn (1978, S. 124 f.) festgestellt hat.

Ebenfalls im Gefolge des Wellbery-Bandes und in Anlehnung an den dort von Friedrich Kittler vertretenen diskursanalytischen Ansatz versucht Claudia Liebrand (1992) in psychologischer Begrifflichkeit, die unhinterfragt auf die fiktiven Personen der Erzählung angewendet wird, der Frage nachzugehen, ob der Textsinn aufgrund der »Brüche und Dissoziationen [der Hauptfiguren] ebenfalls zersplittert, ob er im Aufzeigen psychischer Desintegration, zerbrechender Identität und zerschmetterten Be-

C. Liebrands psychologische Untersuchung

wusstseins aufgeht« (ebd., S. 99). Diese Problemstellung hält sie sowohl hinsichtlich des *Erdbebens* als auch der *Marquise* für interpretationsrelevant. Norbert Oellers (1998) hingegen reiht im Sinne einer missverstandenen Intertextualität, die eher an einen exzessiv betriebenen Positivismus erinnert, Verweisung an Verweisung, ohne ihre je unterschiedliche Funktion im *Erdbeben* zu bestimmen. Mit Feststellungen etwa, dass Kleists Prosawerk »keine historische Erzählung in dem Sinne [sei], daß die berichteten Ereignisse durch Quellen überliefert wären« (ebd., S. 97), dass im Rahmen ironisch gemeinter biblischer Anspielungen besonders »häufige Erwähnungen des Himmels« und seiner Anrufung zu der Frage führten, ob sie dort wahrgenommen würden, »denn der Himmel spielt in dieser Geschichte, trotz allen Anrufungen, keine nachweisbare Rolle, weil ihm alle Beteiligten fern sind« (ebd., S. 98 f.) oder dass das Erdbeben die »Enthumanisierung der Welt« beschleunige und die Erzählung »sich als radikale Absage an die Humanitäts-Vorstellung der deutschen Klassik« (ebd., S. 103) lese, leistet er einer ungewollten Trivialisierung oder Parodierung des Textes Vorschub, die andernorts (vgl. Appelt/Grathoff 2004, S. 109–118) schon wesentlich geistreicher vorgenommen worden sind.

Die Marquise von O....

Wo methodologische Abstinenz herrscht, nistet sich Beliebigkeit, wenn nicht gar Willkür ein. Dieses Fazit lässt sich nahezu aus allen Beiträgen des Wellbery-Bandes (vgl. S. 142) zur Interpretation des *Erdbebens* ziehen, gilt aber auch hinsichtlich der anderen Erzählungen Kleists und in Sonderheit für seine *Marquise von O....* Ohne Klarheit über den literaturwissenschaftlichen Zugriff bleiben das ins Auge gefasste Ziel unbestimmt, der literarische Text kryptisch, sein thematischer Schwerpunkt und seine Intentionalität ungewiss.

Schon zentrale Formulierungen in den Überschriften wichtiger Forschungsbeiträge zur *Marquise* signalisieren Vorbehalte, Unsicherheiten und – wie bereits bei Grimm (vgl. Kap. Entstehungs- und Wirkungsgeschichte, S. 130 ff.) – tastendes Suchen. Von »Beobachtungen zu Kleists *Die Marquise von O...*« (Politzer

1977) ist die Rede, von »Annäherungsversuche[n] an eine komplexe Textstruktur« (Grathoff 2005), von einem »Versuch« über die Erzählung (Krumbholz 1993), von »[l]iteraturpsychologischen Anmerkungen« (Pfeiffer 1988) oder von »[E]rsten Gedanken anläßlich der Edition von Kleists Erzählung« (Reuß 1989). Hier scheint sich zu bestätigen, was Hans Zeller (vgl. S. 139 ff.) 1994 kritisch diagnostizierte: die enorme Schwankungsbreite hinsichtlich der Benennung wesentlicher Passagen im Erzähltext, gravierende Diskrepanzen in der Bestimmung des Themas und der Intention der Erzählung sowie nahezu Beliebigkeit im methodischen Zugang. Ein das gesamte Textsystem erhellender, strukturbildende Prinzipien benennender und ein die beiden Erzählebenen der »histoire« und des »discours« (Todorov 1972) gleichermaßen berücksichtigender Zugriff oder eine semiotische Analyse auf syntagmatischer und paradigmatischer Ebene müssen als Desiderate der Kleist-Erzählforschung bezeichnet werden.

Von diesem Befund zeugen nahezu alle einschlägigen Forschungsbeiträge zu der *Marquise von O.*... Bereits die Bestimmung ihrer Handlungs- und Kompositionsstruktur führt zu Differenzen. Während Grathoff (2005) in der als analytische Rückblende gestalteten Hinführung der Handlung zur Veröffentlichung der Zeitungsannonce (S. 54 f.) das »axiale Zentrum des Textes« und seinen Wendepunkt sieht (ebd., S. 127), nimmt für Politzer (1977) gerade die skandalumwitterte Versöhnungsszene zwischen Vater und Tochter (S. 68.7–69.2) diese Funktion ein. Diese fundamentale Verschiebung der Funktionsbestimmung auf syntagmatischer Ebene ist seinem psychoanalytischen Zugriff geschuldet, erklärt er doch die Marquise kurzerhand für – tiefenpsychologisch – »krank: sie leidet an einer Hypertrophie ihres Über-Ich« (ebd., S. 111). Dieses Über-Ich der Marquise

H. Politzers psychoanalytischer Zugriff

> »gewährt ihr in den Armen des Vaters, was es ihr in der Umarmung des Mannes untersagt hatte: Hingabe, Bewußtsein und Genuß. Hier hat Kleist seine Marquise als Frau erkannt und dargestellt. In der Infrastruktur der Erzählung kommt dieser ›Versöhnung‹ axiale Bedeutung zu: sie verbindet den unheilschwangeren Beginn mit der Lösung an ihrem Ausgang.« (Ebd., S. 114 f.)

Mit dieser Funktionsbestimmung der Versöhnungsszene soll solchen Interpreten der argumentative Boden entzogen werden, die gerade im Entschluss der Marquise zur Veröffentlichung ihrer Zeitungsannonce, nachdem sie ihre Kinder vor dem Zugriff ihres Vaters/Bruders gerettet hat (S. 53), den entscheidenden Wendepunkt in der Erzählung und »Kleists erstes Darstellungsziel« wähnen, nämlich: »die *Geschichte einer weiblichen Emanzipation* zu erzählen« (Schmidt 1998, S. 75). Im Geiste der europäischen Spätaufklärung »erfährt sich die Marquise als zum selbständigen Handeln befähigt, und diese Selbsterfahrung führt sie zum *Bewußtsein* der Selbständigkeit. Aus dem neu gewonnenen Bewußtsein der Selbständigkeit, das auch ein ganz neues *Selbstbewußtsein* zur Folge hat, setzt sie mutig entschlossen die Anzeige in die Zeitung, mit der Kleist die Erzählung so fulminant eröffnet.« (Ebd., S. 76)

Geschichte einer weiblichen Emanzipation?

Für mehr textanalytisch arbeitende Interpreten führt eine solch geistesgeschichtlich, idealistisch orientierte Deutung der Textstelle zu heftigem Widerspruch. Völlig anderen Sinnes ist daher Dorrit Cohn (1975), die dem Erkenntnisproblem der Titelfigur und ihren unbewussten Gefühlen nachgeht und feststellt, dass hier die »verstandesmäßige Überlegung [die Marquise] keineswegs dazu führt, Wahrheit und Souveränität zu erlangen, sondern daß sie zeigt, wie ihr Bewußtsein in einer Selbsttäuschung befangen ist, einer Täuschung, die, unter anderem, alles Erotische hinwegzensiert« (ebd., S. 139). Und es überrascht angesichts dieser Deutung nicht, wenn Politzer sie ins Psychoanalytische verlängert und sekundiert:

D. Cohn

> »Was ihrem [der Marquise] Bewußtsein im Wege steht, ist nunmehr erfolgreich ins Unbewußte abgedrängt, allerdings um den Preis, daß sie ihren Fall über alles Natürliche hinaus erhebt. Es ist keineswegs Wirklichkeitsgerechtigkeit, sondern Überhebung über die Gesetze der Natur, religiös gesprochen: eine Blasphemie, was sie ihre Annonce ins Intelligenzblatt einrücken läßt.« (Politzer 1977, S. 123)

Es scheint hier der seltene Fall vorzuliegen, dass einander widersprechende und damit ausschließende Deutungen hinsichtlich einer identischen Textstelle – der »Selbstfindung« der Marquise – ihre Gültigkeit beanspruchen, die auch auf das Verständnis des

Gesamttextes ausgedehnt wird. Dieser Geltungsanspruch basiert jedoch auf jeweils unterschiedlichen Voraussetzungen, die zum einen im idealistisch-existentialistischen, zum anderen im psychoanalytischen Vorverständnis und den entsprechenden methodischen Zugriffen begründet sind. Nur auf dieser Ebene lässt sich die fundamentale Deutungsdiskrepanz erklären und verstehen.

Beide Ansätze halten jedoch hinsichtlich ihrer interpretatorischen Konsequenzen für ein Gesamtverständnis der Erzählung einer kritischen Überprüfung nicht stand. Wenn nämlich Politzer und die seinem Zugriff folgenden Interpreten die Darstellung des »Falls« der Marquise in Kleists Erzählung gleichsam zu einer psychopathologischen Studie erklären, in der die Versöhnungsszene zwischen Vater und Tochter dazu führe, der Marquise »Hingabe, Bewußtsein und Genuß« (ebd., S. 114) zu gewähren, dann wäre mit dem Vater als ›Stellvertreter‹ für den Grafen F. der ›Heilungsprozess‹ der Tochter an sein Ende gelangt und ihre hysterische Reaktion auf das Erscheinen ihres Vergewaltigers, die als lehrbuchhafte Krisis, als totaler Kollaps im Rahmen ihres behaupteten Krankheitsverlaufs aufzufassen wäre, nicht mehr vonnöten, ja geradezu widersprüchlich. Und wenn die ›zweite‹ Heirat zwischen ihr und dem Grafen von Politzer als »reiner Komödienfall« eingestuft wird, als »Bewerbung um die eigene Frau«, die nach ihrem Zusammenbruch bewusst »auf Tragik verzichtet« habe (ebd., S. 125), dann bedarf dieser wundersame Heilungs- und Erkenntnisprozess genauso einer – psychoanalytisch – plausiblen Erklärung wie die unbewiesene Behauptung, dass sie sich in ihrer zweiten Ehe dem Mann »hinzugeben [vermag, ihn] in der ganzen Fülle ihrer Existenz« (ebd., S. 127) liebe.

Auch die hinsichtlich des Verhaltens der Marquise apologetisch gestimmten Interpreten geraten in argumentative Schwierigkeiten, wenn die vermeintliche »Selbstfindung« der Titelfigur – wie noch Müller-Salget (FKA 3, S. 781) formuliert – in der kompositorischen Mitte der Erzählung in den unmittelbaren Kontext einbezogen wird. Denn der Akt der Selbstbestimmung und des Selbstbewusstseins, der v. a. in der älteren Forschung immer wieder apotheotisch gefeiert und philosophisch überhöht wird,

wenn man ihn denn isoliert betrachtet, dient in erster Linie dazu,
ihre Kinder vor dem Zugriff, besser: Übergriff ihres Bruders und
Vaters zu retten.

R. Reuß

»Sosehr [aber] der Marquise Einstehen für die Kinder ein
Moment von Freiheit in Anspruch nimmt« – wie Roland
Reuß (1989) zu Recht einwendet –, »sosehr ist auch richtig,
daß die Motive, die sie zu ihrer Handlung führen, präzise jene
sind, die [...] die Vorstellung Aller beherrschen: solche des
Besitzenwollens. Das unterstreicht [nämlich] mit Nachdruck
der folgende Satz, der von apolegetischen Deutungen meist
nicht mehr zitiert wird. Zwar ist die Marquise für einen Augenblick ›im Freien‹, aber dieser Augenblick ist schon vergan-
gen, indem sich zeigt, daß der Feind, dem sich die Marquise
entronnen wähnt, längst okkupiert hat, worin sie sich in ihrem Eigensten glaubt: den Horizont ihrer Vorstellungen.«
(Ebd., S. 14)

Die Sprache, in der ihre Beziehung zu den Kindern schonungslos
offenbar werde, sei die des Eroberns.

»Das Verhältnis zu den Kindern, ein innerliches par excellence, wird vollständig in Ausdrücken beschrieben, die dem Vo-
kabular des Krieges entstammen. Die Kinder werden zur Beute herabgesetzt – und das heißt eben auch: zur Sache, derer
man sich gewaltsam bemächtigt. Auch das eine Vergewalti-
gungsphantasie.« (Ebd.)

Überzeugender noch wird Reuß' Argumentation gegen die behauptete Befreiung der Marquise von den sie fremdbestimmen-
den gesellschaftlichen Konventionen, wenn das keineswegs ver-
söhnlich stimmende Ende der Erzählhandlung in den Blick genommen wird. Versteht die aufklärerische Philosophie zumindest
seit Immanuel Kant (1724–1804) die personale Würde des Menschen als Koinzidenz selbstbestimmten Denkens und Handelns
mit »Eingebundensein in Sozialität«, so werde sowohl an der zitierten Stelle als auch im Erzählausgang der Riss, der Spalt, in dem
sich alle wesentlichen Figuren der Erzählung – die Marquise, der
Graf, der Oberst und die Obristin – befänden, deutlich. Diese

»Gespaltenheit der Person der Marquise [ließe sich] an ihrem
Schwanken zwischen der Kultivation ihrer Innerlichkeit und
dem unmotivierten Drang, sich zu profanieren, [illustrieren],

welcher krasser nicht hätte dargestellt werden als durch die Zeitungsannonce. [...] Der Graf, *als Person* von der Marquise schon darum nicht wahrgenommen – wie Kleists Text sagt: *empfangen* –, weil im Horizont der unmenschlichen Vorstellungen von Engel und Teufel schematisiert, zerfällt vor den Augen des Lesers ebenfalls in zwei disparate Teile: Zum einen ist er *anscheinend* der von seiner Begierde Getriebene, der den Anderen mißbraucht, und er zeigt sich andererseits als Altruist, der zu jedem Opfer bereit ist. Als *mutmaßlicher* Vergewaltiger der Marquise scheint er sich gewaltsam alle Rechte einer anderen Person gegenüber zu nehmen: er macht sie zum Vehikel der Triebabfuhr, zur Sache; als Ehemann unterschreibt er einen ›Heirathskontrakt‹, der ihm, das andere Extrem, allein Pflichten überträgt – er macht sich selbst zur Sache. Frau von G... [...] erweist sich in ihrem durchgängig instrumentellen Handeln nicht als Vermittlerin, sondern, wie Kleist in dem scharfen Schlußabschnitt ausspricht, als vom Geld korrumpierte *Veranstalterin*.« (Ebd., S. 16 f.)

Und das durch und durch autoritäre Verhalten des Obristen während der Verteidigung der Zitadelle und hinsichtlich der Fürsorge für seine Familie wandele sich zur »Vorstellung eines haltlos schluchzenden Hysterikers« (ebd., S. 17) in der Versöhnungsszene, womit der Riss in seiner personalen Struktur deutlicher nicht hätte ausfallen können.

Über eine solche Verstehensdivergenz – beispielhaft dargestellt anhand bedeutungsrelevanter Handlungssegmente der Erzählung – hinaus ist die Forschung zu der *Marquise* von einer Fülle von Beiträgen zu Einzelaspekten gekennzeichnet. Ob es etwa die Fieberphantasie des Grafen F... ist, in der er den stolzen, auf »feurigen Flammen« umherschwimmenden Schwan namens Thinka mit Kot bewirft (S. 42.3–6), über deren Bedeutung und Funktion Curtis Bentzel (1991) handelt, ob die »Gebärde des Errötens« in der *Marquise von O....* zum Untersuchungsgegenstand wird (Skrotzki 1971) oder die signifikante militärische Sprache der Erzählung das Forscherinteresse anzieht (Swales 1977), stets ließe sich deren funktionaler Stellenwert nur dann präzise eruieren, wenn die erzielten Ergebnisse in den größeren Kontext eines angestrebten Gesamtverständnisses der Erzählung eingebettet würden.

Wegweisend und zielführend scheinen darum solche Ansätze zu sein, die von vornherein das Erkenntnisziel in der besonderen literarischen Verfasstheit des Textes, in der individuellen sprachlichen Realisation und im Akt des Erzählens selbst sehen, kurz: Ansätze, die die Ebene des ›discours‹ in funktionalem Zusammenhang mit der der ›histoire‹ in den Blick nehmen. Hierzu sollen im Folgenden einige grundlegende Textbefunde und Forschungsergebnisse dargelegt werden.

Ausgehend von der durch chronologische Inversion hervorgerufenen Initial- und Zentralstellung der Zeitungsannonce, auf die in der Handlungsmitte nach der analytisch nachgeholten Hinführung nochmals qua Metafiktion verwiesen wird (S. 54.35–55.2), beginnen diejenigen Episoden, in denen die mittelbaren und unmittelbaren Auswirkungen auf den gesellschaftlichen Skandal der Vergewaltigung geschildert werden. Mit ihrem Entschluss und dem im wahren Wortsinn publizierten Affront gegen ein soziales Tabu – das öffentliche Sprechen über Sexualität (vgl. Grathoff 2005, S. 123 ff.) – initiiert die Marquise Komplexes »Satyrspiel« (und mit ihr Kleist) ein komplexes »Satyrspiel«, das nicht nur auf die (Wiedererkennungs-)Szene am Morgen des »gefürchteten dritten« beschränkt bleibt – wie Politzer meint (1977, S. 101) –, sondern die gesamte Handlung nach der Veröffentlichung der Zeitungsannonce umfasst. Die von der Marquise bewusst und vorsätzlich ausgelöste Provokation nötigt ihr selbst und den drei anderen in das Spiel involvierten Personen Rollen ab, die sie bewusst-unbewusst übernehmen und die durch besondere sprachlich-künstlerische Verfremdungen hervorgehoben sind.

Schon die Wiederbegegnungsszene zwischen dem Grafen F.... und der Marquise auf ihrem Landgut (S. 56 f.) scheitert, weil der Graf von der Marquise, die die allzu frühe Entlarvung ihres riskanten Spiels fürchtet, daran gehindert wird, sein Geständnis verbaliter zu äußern. Stattdessen fallen jene, in der Forschung (vgl. Cohn 1975, Politzer 1977, Hoverland 1978) vielfach beachteten, mehrdeutigen Worte »Ich *will nichts* wissen« (57.21–22), die eben nicht »eine formelhafte Wendung mit der Bedeutung ›ich will davon [wovon?] nichts hören‹« (Appelt/Grathoff 2004, S. 28) vermeinen, sondern den unabdingbaren Willen der

Marquise dokumentieren, die Reaktion auf ihre Anzeige abwarten zu wollen, damit ihr einmal ins Rollen gekommenes Spiel nicht durchkreuzt werde.

Und auch der Commendant ist sich der Posse mit durchaus ernstem Hintergrund bewusst, die seine ihm wohlbekannte Tochter inszeniert hat. Bevor die Antwort auf die Anzeige der Marquise »in einem Intelligenzblatt« (sic!) erscheint, äußert er eine nicht nur scherzhaft verkleidete, scheinbar völlig abwegige Vermutung:

> »o! sie ist unschuldig. Wie! rief Frau von G...., mit dem alleräußersten Erstaunen: unschuldig? Sie hat es im Schlaf getan, sagte der Commendant, ohne aufzusehen. Im Schlafe! Versetzte Frau von G.... Und ein so ungeheurer Vorfall wäre –? Die Närrin! rief der Commendant, schob die Papiere über einander, und ging weg.« (60.2–7)

Das Unaussprechliche, das Ärgste und Schlimmste, dass nämlich der Marquise Aktion ein wohldurchdachter Betrug, eine planvoll angelegte List sein könnte, bleibt hier noch – der Gedankenstrich signalisiert es – unausgesprochen.

Nach der veröffentlichten Antwort des Grafen wird der Obrist jedoch deutlicher:

> »Lorenzo, rief die Obristin, was hältst du davon? O die Schändliche! versetzte der Commendant, und stand auf; o die verschmitzte Heuchlerin! Zehnmal die Schamlosigkeit einer Hündin, mit zehnfacher List des Fuchses gepaart, reichen noch an die ihrige nicht! Solch eine Miene! Zwei solche Augen! Ein Cherub hat sie nicht treuer! – und jammerte und konnte sich nicht beruhigen.« (60.20–26)

Die Kette der Interjektionen verweist in ihrer sprachlichen Doppelsignatur eben nicht primär – wenn überhaupt – auf den scheinbar denotierten Sachverhalt, dass seine Tochter die Vergewaltigung *in dem Sinne* nur vorgetäuscht haben könnte, dass sie zumindest nicht vollständig gegen ihren Willen geschah und sie sich in den Täter verliebt hat, so dass eher von einer *Verführung* als von einer Vergewaltigung zu sprechen wäre, sondern auf die ebenfalls konnotierte Klarsicht des Obristen hinsichtlich des von der Marquise eingefädelten (todernsten) Spiels, dessen Ziel er zu kennen meint: die höchstmögliche materielle (Geld) und soziale (den Grafentitel) ›Entschädigung‹ – die sie ja auch letztlich erhält – für die ungeheure Tat.

Selbst die durchtriebene Obristin trägt ihren Teil zum »Satyrspiel« bei. Bevor nämlich »die Marquise das volle Ausmaß dessen, was sie in ihrem Bruch mit der Konvention [...] in die Wege geleitet hat, am eigenen Leib erfahren muß, bekommt sie in der Mutter eine parteiliche Gefolgschaft« (Fischer 1988, S. 51). Auf ihre komödienhafte List, Leopardo als den geheimen Vergewaltiger ihre Tochter zu präsentieren (S. 63 f.), geht die Marquise nur allzu bereitwillig ein, durchschaut sie doch die plumpe Intrige der Mutter und die tatsächliche Unmöglichkeit ihrer Unterstellung. Und so ist die ironische Dimension im – prima vista – befremdlich wirkenden Bekenntnis der Obristin unüberhörbar: »ich *will* keine andre Ehre mehr, als deine Schande« (65.17–18). Marquise und Obristin sind sich ihres – freilich aus unterschiedlichen Gründen – Erfolges bewusst, wenn sie auf der Heimfahrt zum Haus des Commendanten übermütig und zu Scherzen aufgelegt über die Vorstellung eines ›Vergewaltigers Leopardo‹ sich amüsieren (S. 65) und die Marquise ›halb seufzend, halb lächelnd‹ den entscheidenden Ereignissen am folgenden Tag entgegensieht.

Auch die bewusste Inszenierung der Entlarvungsepisode trägt gleichermaßen Züge der Komödie wie der Tragödie. Schon der ›Prolog‹ mit dem Auftritt Leopardos ist »eine Komödienszene erster Ordnung« (Politzer 1977, S. 100). Für einen kurzen Moment nur scheint die Möglichkeit auf, dass der Jäger doch noch der sein könnte (»Die Weiber erblaßten bei diesem Anblick.« 70.11–12), für den die beiden Frauen ihn tags zuvor dem Spott preisgegeben haben. Doch dann erscheint Graf F.... »in genau demselben Kriegsrock, mit Orden und Waffen, wie er sie bei der Eroberung des Forts getragen hatte« (70.18–20). Und bevor die Marquise den vermeintlichen »Teufel« in einem spektakulären Akt exorziert, erinnert die Obristin an das Naheliegende, das Wahrscheinliche:

»[D]och Frau von G...., indem sie die Hand derselben ergriff, rief: Julietta –! Und wie erstickt von Gedanken, ging ihr die Sprache aus. Sie heftete die Augen fest auf den Grafen und wiederholte: ich bitte dich, Julietta! indem sie sie nach sich zog: wen erwarten wir denn –? [...] Wen sonst, rief die Obristin mit beklemmter Stimme, wen sonst, wir Sinnberaubten, als ihn –?« (70.23–71.1)

Mit dem befremdlichen und verfremdenden Wort der »Sinnberaubten« macht die Obristin auf die Tatsache aufmerksam, dass es an der Zeit sei, das makabre Versteckspiel aufzugeben, wer sich als Vater des ungeborenen Kindes der Marquise ausgibt, weil es eh schon ein jeder der Beteiligten weiß. Darum und weil die Marquise ihrer Rolle nicht mehr gerecht zu werden droht, plädiert sie nicht für ein Ende der »Komödie des Selbstbetrugs« (Krumbholz 1993, S. 131), sondern für das Ende einer Komödie der inszenierten Verschleierung längst bekannter Sachverhalte, das sie auch konsequent einleitet:

> »Die Marquise stand starr über ihm [dem Grafen], und sagte: ich werde wahnsinnig werden, meine Mutter! Du Törin, erwiderte die Mutter, zog sie zu sich, und flüsterte ihr etwas in das Ohr. Die Marquise wandte sich, und stürzte, beide Hände vor das Gesicht, auf den Sopha nieder. Die Mutter rief: Unglückliche! Was fehlt dir? Was ist geschehn, worauf du nicht vorbereitet warst? –« (71.1–8)

Was auch immer die Mutter der Marquise ihrer Tochter ins Ohr geflüstert haben mag – mit ihrer Erinnerung an die Vorbereitungen auf das Treffen an diesem »gefürchteten dritten« nimmt die gar nicht so tumbe Obristin das Heft der Geschehnisse in die Hand, die aus dem Ruder zu laufen drohen. Nach dem unkontrollierten (?) Ausbruch, dem anderen ›Fall‹ der Marquise in der Auseinandersetzung mit dem Grafen, in dem sie nunmehr – sprachlich nach drei Gedankenstrichen herausgeschleudert – einen »Teufel« sehen will, verlässt sie die Bühne hochdramatischer Ver- und Entwicklungen.

Den Rest besorgen die Eltern: Die Obristin ordnet herrisch an, dass der Commendant dem Grafen F.... seinen Segen zu erteilen habe, setzt für den kommenden Tag die kirchliche Trauung fest und versucht, das Einverständnis ihrer Tochter für die Vermählung zu erlangen. Dies gelingt erst dem Obristen, nachdem er einen Heiratsvertrag aufgesetzt hat, in dem festgelegt wird, dass der Graf auf »alle Rechte eines Gemahls Verzicht« (72.33–34) zu leisten habe, aber allen Pflichten nachzukommen sich bereit

erklärt. Nach der Blitz-Trauung trennen sich die Frischvermähl-
ten wieder, der Graf nimmt »den Hut vor der Gesellschaft«
(73.20–21) ab, hinterlässt auf der Wiege des später geborenen
Knaben eine Schenkung in Höhe von 20 000 Rubel und setzt die
Marquise im Falle seines Todes zur Universalerbin seines restli-
chen Vermögens ein.

Wer angesichts eines solchen Erzählschlusses und der gleichsam
aus typischen Komödienelementen versatzstückartig kompo-
nierten Erzählhandlung mit teilweise tragisch-unkontrollierter
Tendenz – wie gezeigt werden konnte – eine emanzipatorische
Intention der Erzählung im Sinne einer Entwicklung von Selbstfindung, Selbstbewusstsein und personaler Autonomie, eine
moralische Rehabilitierung der Marquise im Geiste der aufklä-
rerischen Philosophie (vgl. S. 162) sehen will, unterschlägt die
Doppelbödigkeit des Textes, vernachlässigt wesentliche sprachlich-künstlerische Elemente der Textkonstitution und verfehlt
den im Text angelegten radikalen Bruch mit zeitgenössischen Er-
Gezielte
Provokation
gesellschaft-
licher Tabus
zähltraditionen sowie die gezielte Provokation gesellschaftlicher
Tabus. Nicht nur das bewusst von Kleist – und auch von der
Marquise – inszenierte Satyrspiel, wie weit man es mit einem
Tabubruch treiben kann, wird zum ›gesellschaftlichen‹ Experiment, sondern auch die Erzählung selbst, die Art und Weise des
Erzählens werden zum experimentum crucis für die Erzählung
des 19. Jahrhunderts. Indem nämlich Kleist die dargestellten Ereignisse in verfremdender Sprache zur Darstellung bringt, die
Erzählung mit einem System ironisierender und parodierender
Elemente durchwirkt, konsequent den Stil moralischer Gesell-
schaftserzählungen imitiert und parodiert, erschafft er eine Doppelsignatur des Erzählten, von der mit anderer Intention schon
hinsichtlich des *Erdbebens* die Rede war (vgl. S. 141 f.), die psychoanalytisch orientierte Interpreten wie Politzer u. a. (s.
S. 161 f.) geschickt als Einfallstor benutzen.
Doppel-
signatur der
Erzählung
Die in Rede stehende spezifische Doppelsignatur der Erzählung
bedarf nunmehr der Erläuterung. Hierbei handelt es sich v. a.
um den Angriff auf die bigotte, korrupte Doppelmoral der gesellschaftlichen Öffentlichkeit im ausgehenden 18. Jahrhundert.
Indem Kleist das Unaussprechliche einer mutmaßlichen Vergewaltigung zur Sprache bringt, Privates und Intimes öffentlich

macht und die Beseitigung des Skandals durch Geld und Vermögen schildert, dekuvriert er die öffentliche Moral als durch und durch korrupt und die empörte Reaktion auf seinen Entlarvungsprozess als zutiefst heuchlerisch. Horn (1978) dagegen wendet den Vorwurf der Doppelmoral ideologiekritisch gegen Kleist selbst, der das »Unsägliche«, das »nicht rational Diskutierbare« in dem »irrationalen Sprung« der Erzählung zu sehen glaubt, »daß der Graf F. als Offizier eine Tat begangen hat, um derentwillen seine Untergebenen die Todesstrafe erleiden mussten« (ebd., S. 88), und hält das moralische Problem erst dann für vollständig erfasst, wenn man es als Klassenproblem verstehe (ebd., S. 99).

Es verwundert darum nicht, wenn Kleist auf die vernichtende Kritik Böttigers (vgl. Kap. Entstehungs- und Wirkungsgeschichte, S. 127) im April/Mai-Heft der Zeitschrift *Phöbus* mit einer Serie von sechs Epigrammen (vgl. Grathoff 2005, S. 100 ff.; FKA 3, S. 414 f.; Doering 2004, S. 53) antwortet, die an Bissigkeit nichts zu wünschen übrig lassen. Im ersten Epigramm (Nr. 19) mit dem Titel *Die Marquise von O....* (FKA 3, S. 414) verlacht er noch die künstlich aufgebrachten Moralisten:

>»Dieser Roman ist nicht für dich, meine Tochter. In Ohnmacht!
>
>Schamlose Posse! Sie hielt, weiß ich, die Augen bloß zu.«

Die explizite Hervorhebung des Autorwissens (»weiß ich«) verweist auf das bewusst Konstruierte der Erzählhandlung und spielt ironisch mit dem Wahrhaftigkeitsanspruch des Erzählten. Derart will er spöttelnd den Kritikern den Wind aus den Segeln nehmen.

Aber auch den allzu offensichtlich sich verletzt zeigenden Lesern – und hier sind es v. a. die empfindsamen Leserinnen, die Moral mit Dichtung verwechseln – schreibt er ins Stammbuch:

>»An ***
>
>Wenn ich die Brust dir je, o Sensitiva, verletze,
>
>Nimmermehr dichten will ich: Pest sei und Gift dann mein Lied.«

Und das Sensationslüsterne, die »heimliche Lust, hinter den Schriftzeichen etwas Anzügliches entdecken zu wollen, was dort nicht ist (wie das Augenzuhalten statt der Ohnmacht), um zugleich im Brustton moralischer Empörung öffentlich zu lamentieren« (Grathoff 2005, S. 101), thematisiert Kleist mit dem folgenden, dem 21. Epigramm:

> »Die Susannen
> Euch aber dort, euch kenn' ich! Seht, schreib' ich dies Wort
> euch: שׁוּ אכּבַ
> Schwarz auf weiß hin: was gilt's? denkt ihr – ich sag' nur
> nicht, was.«

Kleists unmittelbare Replik auf die veröffentlichte Literaturkritik zielt indes genauer auf den zeitgenössischen Publikumsgeschmack, der sich v. a. aus den moralischen Wochenschriften und moralischen Erzählungen erschließen und nachweisen lässt (vgl. Kap. Entstehungs- und Wirkungsgeschichte, S. 130). Dort nämlich wird strikt zwischen Gut und Böse unterschieden, wird das Sexuelle tabuisiert und die Liebe zum Mythos. In der *Marquise von O....* hingegen verabschiedet Kleist »die Illusion, Gut und Böse seien nicht nur voneinander zu unterscheiden, sondern auch zu trennen«. Mit seiner Erzählung verbindet er den Appell, »den Mythos aufzuklären, statt ihn zu verschleiern, [...] den Mythos – statt ihn zu verdrängen – zur Sprache zu bringen« (Krumbholz 1993, S. 132), und entzieht derart der herkömmlichen moralischen Erzählung das Fundament.

Zur Doppelsignatur, profaner ausgedrückt: zum doppelten Boden der Erzählung gehören aber auch – und vielleicht sogar wesentlich – die angewendeten künstlerischen Verfahren, die Kleist nicht etwa in einem Akt künstlerischer Kreativität selbst geschaffen hat, sondern zum feststehenden Inventar zeitgenössischer Literatur gehören. In einer Zeit des Gefühlsüberschwangs und der grenzenlos ausgelebten Emotion gehörten heulende Väter, hysterische Frauen, in Liebesschmerz und Sehnsucht sich verzehrende Jungfrauen sowie hochempfindsame Liebhaber zum nahezu stehenden Personal der Rührstücke, Komödien, bürgerlichen Trauerspiele und ›tragédies domestiques‹ auf deutschen Bühnen (vgl. Fischer 1988, S. 40). Wenn die Marquise nach ihrer bestandenen Probe sich »voll froher Rührung« zu ihrer Mutter herabbeugt, diese wegen der »Niedrigkeit [ihres] Verhaltens« gegenüber der »Herrliche[n], Überirdische[n]« um Verzeihung bittet und wissen will, »ob du mich noch lieben, und

Künstlerische Verfahren

so aufrichtig verehren kannst, als sonst?« (64.35–65.5), der Vater als völlig derangierter Pater familias »sich ganz krumm [beugte], und heulte, daß die Wände erschallten, [und] er sich ganz konvulsivisch gebärdete« (S. 67), dann werden hier gängige Szenen und Verhaltensmuster aus beliebten Rührstücken Kotzebues (1761–1819), Ifflands (1759–1814) oder von Gemmingens (1755–1836) persifliert. Kleist bedient sich hier – wie schon in der Gartenlaube-Szene (FKA 3, S. 170 f.) und der Szene im Schlafzimmer des Vaters (S. 166 f.) – typologisierter Handlungsmuster konventioneller Familien- und Liebesdramen – allerdings in parodierender und travestierender Absicht (vgl. Fischer 1988, S. 51).

Parodie,
Travestie,
Persiflage

Und auch die von Politzer zur zentralen Begebenheit erklärte, unter Inzest-Verdacht stehende Versöhnung zwischen Vater und Tochter (vgl. S. 161) – im Übrigen eine Schlüsselloch-Szene par excellence – ist dem Zeitgeist geschuldet und weist überdies sprachlich die schon für das *Erdbeben* herausgehobene Als-ob-Struktur (vgl. S. 151 ff.) auf, wie von Wilpert (1986) überzeugend nachzuweisen vermag.

»Gerade in der mehrfachen Wiederholung des Vergleichs wird dem Verdacht der Freudianer der Boden entzogen, und was schließlich dem heutigen Leser immer noch als ein Zuviel an Rührung und Wiedergutmachung erscheinen mag, erklärt sich letztlich aus dem Schwanken zwischen Extremen, das so typisch für diese Novelle ist.« (Ebd., S. 337)

Kleists *Marquise von O…* kommt somit innerhalb des literarischen Systems eine dominante, eminent literarkritische Funktion zu, die über die Kritik an der zeitgenössischen Gesellschaft und ihrer Doppelmoral im textexternen Bereich weit hinausgeht. Hier wird im experimentellen Erzählen die neue Kanonisierung eines Erzähltypus' im Geiste einer »Ästhetik der Entgegensetzung«, einer Ästhetik der Opposition (Lotman 1972, S. 410 ff.) deutlich, die Kleist im Bruch, im radikalen Dominantenwechsel von der Erzähltradition des 18. zum 19. Jahrhundert in den Blick genommen haben mag (vgl. S. 131).

»Ästhetik der
Entgegen-
setzung«

Rückte in Kleists *Erdbeben* nicht die Schilderung einer Naturkatastrophe und ihrer Auswirkungen, sondern die Vielzahl teils
unterschiedlicher Standpunkte, teils einander widersprechender
Deutungen eines solchen Ereignisses, in der *Marquise* die bewusste Inszenierung einer skandalumwitterten Begebenheit
durch die Titelfigur mit dramaturgischen und narrativen Mitteln ins Zentrum der Erzählung, so ist es in der *Verlobung* das
poetische Experiment, die liebesähnliche Beziehung zwischen
einem europäischen Fremden und einem Mischling vor dem
Hintergrund der Sklavenaufstände und der Rassenunruhen auf
Haiti am Ende des 18. Jahrhunderts erzählerisch höchst komplex und artifiziell zu gestalten.

Schon die Schwierigkeit, den thematischen Schwerpunkt exakt
zu bestimmen, verweist zugleich auf das grundlegende metho-
dische Problem eines adäquaten analytischen Zugriffs auf *Die
Verlobung in St. Domingo*. Denn für keine andere der in diesem
Band aufgenommenen Erzählungen erweist sich die kategoriale
Unterscheidung, ob Interpreten primär text- oder kontextorientiert arbeiten, der poetischen Verfasstheit des Textes oder den
extratextuellen Bezügen Priorität einräumen (vgl. S. 143), für die
Ergebnisse ihrer Anstrengungen relevanter als für diese, wohl zu
Beginn des Jahres 1811 entstandene und mit Kleists Gefangenschaft 1807 im französischen Fort de Joux in Verbindung stehende Erzählung, starb doch am 27. 4. 1803 der Anführer des
Sklavenaufstandes, General Toussaint Louverture (vgl. Wort-
und Sacherläuterungen S. 211 f.), nach seiner Gefangennahme in
eben diesem Fort an der Schweizer Grenze.

Die im Text unschwer nachweisbare enge Verflochtenheit bio-
graphischer Ereignisse, historischer Bezüge, geistesgeschichtlicher Hintergründe und poetischer Experimentierlust bestimmte
darum nicht zufällig die jeweiligen Schwerpunkte in der Kleist-
Forschung. Je verschiedene Erkenntnisinteressen, vermeintliche
Aktualitäten bestimmter Fragestellungen und methodischer
Mainstream prägten v. a. die ab den 1970er Jahren erschienenen
Forschungsbeiträge. Wies Peter Horn (1975) den gegen den Autor Kleist erhobenen Rassismusvorwurf in der älteren For-

schung – etwa von Martini (1940) oder Pongs (1930/31) – entschieden zurück, fokussierte sich wenig später das Forschungsinteresse auf die »Frage nach Kleists Einstellung zur Sklavenbefreiung und zur Französischen Revolution [...], wobei das inhaltliche Problem zu erzähltheoretischen Fragestellungen führte« (Herrmann 1998, S. 114). – Im Wesentlichen lassen sich zwei Forschungsstränge unterscheiden: Während dem einen Beiträge diskursanalytischer und dekonstruktivistischer Art zu Problemen des Postkolonialismus (Angress 1977, Fink 1988/89), des Rassismus (Uerlings 1991, Werlen 1992), der Geschlechterrollen (Werlen, Weigel 1991) oder der Superiorität/Inferiorität von Kulturen (Bay 1998) zuzurechnen sind, finden sich im anderen Strang Arbeiten zu dezidiert poetisch-ästhetischen Fragestellungen (Reuß 1988, Herrmann 1998, Neumann 2003). Das dringend zu lösende Problem der Vermittlung zwischen literarischen und außerliterarischen Strukturen innerhalb des Textes bleibt hingegen eher unterbelichtet, wenn man von den jüngsten Arbeiten Herrmanns (1998) und Neumanns (2003) einmal absieht.

Zwei Forschungsstränge

Textphilologische Notwendigkeit gebietet es, die kritische Sichtung der Forschungsliteratur mit denjenigen Arbeiten zu beginnen, die zunächst textinterne Probleme der Erzählung thematisieren, bevor sich deren und andere Verfasser extratextuellen Bezügen zuwenden. Aus diesem Grund soll der Beitrag Hans Peter Herrmanns (1998), der diese methodologische Forderung nahezu idealtypisch erfüllt, nicht nur an den Beginn der im Folgenden dargelegten Befunde und Überlegungen gestellt, sondern auch in seiner zweistufigen, hermeneutisch-historisch ausgerichteten Analyse der *Verlobung* unter den beiden leitenden Gesichtspunkten separat gewürdigt werden, ohne dass die von ihm erzielten Ergebnisse unhinterfragt hingenommen würden.

H. P. Herrmanns hermeneutisch-historische Analyse

Herrmann nämlich kommt zutreffend zu der grundlegenden Einsicht, dass Kleists Erzählung eben »nicht primär von Rassen und Geschlechterdiskursen« handle, sondern die beiden Hauptprotagonisten sich in einer »feindlichen Umwelt [...] mit einander und mit sich selbst auseinandersetzen müssen, und erst über diese Vermittlung mit Rassen- und Geschlechterproblemen« (ebd., S. 116). Konsequent analysiert er darum in den beiden folgenden Kapiteln (ebd., S. 116–128) die Hauptfiguren Gustav und Toni sowie deren Verhältnis zueinander, um sich daran anschließend den übergreifenden Fragestellungen des Rassen- und Kulturproblems (ebd., S. 128–133) und seiner poetischen Vermittlung im Text zuzuwenden (ebd., S. 133–137).

Schon durch die zweistufige Erzählexposition, in der Gustavs Erscheinen vor der Hintertür des Hauses des Negers Congo Hoango sowohl in die Unruhen des Sklavenaufstandes als auch in die Rassenproblematik anhand des kurz skizzierten Leidensweges der Mulattin Babekan eingebettet sei, werde der »Fremde«, wie Gustav nahezu durchgängig vom Erzähler apostrophiert wird, in eine von ihm unerwartete, gefährliche Situation hineingestellt, die er kaum zu meistern in der Lage scheine. Hierbei handle es sich um ein typisches Expositionsschema für Kleists Erzählungen:

> »ein Mensch gerät, auf sich gestellt, in eine Situation, die er nicht durchschaut und in der er handeln muß. Kohlhaas vor einem unerwarteten Schlagbaum, die Marquise von O.... mit einer Leibesfrucht ohne Vater, Jeronimo am einstürzenden Gefängnispfeiler. [...] Doch weit mehr als dort wird hier die Schnittstelle zwischen den Kulturen zur Grenze zwischen Zivilisation und Barbarei ausgebaut.« (Ebd., S. 117)

Als Schweizer Staatsbürger und Angehöriger der in Bedrängnis geratenen französischen Kolonialarmee erhofft er von den unterdrückten Sklaven Unterstützung für sich und die Rettung seiner Familie, die er in Toni, der Tochter Babekans, zu finden glaubt. Mit dieser Grenzüberschreitung hin zum militärischen Feind, in die Welt der Schwarzen und in die für ihn fremden Moralvorstellungen, die für Jacques Brun (1981/82) im Sinne eines »Grenzverletzungsmotivs« eine poetische Konstante im Kleist'schen Erzählen darstellt, gerät Gustav nicht in einen Liebeskonflikt – wie fast alle Interpreten und auch Herrmann meinen feststellen zu müssen –, sondern in einen Überlebenskampf, in den die Liebe Tonis zu ihm, wie noch zu zeigen sein wird, hineinragt. Gustavs Orientierungslosigkeit, sein »Bedürfnis nach familialer Vertrautheit und Mitmenschlichkeit« (Herrmann 1998, S. 122), aber auch »[s]elbstlose Hingabe einerseits oder nackter Terror andererseits« machen ihn – wie Klaus Scherpe (1998, S. 56) in einem kulturwissenschaftlich und anthropologisch ausgerichteten Beitrag zu »First-Contact-Szenen« am Beispiel ausgewählter Romane der Autoren Georg Forster (1754–1794) und Joseph Conrad (1857–1924) gezeigt hat – einerseits zur möglichen Beute von Babekans tödlichem Spiel, andererseits aber auch zum nach Verstehen und Verständnis Suchenden, letztlich zum Opportunisten, der sich die ihm bietenden Chancen, sein Leben zu retten – und darin besteht sein primäres Interesse – konsequent zu nutzen sucht.

Diese für Gustav existentiell wichtige Intention prägt nicht nur die Situation nach der mit Toni verbrachten Liebesnacht. »Der Fremde«, heißt es im Text, »wußte nicht, wohin ihn die Tat, die er begangen, führen würde; inzwischen sah er so viel ein, daß er gerettet, und in dem Hause, in welchem er sich befand, für ihn nichts von dem Mädchen zu befürchten war.« (93.4–9) Und auch seine Vereinigung mit ihr sieht er als einen »Taumel wunderbar verwirrter Sinne, eine Mischung aus Begierde und Angst, die sie ihm eingeflößt [und] ihn zu einer solchen Tat ha[t] verführen können« (93.32–34). Selbst die von ihm ausgemalte gemeinsame Zukunft in der Schweiz steht unter dem zentralen Aspekt der Rettung, da Toni von seinem »alten ehrwürdigen Vater [...] dankbar und liebreich« empfangen werden würde, »weil sie seinen Sohn gerettet« (93.25–26) habe.

Bereits im unmittelbaren Umfeld der Liebesnacht spielt der Rettungsgedanke eine zentrale Rolle. Die von Gustav vorgetragene Anekdote vom Opfertod seiner früheren Verlobten Mariane Congreve (S. 91.23–92.26) endet mit der Feststellung des personalen Erzählers: »Wie ich gerettet worden bin, das weiß ich nicht.« (92.26–27) Und um den Zusammenhang zwischen der Aufopferung Marianes und dem damit vorgestellten Handlungsmuster für Toni herzustellen, schenkt er seiner ›neuen Verlobten‹ das goldene Kreuz der Guillotinierten, indem »er es ihr als ein Brautgeschenk, wie er es nannte [sic!], um den Hals« (93.14–15) hängt. Von einer »Naivität und Unverstelltheit« Gustavs, wie Herrmann sie meint konstatieren zu können (1998, S. 122), kann also nicht die Rede sein. Noch weniger von einer Vorstellung »Romeo und Julia in Haiti« (ebd., S. 123), kann doch eine Liebesbeziehung zwischen Kindern verfeindeter Fa-

milien oder Geschlechter nicht ausgemacht werden. Selbst dies-
seits einer solchen postfiguralen Konstellation greift die Kennzeichnung Herrmanns nicht, lässt sich doch das Ereignis »auf
den verwirrten Kissen des Bettes« (94.9–10) eindeutig weder auf
die Liebe noch auf Verführungskünste Tonis – wie Werlen (1992)
entschieden behauptet –, sondern auf deren sexuelle Attraktivität zurückzuführen, die ihre Wirkung auf Gustav – wie die Fuß-
waschungsszene (S. 89 f.) zeigt – nicht verfehlt. Darum bleibt
auch Herrmanns Resümee zu vordergründig: »Kleist nimmt die
Liebe seiner Figuren ernst; er beschreibt, wie dieses Mannkind
[?] einer Liebe gegenüber zugleich versagt und sie besteht, die
quer zu den Rassengrenzen angesiedelt ist.« (1998, S. 123)
Die Figur Toni sowie ihre Beziehung zu Gustav werden von
Herrmann weniger problematisch gedeutet. Das Verhältnis zwischen den beiden könne als asymmetrisch bezeichnet werden,
weil die beiden Protagonisten auf ihre unvorbereitete, völlig
überraschende Begegnung gänzlich unterschiedlich reagierten.
Toni nämlich sei die einzige Figur, die in der *Verlobung* eine
Entwicklung aufweise – einen Prozess der Befreiung von der rein
instrumentellen Funktion, die ihr als Werkzeug des Rachefeld-
zuges Congo Hoangos und Babekans oktroyiert worden sei. Aus
diesem Befreiungsprozess resultiere ihre Entwicklung zu einer
selbstbestimmten, willensstarken jungen Frau, die, »sensibel für
den Anderen, entschieden ihrem neuen Gefühl folgt, bis es für sie
keine Rückkehr in ihr altes Leben mehr gibt« (ebd., S. 124). Mit
»Überblick, Einfallsreichtum, Unerschrockenheit, Selbstdistanz
und wacher Bewußtheit« (ebd.) meistere sie die neue Situation
nach ihrer Liebesnacht mit Gustav, dem sie aufrichtige Liebes-
gefühle entgegenbringe und den sie deshalb – so ließe sich ergänzen – mit allen ihr zur Verfügung stehenden Mitteln retten
will. Scheitert nämlich ihre Rettungsaktion, wäre nicht nur Gustav verloren, sondern auch sie hätte ihr Leben verwirkt.
Allerdings erfülle sie das von Gustav vorgegebene und letztlich
auch von ihm erwartete Handlungsmuster der opferbereiten
Braut in der Nachfolge Marianes und in Opposition zur schrecklichen, aus der Sicht Gustavs moralisch verwerflichen Rache des
schwarzen Mädchens (S. 87.10–35) nicht. Zwar habe Toni als
»Marianes Nachfolgerin [...] auch deren Opfertod geerbt; aber

Mariane starb *für* Gustav, als Heldin und mit dem vollen Blick erfüllter Liebe auf ihn, Toni hingegen starb *durch* Gustav, unnötigerweise und ohne sein Bekenntnis zu ihrer Liebe noch hören zu können« (Herrmann 1998, S. 126). Mit der Fesselung Gustavs handele sie »an seiner Statt, macht ihn zum wehrlosen Opfer ihrer (richtigen) Planung, geht bewußt ein vielfaches Risiko dabei ein und meistert die schwierigen Folgesituationen mit großer Souveränität« (ebd., S. 127). Dass sie sich mit dieser eigenverantwortlichen Aktion explizit gegen den Kampf der Schwarzen stelle, der »durch ihre Geburt und deren Folgen für ihre Mutter auch ihr« (ebd., S. 126) Kampf gewesen sei, unterstreiche nicht nur ihren Innenkonflikt, sondern auch den von Babekan rechtens erhobenen Vorwurf des Verrats und ihre Verfluchung. In dieser eigentümlichen Gebrochenheit der Figur Toni scheine auch ihr Scheitern begründet. In welchem Maße auch Gustavs Unfähigkeit, seine Fesselung zu verstehen und Toni zu misstrauen, seine Verblendung hervorrufen oder bewirken, darüber wird in der Erhellung der extratextuellen Bezüge des Textes noch zu handeln sein.

Bewegt sich Herrmanns Beitrag in den ersten beiden Kapiteln fast ausschließlich auf der Ebene des Sujets oder – um Todorovs Begriffe zu verwenden – der »histoire«, genauer: auf der der Figurenkonstitution und -konstellation sowie der Konflikte, beschreitet Roland Reuß (1988) in den *Berliner Kleist-Blättern* einen anderen Weg der textanalytischen Vorgehensweise. Lapidar und apodiktisch stellt er fest, dass sich Auslegungen der Dichtungen Kleists, »die sich auf die Analyse stofflicher Momente seiner Texte beschränken, [...] in Gefahr geraten, den Gehalt und die eigentümliche Poetizität des Kleistschen Textes zu verfehlen« (Reuß 1988, S. 41). Speziell bei den Erzählungen resultiere daraus eine »mißglückte Rezeptions- und Interpretationsgeschichte«, für die er drei Gründe angibt.

R. Reuß

»Verantwortlich hierfür sind im wesentlichen drei Mängel literaturtheoretischer Reflexion: Das Fehlen eines hinreichend differenziert ausgearbeiteten *Text*begriffs; das Fehlen einer adäquaten Begrifflichkeit zur Bestimmung dessen, was bei Kleist mit Recht ›Realismus‹ genannt werden kann; das Fehlen textinterpretatorisch angeleiteter Argumentation bei der Konstituierung des kritischen Textes.« (Ebd., S. 41 f.)

Reuß nimmt also die gemeinsame Forderung der Formalisten, Strukturalisten und Semiotiker ernst, die Literarität, die poetische Verfasstheit literarischer Texte zu analysieren und die Regeln zu bestimmen, nach denen sie ›funktionieren‹. Er bewegt sich damit entschieden auf der Ebene des Erzählens selbst, also die, die Todorov als Ebene des »discours« benannt hat und die vom Diskursbegriff der Diskurstheoretiker, der sowohl von Herrmann (1998, S. 115, Anm. 17) als auch von Schmidt (2003, S. 45–48) heftig kritisiert wird, sorgfältig zu unterscheiden ist.

Entscheidend ist für Reuß der analytische Zugriff des Interpreten auf den Erzähltext. Gerade angesichts der unübersehbaren Inkohärenzen, Brüche und enttäuschten Lesererwartungen in der *Verlobung*, die bereits in der Ära literaturpositivistischen Forschens Kurt Günther (1910) in einer langen Liste zusammengestellt und auf die schon Grimm (vgl. Kap. Entstehungs- und Wirkungsgeschichte, S. 129) aufmerksam gemacht hat, empfiehlt Reuß den Zugang über »den Umweg eines Hintereingangs«, wie auch Gustav ihn beschreitet. »Zu diesem Umweg aber gehört: sich den Befremdlichkeiten des Textes erst einmal auszusetzen und sich seiner anscheinenden Disparatheit zu konfrontieren.« (Reuß 1988, S. 13) Gerade weil Kleist mit einem System »kontrollierter syntaktisch-semantischer Mehrdeutigkeit« (ebd., S. 9) arbeite, könne Gustavs Geste der ausgestreckten Hand und Babekans zweideutige Antwort »Kommt herein [...] und fürchtet nichts« (77.21–22) als Aufforderung an den Leser und seine Bereitschaft gesehen werden, »trotz der Unsicherheit über alles weitere den Eintritt zu wagen« (Reuß 1988, S. 17). Mehr noch: Mit dieser Einleitungssequenz – so ließe sich ergänzen – wird die Erzählwelt der *Verlobung* wie in der Darstellung der Erschaffung Adams im Fresko Michelangelos in der Sixtina allererst generiert – eine Geburt der Erzählwelt aus dem Geiste bewusster Mehrdeutigkeit.

Solche Mehrdeutigkeiten, die auf einen bewussten Verstoß gegen syntaktisch-semantische und erzähllogische Regeln zurückzuführen sind, spürt Reuß im Erzähltext auf und zieht aus ihnen interpretatorische Konsequenzen. Dabei beschränkt er sich nicht auf einzelne Stellen oder Passagen, sondern versucht, mit Hilfe und auf der Grundlage vermeintlich fehlerhafter Erzähler-

Kleists System »kontrollierter syntaktisch-semantischer Mehrdeutigkeit«

oder Personenrede den Gesamttext der Erzählung in den Griff zu bekommen.

Ausgehend von der triadischen Kompositions- und Handlungs- Triadische Kompositions- und Hand- lungsstruktur struktur der *Verlobung* (Eintritt Gustavs in die Welt der Schwar- zen – das Verhalten der Protagonisten nach der Liebesnacht – überraschende Rückkehr Congo Hoangos) weist er jedem der drei Segmente eine Funktion für das Gesamtverständnis der Er- zählung zu. Da er Kleists *Verlobung* nicht als »realistische« Er- zählung begreift (ebd., S. 23), entscheidet er sich für eine alle- Allegorisie- rende Deutung gorisierende Deutung in dem Sinne, dass der Text den »Schein- charakter der Kunst« (ebd., S. 29) thematisiere und er die Schwierigkeiten der Interpreten aufnehme. Auf der Basis der grundsätzlichen Trennung zwischen Erzählen und Erzähltem habe sich die Dichtung innerhalb des »ersten Teils von ihrem Scheincharakter, der ihr notwendig eignet, noch nicht gelöst« (ebd., S. 33). Der für eine Trennung notwendige Schritt mache es erforderlich, den Schein als Schein herauszustellen und »alsdann auf seine Quellen hin durchsichtig« (ebd., S. 34) zu machen.

Dieser Schritt werde mit dem Beginn des zweiten Teils getan, so dass der Erzähler »alles vorherige (und auch künftige) Reden in seiner scheinbar fraglosen Verweisungskraft suspendiert und als Bestandteil einer geschriebenen Erzählung ausspricht« (ebd.). Dadurch werde die referentielle Funktion der Sprache von ihrer reflexiv-ästhetischen überlagert und das Erzählen nicht mehr stofflich-inhaltlich begriffen, sondern als fiktional herausgestell- tes Erzählen mit dem Leser zusammen vollzogen, der damit kon- stitutiver Bestandteil des Erzählprozesses werde.

»Wenn nämlich einerseits zu Beginn des zweiten Teils die Sprachlichkeit der Erzählung als eine scheinhafte sich selbst stellt, wenn andererseits mit dem Erzählen fortgefahren wird, dann kann dieses Erzählen auch in einem grundsätzlicheren Sinne nicht mehr dieselbe Qualität haben wie alles vorherige. Macht es ernst mit der erreichten Koinzidenz von Leser und Erzähler [...], so darf es in seinem weiteren Vollzug die ge- meinsame Gegenwart beider nicht mehr preisgeben.« (Ebd., S. 36)

Indikatoren für eine solchen Erzählmodus sieht Reuß vor allem Erzählmodus in den kryptischen Äußerungen Tonis gegenüber anderen Protagonisten, die diese in ihrer Mehrdeutigkeit zu verstehen außerstande seien.

»Ob sich Toni gegenüber Babekan äußert, diese werde noch sehen, ›was sie an ihr für eine Tochter habe‹; ob sie dem Knaben Nanky in Aussicht stellt, der Neger Congo Hoango werde ihm, verfahre er nur so, wie sie ihm auftrage, dies schon ›lohnen‹; ob sie dann im dritten Teil die Fesselung des ›Fremden‹ vor Babekan und Hoango mit den Worten kommentiere, es sei ›beim Himmel‹ nicht ›die schlechteste That, die ich in meinem Leben getan‹: immer ist es der Leser, der den eigentlichen Sinn des von Toni Gesagten versteht, *nicht* die innerhalb der Stoffschicht agierende Person, an die sich die ›Mestize‹, sie täuschend, wendet.« (Ebd., S. 35 f.)

Der letzte Teil der Erzählung zeige schließlich den »Stand der poetischen Entwicklung« (ebd., S. 37), indem die Sprache des Erzählers einerseits »im *Anschein* das Moment der ungeschiedenen Einheit von Schein und Erscheinung, indem sie [andererseits] in der *gewaltsamen* Durchstoßung des Scheins deren Auseinanderklaffen betont« (ebd.) – gleichsam eine dialektische Synthese aus Schein und Erscheinung. Die »gewaltsame Durchstoßung des Scheincharakters erzählender Sprache« (ebd., S. 39) manifestiere sich fundamental in der nur scheinbar irrtümlichen Verwendung des Namens August statt Gustav (vgl. Wort- und Sacherläuterungen, S. 217).

Verwendung des Namens August statt Gustav

»Denn der ›Fremde‹ wird vom *Text* ›August‹ von dem Augenblick an genannt, in dem dieser, innerhalb des Hauses ans Bett gefesselt, allen Glauben an Toni verloren hat, und diese zugleich außerhalb des Hauses der Familie begegnet. [...] Ist aber die Unfähigkeit des ›Fremden‹, *wider allen Anschein [...] zu glauben*, für den Text Grund, dessen Namen umzukehren, so reflektiert sich das mißtrauische und mörderische Verhalten Augusts noch in jeder Rezeption, Interpretation und Edition des Kleistschen Textes, welche, dem Anschein der Inkorrektheit trostlos verfallend, den Unterschied zwischen Dichtung und täuschendem Schein nicht wahrt.« (Ebd., S. 40)

Man mag Reuß »Selbststilisierung« (Müller-Salget 1998, S. 103) hinsichtlich der von ihm verantworteten *Berliner/Brandenburger Kleist-Ausgabe* vorwerfen, seine Kommentierungen

»textmystifizierend« (Schings 1995) nennen, seine Methode wegen fehlender zeitgeschichtlicher Bezüge als »auf ästhetizistischen Abwegen« sich befindend ablehnen (Wittkowski 1992, S. 154, Anm. 7) oder seinen Kommentar gänzlich ignorieren, »weil er ganz darauf abhebt, Kleists ›Realismus‹ bestehe darin, daß er jede Stofflichkeit hinter sich lasse« (Uerlings 1991, S. 186, Anm. 5) und seine interpretatorischen Bemühungen als assoziativ und über das Ziel sorgfältiger Textphilologie hinausschießend bezeichnen – es bleibt Reuß' Verdienst, die Diskussion über Kleists in der Forschung lange vernachlässigte Erzählung neu angestoßen und ihre nicht zu unterschätzende Sperrigkeit nachhaltig ins Bewusstsein gehoben zu haben. Selbst der von ihm kritisierte Müller-Salget zollt ihm Respekt, wenn er konzediert: »Für eine zweite Auflage der *DKV*-Ausgabe ergibt sich jedenfalls aus der bisherigen Debatte der Gewinn, daß [...] in den Text der Erzählung an den besagten vier Stellen der Name *August* wieder eingesetzt wird.« (Müller-Salget 1998, S. 113)

Als Gegenpol zu Reuß, vielleicht sogar als Paradigmenwechsel in der Kleist-Forschung von der textanalytischen Auseinandersetzung zur Erhellung vermeintlicher oder nachweisbarer extratextueller Bezüge stellen sich viele Beiträge aus den 1990er Jahren dar, die allerdings methodisch (meist diskurstheoretisch oder dekonstruktivistisch) und literaturtheoretisch höchst problematisch und damit anfechtbar ausfallen. Wenn etwa Hansjörg Bay (1998) nachweisen will, dass »der Liebesgeschichte die gewählte Situierung keineswegs äußerlich bleibt und daß sowohl die ›Rassenverhältnisse‹ als auch ihr Umsturz tief eingeschrieben sind in Struktur und innere Dynamik der Erzählung« (ebd., S. 82), dafür aber dem Erzähler unterstellen muss, dass er für die ›Weißen‹ Partei ergreife, dann ist diese unbewiesene Behauptung genauso fragwürdig wie seine Methode desolat:

H. Bays dekonstruktivistische Lesart

»Kleists Novelle muß allerdings schon energisch gegen den Strich gelesen werden, um die in ihr enthaltene kolonialistische Sichtweise zu dekonstruieren. Das ist zulässig und durchaus sinnvoll; nur darf diese Dekonstruktion dann nicht umstandslos der Erzählung selbst zugerechnet werden. [...] Denn während die kolonialistische Sichtweise breit ausgeführt und die ganze Novelle aus einer ›weißen‹ Perspektive erzählt wird, fehlt die Formulierung einer Gegenperspektive, die sie nicht nur irritieren, sondern brechen würde. Um diese aus den unbestreitbar [sic!] starken Irritationsmomenten aufzubauen, müssen die Lesenden von vornherein [!] bereit und in der Lage sein, den Text gegen den Erzähler zu lesen, weil sie im Grunde bereits über eine solche Gegenperspektive verfügen, in die entsprechende Anhaltspunkte im Text dann integriert werden können.« (Ebd., S. 86 f.)

Seine Untersuchung der wichtigen Licht- und Farbmetaphorik (ebd., S. 89–91) lässt ihn später von einem »Hautfarben-Diskurs« (ebd., S. 90) und von einem »eurozentristische[n] Entwurf« (ebd., S. 92) der Herrschaft der Weißen über die Schwarzen sprechen, der aber durch Kleists spezifisches Erzählen wieder in Frage gestellt werde:

»Hautfarben-Diskurs«

»Indem Kleists Erzählung jedoch Positionen und Widerstände gegen diese Position in ein Spiel bringt, dessen Ausgang offen bleibt, erschüttert sie jede eindeutige Haltung und jedes feste Bild der ›Rassenverhältnisse‹. Dieses dekonstruktive Potential ist nicht der Effekt einer politischen Intention, sondern der spezifisch Kleistschen Erzählweise, die Figuren und Lesenden die Sinnangebote, die sie entfaltet, immer wieder entzieht.« (Ebd., S. 92)

Und der Boden literaturwissenschaftlichen Arbeitens sowie seriöser und konsistenter Argumentation wird spätestens dann verlassen, wenn er wegen der »ins Gelbliche gehenden« Hautfarbe Tonis von einer »Rassenkarriere« (ebd., S. 93) und einer Entwicklung zum »Bild der weißen Braut« (ebd., S. 97) spricht, aus denen er Schlüsse im Geiste der umgekehrten *political correctness* zieht:

»Ihr Tod erspart der zur ›weißen Braut‹ gewordenen Toni die Konfrontation mit diesen Makeln [des schwarzen Blutes und der Hautfarbe], er erspart Gustav und seiner ›weißen‹ Familie ein Kind, dessen Großmutter die ›schwarze‹ Babekan wäre, und er erspart den Schweizern eine Migrantin. So ›weiß‹, wie als Tote, hätte Toni nicht bleiben können; Gustavs Schuß ist das Siegel auf ihre Karriere und der letzte Stempel auf der Einreiseerlaubnis in die Schweiz.« (ebd., S. 99 f.)

Zynischer kann man mit Kleist und seinem fiktiven Personal kaum umgehen.

Auch für andere ›dekonstruktivistisch‹ orientierte Interpreten wird die Erzählung lediglich zum Anlass, zum Ausgangspunkt textexterner Probleme v. a. hinsichtlich der politischen Haltung ihres Autors. Wenn Herbert Uerlings (1991) forsch Einigkeit in der neueren Kleist-Forschung darin sehen will, »daß Kleists ›Verlobung in St. Domingo‹ als eine kritisch-sympathetische, die Partei der Schwarzen ergreifende Auseinandersetzung mit der haitianischen Revolution (1791–1804) und den damit verbundenen Fragen (Kolonialismus, Sklaverei, Rassismus) zu verstehen« (ebd., S. 185) sei, Ruth Angress (1977) gar eine vehemente Parteinahme gegen Imperialismus und Unterdrückung meint feststellen zu können und Sander Gilman (1982) die »Behandlung des Gegensatzes zwischen Schwarz und Weiß in Verbindung mit Kleists Kant-Krise und mit der zeitgenössischen Diskussion um die Ästhetik des Schwarzen [?]« (zit. n. Uerlings 1991, S. 185) im Text glaubt ausmachen zu können, dann werden solche ›Ergebnisse‹ mit dem Preis wenig trennscharfer Begriffe (neben der »Perspektive« und »Sicht« des Erzählers gibt es die der Erzählung sowie die »Position« des Autors; ebd., S. 187) und methodischer Verwirrung bezahlt. Literarhistorisches, Biographisches, Geistesgeschichtliches und Realhistorisches werden ausnahmslos und gleichwertig unter den Diskurs-Begriff, der jede Substanz verloren hat, subsumiert:

> »Weder für den politischen noch für den Rassen- noch für den Geschlechter-Diskurs kann von einer Dezentrierung gesprochen werden. Diskursanalyse und Dekonstruktion laufen Gefahr, an Texte und Diskurse zu hohe Konsistenzansprüche [sic!] zu stellen und dann jede Abweichung davon als subversive Textpraxis zu beschreiben. In der ›Verlobung‹ enthalten alle drei Diskurse einiges an Inkonsistenz und Widersprüchlichkeit und sind dennoch in sich und untereinander so geschlossen, daß die Schlußfolgerung nahe liegt, Kleist habe auf seine Kant-Krise mit dem Versuch erneuter Zentrierung, Hierarchisierung und Teleologisierung reagiert.« (Uerlings 1991, S. 200)

Auch Herrmann (1998) kann sich im zweiten Teil seiner Untersuchungen (S. 128–137) dem diskursanalytischen Zeitgeist nicht entziehen, obwohl er rechtens dem inflationär gebrauchten Diskursbegriff misstraut (ebd., S. 115, Anm. 17) und an seiner Statt von »Strukturschicht« oder Ebene der Erzählung spricht. Entschiedener als die genannten Interpreten fragt er nach dem Vermittlungsproblem, konkreter nach der Art und Weise, wie die Liebesproblematik, das Rassenproblem zwischen Schwarz und Weiß sowie die politischen und moralischen Implikationen *poetisch* integriert sind. Er sieht die Liebesbeziehung zwischen Gustav und Toni zwar verknüpft mit Problemen der europäischen Aufklärung, ihrer Moralphilosophie, humanistischen Menschlichkeitsfragen und der daraus scheinbar resultierenden Superiorität der westlichen Zivilisation und ihrer Werte über solche der Schwarzen. Aber Lösungen und Antworten werden nicht etwa in ›Sprachrohrtechnik‹ verkündet, sondern im Gegenteil *durch* die und *in* der Erzählung zugleich gesetzt und gebrochen. Herrmann lehnt es darum ab, »dieses widersprüchliche Verhältnis mit einem ästhetischen oder moralischen Programm der Dekonstruktion zu erklären, das Kleist in seinen Erzählungen realisiere« (ebd., S. 133 f.). Weil nämlich Kleists immanente Poetik des ›situativen Erzählens und Handelns‹ (vgl. S. 137) »gerade nicht an Programmen und Werten interessiert ist, [...] setzt Kleist in dieser Geschichte einer Liebesprobe den Rassengegensatz zur Instrumentierung ein; er soll die Liebe unter schwierigste Bedingungen stellen« (ebd., S. 134), die im Verlauf der Erzählung eine Eigendynamik entwickle und zu gewollten ›Inkohärenzen im Text‹ führe. Und auch den widerspruchvollen Doppelschluss der Erzählung versteht Herrmann poetologisch.

Gewollte
›Inkohärenzen
im Text‹

> »Das im Medium des Rassen- und Geschlechterdiskurses durchgeführte Experiment ist zu Ende; der Erzähler hat seine tödlich ernst gemeinte Geschichte vorgetragen. Jetzt rückt er sie mit leichter Ironie in poetische Ferne und entläßt sein Publikum aus ihrem Bann.« (Ebd., S. 137)

Dem Leser werde bewusst gemacht, dass ihm in und mit der *Verlobung* die Bedingungen der Möglichkeiten des spezifisch Kleist'schen Erzählens poetisch gegenübertreten.

G. Neumanns
interdiszipli-
närer Ansatz

Gerhard Neumanns (2003) hochkomplexer Beitrag kann als bislang anspruchsvollste Interpretation der *Verlobung* angesehen werden, die bei aller interdisziplinärer Aspektierung und nicht unproblematischer Übernahme eines historiographisch verstandenen Anekdoten-Begriffs (vgl. Schmidt 2003, S. 249, Anm. 95) das genuin *literatur*wissenschaftliche Interesse auch und gerade bei Vermittlungsproblemen zwischen inner- und außertextuellen Bezügen nicht aus dem Auge verliert. Gleichsam als ›summa‹, als Quintessenz der bisher vorgelegten Ergebnisse unterschiedlicher Interpreten verschiedenster Richtungen gelingt es ihm, den Beitrag Herrmanns (vgl. S. 185 f.) mit seinen vielfältigen Bezügen forciert genau dort zu konkretisieren, wo jener sich in allzu abstrakte Höhen verliert.

Wenn Neumann zu Beginn seiner Arbeit nolens volens erklärt, »daß es Kleist in seiner Geschichte nachdrücklich um die Darstellung historischer Wirklichkeit zu tun« sei (ebd., S. 178), dann ist diese zugleich genretypologische Klassifikation des Textes der übergeordneten Fragestellung nach einer neuen »Realismus-Debatte« und einer Neudefinition des Mimesis-Begriffes (ebd.) in der Literaturwissenschaft geschuldet, die als Reflex auf die narratologisch ausgerichtete wissenschaftstheoretische Neubegründung der Geschichtswissenschaft in den 1970er Jahren zurückgewirkt hat (vgl. hierzu: Koselleck/Stempel 1973).

Gravierender als solche wissenschaftshistorischen Einordnungen bleiben im Kontext textanalytischer Fragestellungen jedoch Probleme der poetischen Transformation von Geschichte, d. h. die Fokussierung auf die Frage, »wie Kleist beide Formen – den prägnanten Augen-Blick der Anekdote und das erzählerische System der Novelle – miteinander verknüpft, um die dem Ganzen zugrundeliegende Aporie ›erzählter und erzählbarer Geschichte‹ ins Bewusstsein zu heben« (ebd.). Um diese Frage beantworten zu können, nimmt Neumann zunächst die Ebene der ›histoire‹ in den Blick, will er doch – semiotisch ausgedrückt – die syntagmatische Ebene im Hinblick auf ihre Segmentierung untersuchen. Mit Rekurs auf den befremdlichen Titel der Erzählung, der einen explizit ausgesprochenen Akt der Verlobung anzeigt, der nicht stattfindet und darum auch nicht dargestellt wird, sieht er die Handlung der Novelle,

> »das Ereignismuster, das sie vergegenwärtigt, [als] eine Kette von Experimenten [an], von ›Verlobungen‹ mit dem Wirklichen, in denen diese Verwandlung des Liebes-Augenblicks in

ein Sozialmuster immer wieder geprobt – und zuletzt in die Katastrophe getrieben wird. Diese Experimenten-Kette macht, so könnte man sagen, die Erzählgrammatik der Novelle aus.« (Ebd., S. 181)

Erzählgram-matik der Novelle

Dabei werde – was schon Herrmann (1961) mit dem Begriff des »situativen Handelns« benannt hat (vgl. S. 137) – »das dargestellte Wirkliche fortgesetzt neu konstituiert« (ebd., S. 182). Wie Brun (vgl. S. 176) so fasst auch Neumann die Reihe der Begegnungen Gustavs mit dem Personal der schwarzen Welt und v. a. die Tonis mit dem ›Fremden‹ als Grenzüberschreitungen und Grenzverletzungen auf. Die Vielzahl solch »mühsamer Erkundungsakte könne darum – paradigmatisch – als eine Reihe von »ständig repetierte[n] *first-contact*-Szenen« bis hin zum »*clash of cultures*« (ebd., S. 182) verstanden werden – wie schon Scherpe (1991) in seiner anthropologisch-ethnologisch ausgerichteten Studie (vgl. S. 176f.) dargelegt hat. Diese fundamentalen Akte der Erst-Erkundung, der Wahrnehmung und Begegnung machten die Erzählstruktur der Novelle aus.

Entscheidend für Gustavs Suche nach Orientierung, Erkennen und Verstehen seien Kleists künstlerische Verfahren, mit denen er die Wahrnehmungsakte des ›Fremden‹, sein Begreifen ihm fremder Wirklichkeit literarisch gestalte. Zwei Verfahren erwiesen sich dabei als prägend: die Verwendung literarisch präfigurierter Topoi wie der Giftbecher oder die Fußwaschung und die Integration erzählter Wirklichkeit in den beiden Anekdoten über die Rache des schwarzen Mädchens und den Opfertod Mariane Congreves. Solche Topoi gäben präformierte Wahrnehmungs- und Handlungsmuster ab, mit denen das Unbekannte vorgeblich verstanden werden könne und die doch zum Missverstehen und »Versehen« – wie Müller-Seidel (1964) formuliert (vgl. S. 137) – führten.

Zwei Verfahren

Neumann kann also folgendes Zwischenergebnis formulieren:

Novelle als eine Wahrneh-mungsge-schichte

»Kleist konzipiert seine historische Novelle als eine Wahrnehmungsgeschichte, als eine erzählgrammatisch verknüpfte Kette von Wahrnehmungs-Experimenten. Darstellung des Wirklichen erscheint unter diesem Gesichtspunkt als Aufmerksamkeit auf die fortgesetzte situative Konstruktion von Wahrnehmung und Verstehen im sozialen Feld; Wahrneh-

mung im Feld intersubjektiver Kommunikation *einerseits*, also der Liebes*geschichten*, wie sie sich zwischen Mann und Frau ereignen, als erste Berührung samt ihrer Projektion auf ›erinnerte Urszenen‹, als ›Liebe auf den ersten Blick‹, als *encounter*-Situation; Wahrnehmung im Feld historischer Ereignisse *andererseits*, also des politischen Geschehens, der Erkundung des begegnenden Wirklichen durch dessen ›Messung‹ an erinnerten Erfahrungsmustern, mithin der Konstruktion von *Geschichte*. [...] Unter dem Aspekt narrativer Strategien gesehen, simuliert Kleists dominikanische Novelle, indem sie Novelle und Anekdote in Friktion bringt, indem sie Pointierung und narrative Entfaltung ineinander verschränkt, den Prozess der Historiographie selbst – und zwar als Zusammenspiel zwischen kontingenten Ereignissen und prägnanten Orientierungsmustern, die, wie die historischen ›Anekdoten‹, zum Verständnis, zur Modellierung, zur Präformierung von Wahrnehmung aufgerufen werden, ja zur Stiftung von Weltverständnis führen können. Kleists Novelle zeigt aber zugleich auch das Kollabieren dieses Wahrnehmungs-, Erkennungs- und Verhaltensmodell, das Kollabieren des Paradigmas der klassischen Historiographie und ihrer scheinbar unbezweifelten Wahrnehmungsstruktur.« (Ebd., S. 190)
Auch nach dem Ende des ersten Teils der Erzählung, das zusammenfalle mit der »anthropologische[n] Urszene der Begegnung zwischen den *Geschlechtern*, [als] ›Erkennen‹ zwischen Mann und Frau im Doppelsinn von Wahrnehmung und körperlicher Vereinigung« (ebd., S. 191), werde die Kette topischer Modelle oder Muster von Erkennen und Versehen fortgeführt, die zunehmend den Leser als Deuter so genannter Leerstellen und literarischer Allusionen in den Erzählprozess integriere. Ihren Höhepunkt und ihr furchtbares Ende erreiche die Entwicklung der Handlung mit der Fesselung Gustavs durch Toni und der aus diesem Akt verkannter Intentionen resultierende gewaltsame Tod beider Protagonisten.

Integration des Lesers

»Im tödlichen Spiel von Gewalt und Gegengewalt, der Fesselung des Fremden durch Toni, der Tötung Tonis durch den Fremden, wiederholt sich zum letzten Mal die vergebliche

Suche des Protagonisten nach authentischer Wahrnehmung der Situation wie seines Gegenüber, das schon die ganze Folge der ›Augen-Blicke‹ zwischen Toni und dem Fremden von Anfang an bestimmt hatte; und zwar als die immer ohne zulängliche Antwort gebliebene, nach beiden Seiten gerichtete Frage nach der Identität des Anderen: ›Wer bist du?‹« (Ebd., S. 193)

»Erzähl-
struktur des
›gespaltenen
Namens‹«

Von entscheidender poetischer Bedeutung sei in diesem Zusammenhang der von Reuß herausgestellte bedeutsame Namenswechsel von Gustav zu August (vgl. S. 182). Mit diesem bei Kleist singulären Verfahren manifestiere sich auf der Ebene des ›discours‹, der Art und Weise des Erzählens, nicht nur die »Erzählstruktur des ›gespaltenen Namens‹«, sondern auch die Unmöglichkeit kohärenten Erzählens von Geschichte. »Namensdiffusion, als das Brechen des Namens-Signifikanten, der Einheit verspricht, und Erzähldiffusion, als die Zersetzung des sinnstiftenden Erzählaktes, erscheinen dabei streng und poetologisch konsequent aufeinander bezogen.« (Ebd., S. 197)

Neumann gelingt mit dieser Interpretation der »rätselhaftesten« Erzählung Kleists zweierlei: Zum einen vermag er mit der Kennzeichnung des Textes als experimenteller, sich sukzessive neu konstituierender »Wahrnehmungsgeschichte« auf der Folie (literar)historischer Topoi und »dem fortgesetzten Kollabieren dieses […] Musters im Akt [seiner] Konstruktion« (ebd., S. 198) ein zentrales poetisches Prinzip der Erzählung zu benennen, zum anderen die Vermittlung außerliterarischer, meist historischer Bezüge gerade durch die im Erzählakt sich konstituierende Integration historischer Erfahrung für die Bewältigung des Gegenwärtigen plausibel zu machen.

Den schmalen Grat des Gelingens eben solchen Erzählens hat Hans Christoph Buch im Prolog seines Romans *Die Hochzeit von Port-au-Prince* beschritten, wenn er in literarischer Adaption der Kleist-Erzählung nicht ohne Esprit General Toussaint Louverture zusammen mit Kleist in eine Gefängniszelle sperrt, in der der Dichter die *Verlobung* neu schreiben muss. Allerdings kommt Kleist über den Einleitungssatz nie hinaus:

»›Zu Port au Prince, auf dem französischen Anteil der Insel St. Domingo, lebte zu Anfang dieses Jahrhunderts, als die

Schwarzen die Weißen ermordeten‹ – dann nimmt ihm Toussaint, der weder lesen noch schreiben kann, das Manuskript aus der Hand und zerreißt es. Der arme Kleist, der mit einer schweren Kette an seinem Schreibtisch festgeschmiedet ist, wischt sich den Schweiß von der Stirn und macht sich von neuem an die Arbeit.« (Buch 1984, S. 9)

In diesem Sisyphos-Motiv ist nicht nur die Situation Kleists und seines Erzählens, sondern auch die seiner Interpreten trefflich eingefangen: Man muss sie sich – wie Albert Camus den antiken Straßenräuber und Helden – glücklich vorstellen und ihre Arbeit keineswegs als sinnlos betrachten.

Literaturhinweise

Erstdrucke und Textausgaben

Jeronimo und Josephe. Eine Scene aus dem Erdbeben zu Chili, vom Jahr 1647, in: *Morgenblatt für gebildete Stände*. Tübingen: Cotta, 10.–15.9.1807 (Nr. 217–221), [unterzeichnet: Heinrich v. Kleist].

Die Marquise von O...., in: *Phöbus. Ein Journal für die Kunst.* Hg. v. Heinrich von Kleist und Adam H. Müller. Zweites Stück. Februar 1808, S. 3–32.

Die Verlobung, in: *Der Freimüthige. Berlinisches Unterhaltungsblatt für gebildete, unbefangene Leser*, Berlin, 25.3.–5.4.1811 (Nr. 60–68), [unterzeichnet: Heinrich v. Kleist]. Textidentischer Nachdruck in: *Der Sammler*, Wien, 2.–20.7.1811 (Nr. 79–81 u. 83–87).

Erzählungen. Von Heinrich von Kleist. Berlin: in der Realschulbuchhandlung 1810. [*Das Erdbeben in Chili*, S. 307–344; *Die Marquise von O....*, S. 216–306].

Erzählungen. Von Heinrich von Kleist. Berlin: in der Realschulbuchhandlung 1811. [*Die Verlobung in St. Domingo*, S. 1–85].

Heinrich von Kleists gesammelte Schriften. Hg. v. Ludwig Tieck. 3 Tle. Berlin: Reimer 1826 [*Erzählungen* in Tl. 3].

H. v. Kleists Werke. Im Verein mit Georg Minde-Pouet u. Reinhold Steig, hg. v. Erich Schmidt. 5 Bde. Leipzig/Wien: Bibliographisches Institut, [1904–1905]. [Text der Erzählungen in Bd. 3].

Heinrich von Kleist: *Sämtliche Werke und Briefe.* Hg. v. Helmut Sembdner. 2 Bde., 9., verm. und rev. Aufl. München: Hanser, 1993. – Taschenbuchausgabe in 2 Bdn. München: dtv, 2001.

H[einrich] v. Kleist: *Sämtliche Werke.* Berliner Ausgabe/[seit 1992] Brandenburger Ausgabe. Kritische Edition sämtlicher Texte nach Wortlaut, Orthographie, Zeichensetzung aller erhaltenen Handschriften und Drucke, hg. v. Roland Reuß u. Peter Staengle, Basel/Frankfurt am Main 1988 ff. [Sigle: BKA].

Band II/2: *Die Marquise von O....*, 1989.

Band II/3: *Das Erdbeben in Chili*, 1993.

Band II/4: *Die Verlobung in St. Domingo*, 1988.

Heinrich von Kleist: *Sämtliche Werke und Briefe in vier Bänden*, Bd. 3: *Erzählungen. Anekdoten. Gedichte. Schriften*, hg. v. Klaus Müller-Salget, Frankfurt am Main: Deutscher Klassiker Verlag, 1990 [Sigle: FKA 3].

Phöbus. Ein Journal für die Kunst, hg. v. Heinrich von Kleist und Adam H. Müller. Nachwort und Kommentar v. Helmut Sembdner. Reprograph. Nachdr. Darmstadt 1961.

Alt, A. T.: »Kleist's Vision: Time, Interior and Exterior Space in the Novellas. A Typological Study«, in: *Formen realistischer Erzählkunst.* Festschrift für Charlotte Jolles, hg. v. Jörg Thunecke u. Eda Sagarra, Nottingham 1979, S. 79–87.

Böschenstein, Bernhard: »Ambivalenz und Dissoziation in Kleists Werk«, in: Schmidt, Wieland (Hg.): *Die Gegenwärtigkeit Kleists.* Reden zum Gedenkjahr 1977 im Schloß Charlottenburg zu Berlin, Berlin 1980, S. 43–61.

Brun, Jacques: »Das Grenzverletzungsmotiv in Kleists Erzählungen«, in: *KJb* 1981/82, S. 195–209.

Conrady, Karl Otto: »Das Moralische in Kleists Erzählungen«, in: *Heinrich von Kleist.* Aufsätze und Essays. Hg. v. Walter Müller-Seidel, Darmstadt 1967 (WdF 147), S. 707–735.

Dirksen, Jens: »Kleist lesen heißt nicht Kleist verstehen. Die allmählich verfertigten Kleist-Ausgaben«, in: *Text + Kritik*, München 1993, S. 192–205.

Fink, Gouthier-Louis: »Das Motiv der Rebellion in Kleists Werk im Spannungsfeld der Französischen Revolution und der Napoleonischen Kriege«, in: *KJb* 1988/89, S. 64–88.

Fischer, Bernd: *Ironische Metaphysik.* Die Erzählungen Heinrich von Kleists, München 1988. (Rezension von: Müller-Salget, Klaus, in: *KJb* 1990, S. 196–199).

Fricke, Gerhard: *Gefühl und Schicksal bei Heinrich von Kleist.* Studien über den inneren Vorgang im Leben und Schaffen des Dichters, Berlin 1929.

Grathoff, Dirk: »Materialistische Kleist-Interpretation«. Ihre Vorgeschichte und Entwicklung bis 1945, in: ders. (Hg.): *Text und Kontext.* Quellen und Aufsätze zur Rezeptionsgeschichte der Werke Heinrich von Kleists, Berlin 1979, S. 117–179.

– : *Kleist: Geschichte, Politik, Sprache*, Opladen 1999.

Herrmann, Hans Peter: »Zufall und Ich. Zum Begriff der Situation in den Novellen Heinrich von Kleists«, in: *GRM* N.F. 11, 1961, S. 69–99, wiederabgedruckt in: Müller-Seidel, Walter (Hg.): *Heinrich von Kleist*, Darmstadt 1967, S. 367–411.

Holz, Hans Heinz: *Macht und Ohnmacht der Sprache.* Untersuchungen zum Sprachverständnis und Stil Heinrich von Kleists, Frankfurt am Main/Bonn 1962, bes. S. 113–158.

Horn, Peter: *Heinrich von Kleists Erzählungen.* Eine Einführung, Königstein/Ts. 1978.

Kayser, Wolfgang: »Kleist als Erzähler«, in: Müller-Seidel, Walter (Hg.): *Heinrich von Kleist*, Darmstadt 1967, S. 230–243.

Koopmann, Helmut: »Das ›rätselhafte Faktum‹ und seine Vorgeschichte. Zum analytischen Charakter der Novellen Heinrich von Kleists«, in: *ZfdPh* 83, 1965, S. 508–550.

Lubkoll, Christine/Oesterle, Günter (Hg.): *Gewagte Experimente und kühne Konstellationen*. Kleists Werk zwischen Klassizismus und Romantik, Würzburg 2001.

Martini, Fritz: *Heinrich von Kleist und die geschichtliche Welt*, Berlin 1940.

Marx, Stephanie: *Beispiele des Beispiellosen*. Heinrich von Kleists Erzählungen ohne Moral, Würzburg 1994.

Merkel, Helmut: »Die Rückkehr des Retters. Bemerkungen zu einem Motiv in Kleists Erzählungen«, in: *GRM* N.F. 39, 1989, S. 26–40.

Moering, Michael: *Witz und Ironie in der Prosa Heinrich von Kleists*, München 1972.

Müller-Salget, Klaus: »Das Prinzip der Doppeldeutigkeit in Kleists Erzählungen«, in: *ZfdPh* 92, 1973, S. 161–184, wiederabgedruckt in: Müller-Seidel, Walter (Hg.): *Kleists Aktualität*. Neue Aufsätze und Essays 1966–1978, Darmstadt 1981 (WdF 586), S. 166–199.

Müller-Seidel, Walter: *Versehen und Erkennen*. Eine Studie über Heinrich von Kleist, Köln/Graz 1967.

– (Hg.): *Kleists Aktualität*. Neue Aufsätze und Essays 1966–1978, Darmstadt 1981 (WdF 586).

Pongs, Hermann: »Möglichkeiten des Tragischen in der Novelle«, in: *Jahrbuch der Kleist-Gesellschaft* (1930/31), S. 38–104.

Schanze, Helmut: *Wörterbuch zu Heinrich von Kleist*. Sämtliche Erzählungen, Anekdoten und kleine Schriften, Tübingen 1989.

Schmidt, Jochen: *Heinrich von Kleist*. Studien zu seiner poetischen Verfahrensweise, Tübingen 1974.

– : *Heinrich von Kleist*. Die Dramen und Erzählungen in ihrer Epoche, Darmstadt 2003.

Schulz, Gerhard: *Kleist*. Eine Biographie, München 2007.

Sembdner, Helmut (Hg.): *Heinrich von Kleists Nachruhm*. Eine Wirkungsgeschichte in Dokumenten, Frankfurt am Main 1984.

– : *Heinrich von Kleists Lebensspuren*. Dokumente und Berichte der Zeitgenossen, München 1969.

Skrotzki, Ditmar: *Die Gebärde des Errötens im Werk Heinrich von Kleists*, Marburg 1971.

Wirth, Michael: *Heinrich von Kleist*. Die Abkehr vom Ursprung. Studien zu einer Poetik der verweigerten Kausalität, Bern/Frankfurt am Main/New York/Paris/Wien 1992, bes. S. 199–208.

Zeller, Hans: »Kleists Erzählungen vor dem Hintergrund der Erzählnormen. Nichterfüllte Voraussetzungen ihrer Interpretation, in: *KJb* 1994, S. 83–103.

Interpretationen zu »Das Erdbeben in Chili«

Altenhofer, Norbert: »Der erschütterte Sinn. Hermeneutische Überlegungen zu Kleists *Erdbeben in Chili*«, in: Wellbery, David (Hg.): *Positionen der Literaturwissenschaft*, München 1985, S. 39–53.

Appelt, Hedwig/Grathoff, Dirk: *Heinrich von Kleist. Das Erdbeben in Chili*, Erläuterungen und Dokumente, Stuttgart 2004.

Blankenagel, John C.: »Heinrich von Kleist: *Das Erdbeben in Chili*«, in: *GR* 8, 1933, S. 30–39.

Bürger, Christa: »Statt einer Interpretation. Anmerkungen zu Kleists Erzählen«, in: Wellbery, David (Hg.): *Positionen der Literaturwissenschaft*, München 1985, S. 88–109.

Conrady, Karl Otto: »Kleists *Erdbeben in Chili*. Ein Interpretationsversuch, in: *GRM* 35, N.F. 4, 1954, S. 185–195.

Fischer, Bernd: »Fatum und Idee. Zu Kleists *Erdbeben in Chili*, in: *DVjs* 58, 1984, S. 414–427.

– : *Ironische Metaphysik*. Die Erzählungen Heinrich von Kleists, München 1988, hier: S. 17–37.

Girard, René: »Mythos und Gegenmythos: Zu Kleists *Erdbeben in Chili*«, in: Wellbery, David (Hg.): *Positionen der Literaturwissenschaft*, München 1985, S. 130–148.

Graevenitz, Gerhart von: »Die Gewalt des Ähnlichen: Concettismus in Piranesis *Carceri* und in Kleists *Erdbeben in Chili*«, in: Lubkoll, Christine/Oesterle, Günter (Hg.): *Gewagte Experimente und kühne Konstellationen*. Kleists Werk zwischen Klassizismus und Romantik, Würzburg 2001, S. 63–92.

Graham, Ilse: »A Heaven on Earth?: ›Das Erdbeben in Chili‹, in: *Heinrich von Kleist*. Word into Flesh: A Poet's Quest for the Symbol, Berlin/New York 1977, S. 159–167.

Hamacher, Werner: »Das Beben der Darstellung«, in: Wellbery, David (Hg.): *Positionen der Literaturwissenschaft*, München 1985, S. 149–173.

Horn, Peter: »Anarchie und Mobherrschaft in Kleists ›Erdbeben in Chili‹«, in: ders.: *Heinrich von Kleists Erzählungen*, Königstein/Ts. 1978, S. 112–133.

Ledanff, Susanne: »Kleist und die ›beste aller Welten‹. Das *Erdbeben in Chili* – gesehen im Spiegel der philosophischen und literarischen Stellungnahmen zur Theodizee im 18. Jahrhundert«, in: *KJb* 1986, S. 85–110.

Liebrand, Susanne: »Das suspendierte Bewußtsein. Dissoziation und Amnesie in Kleists *Erdbeben in Chili*«, in: *JbDSG* 36, 1992, S. 95–114.

Lucas, Richard: »Studies in Kleist (II): *Das Erdbeben in Chili*«, in: *DVjs* 44, 1970, S. 145–170.

Oellers, Norbert: »*Das Erdbeben in Chili*«, in: Hinderer, Walter (Hg.): *Interpretationen: Kleists Erzählungen*, Stuttgart 1998, S. 85–110.

Reuß, Roland: »›Im Freien‹? Kleists ›Erdbeben in Chili‹ – Zwischenbetrachtung ›nach der ersten Haupterschütterung‹«, *Brandenburger Kleist-Blätter* 6, Basel/Frankfurt am Main 1993.

Schrader, Hans-Jürgen: »Spuren Gottes in den Trümmern der Welt. Zur Bedeutung biblischer Bilder in Kleists *Erdbeben*«, in: *KJb* 1991, S. 34–52.

Schulte, Bettina: »*Das Erdbeben in Chili*«, in: dies.: *Unmittelbarkeit und Vermittlung im Werk Heinrich von Kleists*, Göttingen/Zürich 1988, S. 181–201.

Silz, Walter: »*Das Erdbeben in Chili*«, in: Müller-Seidel, Walter (Hg.): *Heinrich von Kleist*, Darmstadt 1967, S. 351–366.

Stierle, Karlheinz: »Das Beben des Bewußtseins. Die narrative Struktur von Kleists Das Erdbeben in Chili«, in: Wellbery, David (Hg.): *Positionen der Literaturwissenschaft*, München 1985, S. 54–68.

Wellbery, David E. (Hg.): *Positionen der Literaturwissenschaft*. Acht Modellanalysen am Beispiel von Kleists *Erdbeben in Chili*, München 1985. (Rezensionen von: Anz, Thomas, in: *Arbitrium* 7, 1989, S. 18–25; Fischer, Bernd, in: *GQ* 60, 1987, S. 262–266; Gebhardt, Peter, in: *KJb* 1988/89, S. 474–489; Nobis, Helmut, in: *Zeitschr. f. allg. Wissenschaftstheorie* XVIII, 1987, S. 348–354).

– : »Semiotische Anmerkungen zu Kleists Das Erdbeben in Chili«, in: ders. (Hg.): *Positionen der Literaturwissenschaft*, München 1985, S. 69–87.

Wiese, Benno von: »Heinrich von Kleist: Das Erdbeben in Chili«, in: *JbDSG* 5, 1961, S. 102–117.

Wittkowski, Wolfgang: »Skepsis, Noblesse, Ironie. Formen des Als-ob in Kleists *Erdbeben*«, in: *Euph.* 63, 1969, S. 247–283.

Interpretationen zu »Die Marquise von O....«

Bauermeister, Thomas: »Erzählte und dargestellte Konversation: Der Heiratsantrag in Kleists und Eric Rohmers Die Marquise von O...«, in: Kanzog, Klaus (Hg.): *Erzählstrukturen – Filmstrukturen*. Erzählungen Heinrich von Kleists und ihre filmische Realisation, Berlin 1981, S. 90–141.

Bentzel, Curtis C.: »Knowledge in Narrative. The Significance of the Swan in Kleist's Die Marquise von O...«, in: *GQ* 64, 1991, S. 296–303.

Borchardt, Edith: »Die Marquise von O...: Die Novellenstruktur als Handlungshebel«, in: dies.: *Mythische Strukturen im Werk Heinrich von Kleists*, New York/Bern/Frankfurt am Main/Paris 1987, S. 127–156.

Cohn, Dorrit: »Kleist's Marquise von O.... The Problem of Knowledge«, in: *Monatshefte (Wisconsin)* 67, 1975, S. 129–144.

Doering, Sabine: *Heinrich von Kleist. Die Marquise von O...*, Erläuterungen und Dokumente, Stuttgart 2004.

Fingerhut, Karlheinz: »Figurenspiel oder politische Allegorie. Deutungsvarianten für den Literaturunterricht zu Heinrich von Kleist, Die Marquise von O...«, in: *DD* 22, 1991, S. 140–162.

Fischer, Bernd: »Die Marquise von O...«, in: ders.: *Ironische Metaphysik*. Die Erzählungen Heinrich von Kleists, München 1988, hier: S. 38–56.

Grathoff, Dirk: »Heinrich von Kleist: Die Marquise von O.... Drei Annäherungsversuche an eine komplexe Textstruktur«, in: *Interpretationen*. Erzählungen und Novellen des 19. Jahrhunderts, Bd. 1, Stuttgart 2005, S. 97–131.

Horn, Peter: »Ichbildung und Ichbehauptung in Kleists ›Marquise von O...‹«, in: ders.: *Heinrich von Kleists Erzählungen*, Königstein/Ts. 1978, S. 83–111.

Hoverland, Lilian: *Heinrich von Kleist und das Prinzip der Gestaltung*, Königstein i. Ts. 1978, bes. S. 139–153.

Krueger, Werner: »Rolle und Rollenwechsel. Überlegungen zu Kleists *Marquise von O...*«, in: *Acta Germanica* 17, 1984, S. 29–81.

Krumbholz, Martin: »Gedanken-Striche. Versuch über ›Die Marquise von O...‹«, in: *Text + Kritik*. Sonderband Heinrich von Kleist, München 1993, S. 125–133.

Moering, Michael: *Witz und Ironie in der Prosa Heinrich von Kleists*, München 1972, bes. 231–290.

Müller-Seidel, Walter: »Die Struktur des Widerspruchs in Kleists ›Marquise von O...‹«, in *DVjs* 28, 1954, S. 497–515, wiederabgedruckt in: ders. (Hg.): *Heinrich von Kleist*, Darmstadt 1967 (WdF 147), S. 244–268.

Neumann, Gerhard: »Skandalon. Geschlechterrolle und soziale Identität in Kleists *Marquise von O...* und in Cervantes' Novelle *La fuerza de la sangre*«, in: ders. (Hg.): *Heinrich von Kleist*. Kriegsfall – Rechtsfall – Sündenfall, Freiburg 1994, S. 149–192.

Politzer, Heinz: »Der Fall der Frau Marquise. Beobachtungen zu Kleists *Die Marquise von O...*«, in: *DVjs* 51, 1977, S. 98–128.

Reuß, Roland: »Was ist das Kritische an einer kritischen Ausgabe? Erste Gedanken anläßlich der Edition von Kleists Erzählung ›Die Marquise von O....‹«, *Berliner Kleist-Blätter* 2, Basel/Frankfurt am Main 1989.

Schmidt, Herminio: »Musikalische Gesetze in der ›Marquise von O...‹«, in: ders.: *Heinrich von Kleist*. Naturwissenschaft als Dichtungsprinzip, Bern 1978, S. 107–116 u. 120.

Schmidt, Jochen: »*Die Marquise von O...*«, in: Hinderer, Walter (Hg.): *Interpretationen: Kleists Erzählungen*, Stuttgart 1998, S. 67–84.

Stenzel, Jürgen: »Heinrich von Kleist. *Die Marquise von O...*«, in: ders.: *Zeichensetzung*. Stiluntersuchungen an deutscher Prosadichtung, Göttingen 1966, S. 55–69.

Swales, Erika: »The Beleaguered Citadel: A Study of Kleist's *Die Marquise von O...*«, in: *DVjs* 51, 1977, S. 129–147.

Weiss, Hermann F.: »Precarious Idylls. The Relationship Between Father and Daughter in Heinrich von Kleist's *Die Marquise von O...*«, in: *MLN* 91, 1976, S. 538–542.

Wilpert, Gero von: »Kleists Schlüssellöcher«, in: Kienecker, Friedrich/ Wolfersdorf, Peter (Hg.): *Dichtung, Wissenschaft, Unterricht*. Festschrift für Rüdiger Frommholz, Paderborn 1986, S. 331–340.

Interpretationen zu »Die Verlobung in St. Domingo«

Angress, Ruth K: »Kleist's Treatment of Imperialism: ›Die Hermannsschlacht‹ and ›Die Verlobung in St. Domingo‹«, in: *Monatshefte* (Wisconsin) 69, 1977, S 17–33.

Bay, Hansjörg: »›Als die Schwarzen die Weißen ermordeten‹. Nachbeben einer Erschütterung des europäischen Diskurses in Kleists *Verlobung in St. Domingo*«, in: *KJb* 1998, S. 80–108.

Brittnacher, Hans Richard: »Das Opfer der Anmut. Die schöne Seele und das Erhabene in Kleists *Verlobung in St. Domingo*«, in: *Aurora* 54, 1994, S. 167–189.

Buch, Hans-Christoph: *Die Scheidung von San Domingo.* Wie die Negersklaven von Haiti Robespierre beim Wort nahmen, Berlin 1967.

Fischer, Bernd: »Die Verlobung in St. Domingo«, in: ders.: *Ironische Metaphysik.* Die Erzählungen Heinrich von Kleists, München 1988, hier: S. 100–112.

Gilman, Sander L.: »The Aesthetics of Blackness in Heinrich von Kleist's ›Die Verlobung in St. Domingo‹«, in: *MLN* 90, 1975, S. 661–672.

Graham, Ilse: »Faulty Medium: ›Penthesilea‹ and ›Die Verlobung in St. Domingo‹«, in: dies.: *Heinrich von Kleist.* Word into Flesh: A Poet's Quest for the Symbol, Berlin, New York 1977, S. 121–134.

Günther, Kurt: »Die Konzeption von Kleists ›Verlobung in St. Domingo‹. Eine literarische Analyse«, in: *Euph.* 17, 1910, S. 68–95, 313–331.

Haverkamp, Anselm: »*Schwarz/Weiß. Othello* und ›Die Verlobung in St. Domingo‹«, in: *Weimarer Beiträge* 41, 1995, S. 397–409.

Herrmann, Hans Peter: »*Die Verlobung in St. Domingo*«, in: Hinderer, Walter (Hg.): *Interpretationen: Kleists Erzählungen*, München 1998, S. 111–140.

Horn, Peter: »Hatte Kleist Rassenvorurteile? Eine kritische Auseinandersetzung mit der Literatur zur ›Verlobung in St. Domingo‹«, in: *Monatshefte* (Wisconsin) 67, 1975, S. 117–128.

Marx, Stephanie: »*Die Verlobung in St. Domingo*«, in: dies.: *Beispiele des Beispiellosen.* Heinrich von Kleists Erzählungen ohne Moral, Würzburg 1994, S. 19–48.

Mieder, Wolfgang: »Triadische Grundstruktur in Heinrich von Kleists ›Die Verlobung in St. Domingo‹«, in: *Neophilologus* 58, 1974, S. 395–405.

Müller-Salget, Klaus: »August und die Mestize. Zu einigen Kontroversen um Kleists *Verlobung in St. Domingo*«, in: *Euph.* 92, 1998, S. 103–113.

Neumann, Gerhard: »Anekdote und Novelle. Zum Problem literarischer Mimesis im Werk Heinrich von Kleists«, in: Kording, Inka/Knittel, Anton Philipp (Hg.): *Heinrich von Kleist.* Neue Wege der Forschung, Darmstadt 2003, S. 177–202.

Reuß, Roland: »›Die Verlobung in St. Domingo‹ – eine Einführung in Kleists Erzählen«, *Berliner Kleist-Blätter* 1, Basel/Frankfurt am Main 1988.

– : »›sagt ihm – !‹ Zur Kritik der Kommunikationspraxis poetischer Texte Kleists am Beispiel der Erzählung ›Die Verlobung in St. Domingo‹«, in: *Brandenburger Kleist-Blätter* 9, Basel/Frankfurt am Main 1996, S. 33–43.

Stephens, Anthony: »›Eine Träne auf den Brief‹. Zum Status der Ausdrucksformen in Kleists Erzählungen«, in: *JbDSG* 28, 1984, S. 315–348.

Uerlings, Herbert: »Preußen in Haiti? Zur interkulturellen Begegnung in Kleists *Verlobung in St. Domingo*«, in: *KJb* 1991, S. 185–201.

Weigel, Sigrid: »Der Körper im Kreuzpunkt von Liebesgeschichte und Rassendiskurs in Kleists Erzählung *Die Verlobung in St. Domingo*«, in: *KJb* 1991, S. 202–217.

Werlen, Hansjakob: »Seduction and Betrayal: Race and Gender in Kleist's *Verlobung in St. Domingo*«, in: *Monatshefte* (Wisconsin) 84, 1992, S. 459–471.

Wittkowski, Wolfgang: »Gerechtigkeit und Loyalität, Ethik und Politik. Kleists ›Verlobung in St. Domingo‹ und Goethes teilweise Widerspruch in der ›Belagerung von Mainz‹«, in: *KJb* 192, S. 152–171.

Sonstige Literatur

Allemann, Beda: »Kleist und Kafka. Ein Strukturvergleich«, in: David, Claude (Hg.): *Franz Kafka. Themen und Probleme*, Göttingen 1980, S. 152–172.

Boccaccio, Giovanni: *Das Dekameron*, München o. J.

Buch, Hans Christoph: *Die Hochzeit von Port-au-Prince*, Frankfurt am Main 1984.

Genette, Gérard: *Die Erzählung*, München ²1998.

Jahraus, Oliver/Neuhaus, Stefan (Hg.): *Kafkas »Urteil« und die Literaturtheorie*. Zehn Modellanalysen, Stuttgart 2002.

Kant, Immanuel: »Geschichte und Naturbeschreibung der merkwürdigen Vorfälle des Erdbebens, welches am Ende des 1755sten Jahres einen großen Theil der Erde erschüttert hat«, in: *Kants Werke*. Hg. v. der Königlich Preußischen Akademie der Wissenschaften, Abt. 1, Bd. 1, Berlin 1910, S. 424–461.

Koselleck, Reinhart/Stempel, Wolf-Dieter (Hg.): *Geschichte – Ereignis und Erzählung*, München 1973 (Poetik und Hermeneutik V).

Lotman, Jurij M.: *Die Struktur literarischer Texte*, München 1972, bes. S. 402–419.

– : »Die Strukturen innerhalb und außerhalb des Textes«, in: ders.: *Vorlesungen zu einer strukturalen Poetik*, München 1972, S. 169–202.

Martens, Wolfgang: *Die Botschaft der Tugend*. Die Aufklärung im Spiegel der deutschen Moralischen Wochenschriften, Stuttgart 1968.

Mecklenburg, Norbert: »Vielstimmigkeit und Bewußtseinskritik. Formen der Dialogizität und Intertextualität bei Fontane«, in: ders.: *Theodor Fontane*. Romankunst der Vielstimmigkeit, Frankfurt am Main 1998, S. 59–119.

de Saussure, Ferdinand: *Grundfragen der Allgemeinen Sprachwissenschaft*, Berlin ²1967.

Scherpe, Klaus R.: »Die First-Contact-Szene. Kulturelle Praktiken bei der Begegnung mit dem Fremden«, in: *Weimarer Beiträge* 44, 1998, S. 54–73.

Todorov, Tzvetan: »Die Kategorien der literarischen Erzählung«, in: *Strukturalismus und Literaturwissenschaft*, hg. v. Heinz Blumensath, Köln 1972, S. 263–294.

–: *Poetik der Prosa*, Frankfurt am Main 1972, bes. S. 90–98.

Uspenskij, Boris A.: *Poetik der Komposition*. Struktur des künstlerischen Textes und Typologie der Kompositionsform, Frankfurt am Main 1975, bes. S. 117–137.

Voltaire: *Candide oder der Glaube an die beste der Welten*, in: *Sämtliche Romane und Erzählungen*, München o. J., S. 176–287.

Wieland, Christoph Martin: *Das Hexameron von Rosenhain*, in: *C. M. Wielands Sämmtliche Werke*. Hg. v. J. M. Gruber, 29. Band, Leipzig 1825.

Wort- und Sacherläuterungen

Das Erdbeben in Chili

St. Jago, der Hauptstadt des Königreichs Chili: Chile wurde 9.2
Mitte des 16. Jahrhunderts von den Spaniern erobert und unter-
stand in der Form eines Generalkapitanats dem Vizekönig von
Peru. Wegen der großen Entfernung zu diesem südamerik. Land
wurde Chile relativ selbstständig verwaltet, so dass man den
Generalkapitän als Vizekönig ansah (vgl. Appelt/Grathoff
2004, S. 8). Der Name der Hauptstadt leitet sich von der span.
Wallfahrtsstadt Santiago de Compostela her.

auf ein Verbrechen angeklagter: Ungewöhnliche Wendung, die 9.5–6
an die Formulierung ›auf Leben und Tod angeklagt‹ erinnert.
Das der Anklage zugrunde liegende Verbrechen wird nicht genannt. Ob es den Straftatbestand der ›Unzucht mit Abhängigen‹
im damaligen Chile gab, lässt sich nicht nachweisen.

Jeronimo Rugera: Der Vorname verweist auf einen der Kir- 9.6
chenväter, den Hl. Hieronymus (um 347–419). Die Personen-
namen der Erzählung sind teilweise identisch mit Kleists Erst-
fassung des Dramas *Die Familie Schroffenstein* u. d. T. *Die Familie Ghonorez*, dessen Handlung er in Spanien ansiedelt. Auf
bibl. Vorbilder macht Hamacher (1985, S. 163) aufmerksam.
Ob der Hinweis von Reuß (1993, S. 20), dass auch der Name
›Rugera‹ – wie Gustav und August in der *Verlobung* (vgl. Erl. zu
109.19) – in anagrammatischen Bezügen zu sehen sei (Rugera:
guerra), eine interpretatorische Hilfe bietet, sollte zumindest in
Erwägung gezogen werden.

Josephe: Der ungewöhnliche Name (›Frau Joseph‹) verweist auf 9.11
die Gottesmutter.

Karmeliter-Kloster unsrer lieben Frauen vom Berge: Der Name 9.17–18
des Bettelordens der Karmeliter/Karmelitinnen geht zurück auf
den Berg Karmel in Israel, den Gründungsort des Ordens. Für
Santiago ist ein Karmeliterkloster nachgewiesen. Der Plural
»unsrer lieben Frauen« verweist wiederum auf die Gottesmutter
und schließt Josephe (vgl. 9.17) mit ein.

Fronleichnamsfeste: In der feierlichen Prozession am Fronleich- 9.22

namstag verehren die Katholiken den in die Hostie verwandelten Leib Jesu. Dieser Prozess der Transsubstantiation wird ironisch kontrapunktiert durch die Geburt, die Fleischwerdung von Josephes Sohn Philipp.

9.30–31 **der geschärfteste Prozeß**: Die Verwendung des Superlativs zu ›geschärft‹ verweist auf die Anwendung der Folter, die allerdings im Text keine Erwähnung findet. Es könnte gemeint sein, »daß man ohne alle Rücksicht auf mildernde Umstände gegen ›die junge Sünderin‹ vorgeht« (FKA 3, S. 815).

10.5 **das klösterliche Gesetz**: Zwar hat Josephe gegen das Keuschheitsgebot des Klosters verstoßen, nicht aber gegen ein Gesetz, dessen Übertretung mit der Todesstrafe geahndet wird. Die »große Erbitterung« (9.32) der Öffentlichkeit liegt in dem Skandal, dass Josephe an einem der höchsten Feiertage der Katholiken öffentlich auf den Stufen der Kathedrale niederkommt.

10.6 **Feuertod**: Die v. a. von der Inquisition gegen Ketzer ausgesprochene Hinrichtung auf dem Scheiterhaufen galt als besonders qualvoll und entehrend. Vorheriges Erdrosseln am Pfahl des Holzstoßes oder Enthauptung – wie in der Erzählung – galten als Gnade.

10.13–14 **das der göttlichen Rache gegeben wurde**: Der Erzähler wertet nicht selbst, sondern vermittelt die Deutung der bevorstehenden Hinrichtung durch die bigotten Frauen der Stadt. Zugleich wird auf die Schlussszene verwiesen.

10.27–28 **Die Glocken, welche Josephen zum Richtplatze begleiteten**: Das Läuten der Glocken verweist leitmotivisch auf den Beginn wesentlicher Ereignisse um Josephe (vgl. 9.25; 12.24; 17.23) und Jeronimo.

10.32 **wie schon gesagt**: Kommentar des Erzählers über die Art und Weise seines Erzählens, der auch die in 9.8 begonnene Rückblende abschließt (vgl. ähnliche Wendungen in der *Marquise*, 55.1–2, und der *Verlobung*, 93.3–4).

11.1 **als ob**: Die leitmotivisch verwendete Formulierung bestimmt nicht nur durchgängig die Erzählstruktur, die eine signifikante Verschiebung von der Darstellung erlebter oder berichteter Ereignisse zu ihren Deutungen anzeigt, sondern wesentlich auch den Mittelteil der Erzählung, in das Problem realistischer oder illusionärer Einschätzung vergangener und gegenwärtiger

Situationen für die Protagonisten virulent wird (vgl. Müller-Seidel 1967, bes. S. 95 f. u. 138 ff.; Wittkowski 1969, bes. S. 254–271).

Hier: In anaphorischer Verklammerung wird das Ausmaß der 11.23
Zerstörung exemplarisch aufgeführt, das durch den Aufruhr der
Elemente Erde, Feuer und Wasser herbeigeführt worden ist.

streckte sprachlos zitternde Hände zum Himmel: Geste der 11.34–35
Verzweiflung und der Anklage (vgl. auch: 26.12–13 u. 22.20 mit
entgegengesetzter Intention).

mit nach der Stadt gekehrtem Rücken: Anspielung auf die alt- 12.4–5
testamentarische Schilderung des Untergangs der Städte Sodom
und Gomorrha (vgl. 12.14–15) und des Schicksals Lots, der das
Verbot, sich umzudrehen, beachtet und überlebt (1. Mose 19,15–26).

Eine Frau, die [...] Brust hängend, trug: Vorausdeutung auf Jo- 12.33–13.1
sephes rettende Tat im ›Tal Eden‹ (17.2–4).

ein Kind in seinen Fluten zu reinigen.: Anspielung auf die 13.29
christl. Taufe, die das Kind zugleich vom Makel befreit, ein
›Kind der Sünde‹ zu sein. Die grammatikalische Unstimmigkeit
hinsichtlich des Possessivpronomens ›seinen‹ wird von Reuß
(1993) zum Anlass nicht unerheblicher interpretatorischer Be-
trachtungen genommen (vgl. S. 4–9).

O Mutter Gottes, [...] Und erkannte Josephen: Jeronimos dop- 13.31–32
peldeutige Anrufung der Gottesmutter bezieht sich zugleich
auch auf Josephe (vgl. 9.11 u. Erl. zu 9.17–18).

die Unglücklichen, die [...] Himmels gerettet hatte: Angesichts 13.34–35
ihrer lediglich temporären glücklichen Rettung kann die Apostrophierung der Liebenden als »Unglückliche« durch den Erzähler sowohl als Rück- als auch als Vorverweis (22.34–35) verstanden werden.

als ihr auch [...] rötliche Dämpfe aus.: Die – nur vorübergehen- 14.25–32
de – Zerstörung der kirchlichen (Erzbischof), staatlichen (Palast
des Vizekönigs), rechtlichen (Gerichtshof) und gesellschaftlich-
familiären Institutionen (das väterliche Haus) bereitet nicht nur
den folgenden ›Naturzustand‹ im »Tal von Eden« vor, sondern
weist auch auf das blutige Ende Josephes voraus.

das Tal von Eden: der Garten Eden, das Paradies, das zugleich 15.19–20
zum Ort des Sündenfalls wurde. Altenhofer (in: Wellbery 1985,

S. 50) hat darauf hingewiesen, »dass Kleists Erzählung in säkularisierter Umkehrung am Ablauf der biblischen Heilsgeschichte orientiert ist: Auf die Leibwerdung am Fronleichnamstag folgt die Apokalypse des Erdbebens, darauf das Paradies mit der Vereinigung der heiligen Familie, schließlich der stellvertretende Opfertod und die Errettung des Kindes« (Appelt/Grathoff 2004, S. 22).

15.27–28 **wie nur ein Dichter davon träumen mag**: Metafiktionaler Erzählerkommentar, in dem die dargestellte Idylle ausdrücklich als poetisches Arrangement des Dichters ausgewiesen wird.

16.1–2 **Granatapfelbaum**: Ein Element des ›locus amoenus‹, das in der christl. Mythologie als Baum der Erkenntnis gilt, in der griech. jedoch durch Persephone mit der Unterwelt in Beziehung gesetzt wird.

16.3–4 **die Nachtigall flötete [...] ihr wollüstiges Lied**: Konstitutives Inventar für die – diskrete – Darstellung einer Liebesnacht. Auch metaphorisch gebraucht in der Wendung ›die Nachtigall schlug‹ oder ›sang ihr Lied‹.

16.15 **La Conception**: Hauptstadt der gleichnamigen Provinz in Mittelchile. Die Mehrdeutigkeit des Namens deutet zum einen – als ›Empfängnis‹ übersetzt – auf eine Stadt hin, die ihren Namen zum Gedenken an die ›unbefleckte Empfängnis‹ Mariens gewählt hat, zum anderen auf den Ort, an dem Jeronimo und Josephe einen Plan, einen Entschluss für ihr weiteres Leben fassen wollen.

16.17–18 **von dort nach Spanien einzuschiffen**: Motiv der Rückauswanderung nach Europa, da die chaotischen Verhältnisse in der neuen Welt zu einem solchen Schritt zwingen (vgl. auch die Absicht der Familie Strömli in der *Verlobung*).

17.34–18.12 **Man erzählte, wie [...] aufgeknüpft worden wäre.**: Drastische Schilderung der Folgen des Zusammenbruchs jeglicher gesellschaftlicher Ordnung in Parallele zum Untergang der Institutionen (S. 14.24–32).

18.29–19.1 **Auf den Feldern [...] Familie gemacht hätte.**: Rückgriff auf Rousseaus Gesellschaftsutopie, die durch die Als-ob-Konstruktion eine klare Relativierung erfährt.

19.6 **Römergröße**: Das Vorbild der Römer bezog sich v. a. auf Tapferkeit und Unerschütterlichkeit. In vielen Reden während der

Franz. Revolution bezog man sich ausdrücklich auf die Tugenden der Vertreter der röm. Republik (vgl. auch Büchners Drama *Dantons Tod*).

kehrte mit ihr zur Gesellschaft zurück: Gemeint ist zum einen   20.6–7
die Rückkehr zu den Mitgliedern der Familie Ormez, aber auch die Rückkehr zur übrigen Gesamtgesellschaft, die im unmittelbar folgenden 3. Teil der Erzählung dargestellt wird und die paradiesischen Zustände des ›Tals von Eden‹ beendet.

Donna Elisabeth erinnerte [...] Kirche vorgefallen sei: Die Be-   20.20–22
denken Donna Elisabeths (auch: 21.2–3) fungieren als zukunftsgewisse Vorausdeutungen und verleihen der Erzählung – auch im Rückgriff auf das Geschehen am Vortage vor (!) der Kirche – ein Höchstmaß an Kohärenz

ging der Zug nach der Stadt: Mit der Schilderung des Einzugs   21.17
der beiden ›Familien‹ wird eine Kausalkette von der Fronleichnamsprozession über den Hinrichtungszug bis zum Rückzug der Protagonisten in die Stadt und damit in die Gesellschaft suggeriert, an deren Ende nur der Tod stehen kann.

die große von [...] die sie erleuchtete: Rundes und reich geglie-   22.7–9
dertes Fenster über dem Westportal einer Kirche. Die rote Rose erinnert an die Passion Christi und das Blut der Märtyrer; hier verweist sie auf das folgende blutige Geschehen.

unserer beiden Unglücklichen: Der Erzähler hält die schon frü-   22.34–35
her (13.34) vorgenommene Apostrophierung Jeronimos und Josephes bei und unterstreicht damit die Bestimmung der Liebenden, dem Tode nicht entrinnen zu können.

Klostergarten der Karmeliterinnen: Der als ›hortus conclusus‹   23.1–2
gestaltete Ort der folgenschweren Zusammenkunft Jeronimos und Josephes wird in der Erzählung rekurrenzartig erwähnt (9.21; 16.10) und verleiht derart ihrer Dreiteilung Kohärenz.

heiliger Ruchlosigkeit voll: Oxymoron, in dem »das Bewußt-   23.18–19
sein des Täters mit dem Urteil des Erzählers zusammenprallen« (FKA 3, S. 822).

steinigt sie: Ehebruch und sexuelle Vergehen wurden mit der   24.9–10
alttestamentarischen Strafe der Steinigung geahndet. Die hochdramatische Szene erinnert an die Verurteilung Jesu zum Kreuzestod, den das aufgebrachte Volk forderte (Joh. 19,6).

Halt! Ihr Unmenschlichen!: Öfter verwendeter Ausruf bei   24.11–12

Kleist (vgl. *Verlobung*, 92.17–18), um die Lebensgefahr, in der sich die entsprechende Person befindet, dramatisch zu gestalten.

25.13–14 **denn ich bin sein eigener Vater**: Es bleibt unklar, ob Jeronimo tatsächlich von seinem eigenen Vater erschlagen wird oder von einer Person, die vorgibt, sein Vater zu sein.

25.14–15 **mit einem ungeheuren Keulenschlage**: Im Vordergrund steht nicht die »ungeheure« Brutalität der Tat, sondern das Archaisch-Rohe der Tötung mit einer Keule, die – wie die geforderte Steinigung (vgl. Erl. zu 24.9–10) – auf vorzivilisatorische Zustände verweist.

25.35 **dieser göttliche Held**: Eindeutig positive Bewertung Don Fernandos durch den ansonsten strikt neutralen Erzähler.

26.5 **der Fürst der satanischen Rotte**: Übernahme der Formulierung des predigenden Chorherrn (23.5), um die ›Sünder‹ Jeronimo und Josephe zu bestrafen, durch den Erzähler, der damit das »dialogische Sprechen« in der Erzählung praktiziert.

26.33–35 **und wenn Don [...] er sich freuen**: Auch der ambivalent zu verstehende Schlusssatz lässt eine eindeutige Bewertung des Erzählers – wie schon des Öfteren – nicht zu.

Die Marquise von O....

27.1 **Die Marquise von O....:** Im Gegensatz zu den beiden anderen in diesem Band versammelten Erzählungen wird in der *Marquise* keine Begebenheit, sondern – wie in *Michael Kohlhaas* – die Hauptfigur im Titel genannt. Der nur in der »Inhaltsanzeige« des *Phöbus*-Heftes von 1808 hinzugefügte Untertitel »Nach einer wahren Begebenheit, deren Schauplatz vom Norden nach dem Süden verlegt worden« (vgl. Kap. Entstehungs- und Wirkungsgeschichte, S. 126) steht in der Tradition der Authentizitätstopoi, um die Glaubwürdigkeit der darzustellenden Ereignisse zu unterstreichen, und ist damit Bestandteil des Spiels mit der Fiktionalität des Erzählten. Der lediglich mit der Initiale »O« wiedergegebene Name hat zu Spekulationen verschiedenster Art geführt, ohne dass sich eine genaue Identifizierung – auch hinsichtlich literarischer Anspielungen – hat feststellen lassen (vgl. FKA 3, S. 782 f.; Doering 2004, S. 8).

In M…, einer bedeutenden Stadt im oberen Italien: Das Ver- 27.2
fahren, die Namen der Handlungsorte überwiegend mit ihren
Anfangsbuchstaben zu bezeichnen – Ausnahmen sind die explizit genannten Städte »Neapel«, »Constantinopel« und »St.
Petersburg« (S. 35), – ruft, wie auch die durchgängig verschlüs-
selte Form der Figurennamen (Herr von G…., Graf F….), beim
Leser Irritationen hervor, die jedoch Teil des ironisch-metafik-
tionalen Spiels des Erzählers mit seinem brisanten Stoff ist, der
nach Verhüllung und Diskretion verlangt – und doch im Erzähl-
verlauf enthüllt werden soll.

Familien-Rücksichten: Schwangerschaften lediger Mütter wa- 27.8
ren um 1800 mit erheblichen staatlichen und kirchlichen Sank-
tionen verbunden. Ihre soziale Ächtung trieb viele unverheira-
tete Mütter zur Kindstötung oder in den Suizid.

bis der …. Krieg […] mit russischen erfüllte: Im Bemühen, den 27.23–25
historischen Hintergrund der Erzählhandlung zu bestimmen,
gilt mittlerweile als gesichert, dass es sich nur um den so genannten Zweiten Koalitionskrieg von 1799–1802 handeln kann, genauer: um die Auseinandersetzungen des Jahres 1799, »in deren
Verlauf es den verbündeten Armeen Österreichs und Russlands
unter dem Oberbefehl des Generals Suwarow gelang, die Franzosen aus ihren in Italien eingerichteten Republiken wieder zu
vertreiben« (Doering 2004, S. 9). Weitergehende Lokalisierun-
gen, wie Politzer (1977, S. 106 f.) sie vorgenommen hat, halten
einer kritischen Überprüfung nicht stand.

wo sie auch völlig bewußtlos niedersank: Die Ohnmacht ist in 29.9–10
der Literatur als Ausdruck der Hingabe verstanden worden (vgl.
Politzer 1977, S. 109; Moering 1972, S. 258).

Hier – traf er […] den Kampf zurück.: Die durch den Gedan- 29.10–14
kenstrich gekennzeichnete Leerstelle verweist den Leser auf die
verdeckte Handlung der mutmaßlichen Vergewaltigung, die sie
zugleich als unaussprechlich und nicht darstellbar exponiert.

»Julietta! Diese Kugel rächt dich!«: Neben dieser Interjektion 32.20
stehen nur noch der Brief des Herrn von G…. (52.2–6) und das
Inserat des Grafen (60.11–14) in Anführungszeichen (vgl.
Sembdners Kleist-Ausgabe, Bd. 2, S. 900). Das mit dem kolpor-
tierten Ausruf des Grafen Gemeinte kann an dieser Stelle nicht
kohärent in einen entsprechenden Handlungskontext einge-

ordnet und darum auch nicht verstanden werden, da der Vorname nicht eindeutig auf eine bestimmte Person verweist (vgl. Erl. zu 32.27–28) und von einem zu rächenden Unrecht, das der Person widerfahren sein sollte, bisher nicht die Rede war. Der Ausruf als Mittel der Verrätselung gibt aber – erzähllogisch – einen entscheidenden Hinweis auf die noch zu klärende Beziehung zwischen den beiden Protagonisten und ihren ›Geheimnis‹.

32.27–28 **bedauerte die Unglückliche, ihre Namensschwester:** Die vorliegende Diminutiv- und Koseform des Namens ›Julia‹ verweist auf Shakespeares (1564–1616) Tragödie *Romeo and Juliet* sowie auf die Titelfigur des Briefromans *Julie ou La Nouvelle Héloïse* von Jean-Jacques Rousseau (1712–1778).

34.22–24 **Worauf er, mit […] ihn heiraten wolle?:** Der unmotiviert vorgebrachte Heiratsantrag bleibt für die Marquise zunächst genauso rätselhaft wie die Bedeutung der letzten Worte des Grafen (vgl. Erl. zu 32.20) vor seinem vermeintlichen Tod.

36.35–37.2 **daß die einzige […] gut zu machen:** Einführung des Motivs der Wiedergutmachung, der Sühne, das sich – ebenso wie der Heiratsantrag – kausal nicht in die bislang dargestellte Handlung einfügen lässt.

39.21–23 **daß er Damenherzen […] erobern gewohnt scheine:** Die militär. Metaphorik in der Sprache der Erzählung kumuliert in diesem Passus: »Die Frau (die Marquise) erscheint als Festung, der Mann als Belagerer und Eroberer, dessen Sieg dadurch erleichtert wird, daß er die Festung in Brand schießt (die Frau entflammt).« (FKA 3, S. 787).

41.34–42.10 **wie er die […] Rudern und In-die-Brust-sich-werfen:** Die Erzählung des Grafen über eine Fieberphantasie kann als poetisch verdichtetes, allegorisch verfremdetes Liebesgeständnis verstanden werden. Der Schwan als Emblem und christl. Symbol der Reinheit, der Unschuld und des Lichts verkörpert somit für ihn Eigenschaften der Marquise, auf die auch die Bedeutung des Namens ›Thinka‹ (Koseform von ›Kathinka‹, ›Katharina‹, die ›Reine‹) verweist.

44.9–10 **ich muß mich […] zum zweitenmal ergeben:** Nach der Kapitulation im Kampf um die Zitadelle muss der Oberst auch privat-familiär eine Niederlage – in militär. Metaphorik – eingestehen.

Vermählen, wiederholte der [...] ihn verstehen würde!: Nach   45.17–20
den ›letzten Worten‹ (32.20), seinem Heiratsantrag (34.22–24),
dem Eingeständnis einer Schuld (36.35–37.2) und dem allegorisch verbrämten Liebesgeständnis (41.34–42.10) eine weitere
und letzte Handlung des Grafen vor seiner Abreise, die von der
Marquise und ihrer Familie nicht verstanden wird. Damit erreicht die Verrätselung der Handlung einen ersten Höhepunkt.

Bei diesen Worten [...] Marquise in Ohnmacht.: Die Ohnmacht   50.34–35
der Marquise nach der Bestätigung ihrer Schwangerschaft durch
die Hebamme korrespondiert mit ihrer Ohnmacht nach der
Empfängnis (29.9–10).

außer der heiligen Jungfrau: Der Vergleich mit der unbefleckten   51.21–22
Empfängnis Marias findet sich noch nicht in der Erstausgabe der
Erzählung im *Phöbus*-Heft von 1808, sondern – wie auch der
Gedanke der Marquise über den möglichen göttlichen Ursprung
ihres Kindes (54.16) – erst im Erzählband aus dem Jahre 1810.

gab ihr auch [...] Welt ausweichen könne: Eine humoristische   51.28–30
Variante der Anwendung dieser Mittel bietet Kleist in der Anekdote *Sonderbare Geschichte, die sich, zu meiner Zeit, in Italien
zutrug* (FKA 3, S. 368–371).

Herr meines Lebens!: Offensichtlich doppelter Bezug: Die Mar-   52.32
quise ruft sowohl Gott als auch ihren Vater an, der dadurch in
die Nähe Gottes gerückt wird.

matt bis in den Tod: Anspielung auf die Worte Christi am Öl-   52.35–53.1
berg: »Meine Seele ist betrübt bis an den Tod« (Matth. 26,38).

Durch diese schöne [...] herabgestürzt hatte, empor.: In einem   53.14–17
Akt der Befreiung und der Selbstvergewisserung will die Mar-
quise die Entwicklung des weiteren Geschehens und die ihres
Lebens in eigene Hände nehmen, selbst bestimmen (vgl. hierzu
Kap. Deutungsaspekte, S. 162 u. 170).

Beute: Dieses in der Erzählerrede gebrauchte Wort aus der Mi-   53.19
litär- und Jägersprache scheint anzudeuten, dass die Marquise
ihre beiden Kinder nach einem (inneren) Kampf, in dem sie den
»Sieg« (53.20) davontrug, mit sich nimmt. Vgl. auch denselben
Sprachgebrauch im *Erdbeben*, 14.34.

was unsre Leser so eben erfahren haben: Zu Beginn des zweiten   55.23
Teils der Erzählung tritt der Erzähler bewusst aus dem Erzählkontinuum heraus und macht auf diese Weise auf die vorgenom-

mene chronologische Inversion und damit auf die Fiktionalität des Textes aufmerksam.

56.15 **Mauer eines weitläufigen Gartens**: Der Verweis auf einen ›hortus conclusus‹ steht in Zusammenhang mit den Unschuldsbeteuerungen der Marquise, gilt doch der verschlossene Garten seit dem frühen Mittelalter als Symbol für die Jungfrau mit dem Kind, das in der Malerei seine Ausprägung im ›Paradiesgärtlein‹ fand (vgl. Doering 2004, S. 28).

57.21–22 **Ich *will nichts* wissen**: Diese Aussage der Marquise hat in der Forschung zu vielerlei Deutungen Anlass gegeben. Während Doering (2004, S. 28 f.) sie lediglich als »formelhafte Wendung« verstanden wissen will, sehen andere Interpreten (Cohn 1975, Moering 1972, Politzer 1977, Müller-Salget, FKA 3, S. 780 f.) in dieser Wendung ein verdrängtes Wissen der Marquise um ihre Liebe und die Ursache ihrer Schwangerschaft.

58.33–34 **Inzwischen waren in [...] lebhaftesten Auftritte vorgefallen.**: Erneuter Erzählerkommentar, um die gleichzeitig mit dem Besuch des Grafen bei der Marquise vorgefallenen Ereignisse im Hause des Kommandanten erzählerisch einzuflechten und nachzuholen.

64.4–5 **Leopardo, der Jäger**: Der Name der gefürchteten, ›lendenstarken‹ (Politzer) Raubkatze passt zwar zur Rolle, die die Obristin ihm in ihrer List zuteil werden lässt, erweist sich jedoch als ironische Brechung angesichts der Harmlosigkeit dieser Figur.

64.26–27 **o du Reinere als Engel sind**: Angesichts der Probe, die die Marquise bestanden hat, greift die Obristin im Überschwang ihrer Gefühle hier und auch später (»du Herrliche, Überirdische«, 64.35–65.1) zu hypertrophen Kennzeichnungen ihrer Tochter aus dem religiösen Bereich.

65.17–18 **ich *will* keine [...] als deine Schande**: Dieses Paradoxon drückt die völlige Versöhnung zwischen Mutter und Tochter aus, obwohl das Rätsel der Ursache für die Schwangerschaft der Marquise immer noch nicht gelöst ist.

68.7–69.2 **Sie vernahm, da [...] seiner Tochter spielte.**: Die Versöhnungsszene findet ihr Vorbild im 63. Brief des 1. Teils des Briefromans *Julie ou La Nouvelle Héloïse* von Rousseau. Die von den Zeitgenossen als anstößig empfundene Szene (vgl. Entstehungs- und Wirkungsgeschichte, S. 127 f.) ist vor dem Hintergrund der Ge-

fühlskultur des 18. Jh.s zwar verständlich, hat aber gleichwohl –
wegen inzestuöser Färbung – zu einigen Kontroversen (vgl. Politzer 1977, v. Wilpert 1986) geführt.

Der eilfte Glockenschlag [...] bei diesem Anblick.: Kleist nutzt   70.9–12
den komödienhaften Effekt dieser Szene, dass sich nämlich be-
wahrheiten könnte, was die Obristin nur als List (vgl. Erl. zu
64.4–5) sich ausgemalt hat.

griff in ein Gefäß [...] damit, und verschwand: In Anlehnung an   71.28–31
ein religiöses Ritual will die Marquise mit dem versprengten
Weihwasser ihre Familienmitglieder vor dem »Teufel«, dem Grafen F., schützen. Sie exorziert ihn gleichsam.

er würde ihr [...] Engel vorgekommen wäre: In der »Struktur   74.19–21
des [scheinbaren] Widerspruchs« (Müller-Seidel 1967) ver-
klammert Kleist die extremen Gefühlszustände der Marquise, in
der sie sich im Laufe der Erzählung befindet, wenn ihr Graf F.
einerseits als vermeintlicher Retter (»Engel«), andererseits als
scheinbar »abgefeimter« Schurke (»Teufel«) gegenüber tritt.

Die Verlobung in St. Domingo

St. Domingo: 1492 von Kolumbus entdeckt, wurde die Insel   75.1
Haiti zunächst Hispaniola genannt, später nach der Hauptstadt
Santo Domingo. Nach der Besiedlung des Westteils durch Franzosen trat Spanien 1697 diesen an Frankreich ab. Als franz. Kolonie (St. Domingue) entwickelte sie sich durch Anbau von Zuk-
kerrohr zu einer der reichsten Übersee-Kolonien Frankreichs.
Die franz. Nationalversammlung verfügte 1793 die Freilassung
aller Sklaven, die sich zu einem Aufstand gegen ihre früheren
Herrscher formierten. Unter den Anführern Toussaint Louverture (1743–1803) und Dessalines (vgl. Erl. zu 76.34–77.1), beide ehemalige Sklaven, vertrieben sie Franzosen und Spanier, be-
freiten die Insel, so dass 1804 Dessalines die Unabhängigkeit
proklamieren konnte. Zum historischen Hintergrund: s. FKA 3,
S. 828 ff.

Port au Prince: Die 1749 von den Franzosen gegründete Hafen-   75.2
stadt wurde 1770 Hauptstadt der Kolonie St. Domingue und ist
heute Hauptstadt der Republik Haiti.

Congo Hoango: Der Name verweist auf zwei gewaltige Ströme   75.6

in Afrika (Kongo) und Asien (Hoangho), die in entgegengesetzte Richtungen fließen. Von hier aus erschließt sich auch die Bedeutung des Namens Strömli. Vgl. zu diesem Komplex: Reuß 1988, S. 18 ff.

75.6–7 **Goldküste von Afrika**: Das heutige Ghana war zwischen 1500 und 1800 einer der Hauptumschlagplätze des Sklavenhandels in Westafrika. Hier lag die ehemalige kurbrandenburgische Festung Groß-Friedrichsburg, die der Große Kurfürst Friedrich Wilhelm (1620–1688) 1683 anlegen ließ und 1718 an die Niederländer verkauft wurde.

75.17–18 **Babekan**: Der aus den Wörtern Baba (poln. altes Weib; russ. Hexe) und K(h)an in der Bedeutung ›Herrscher‹ im gesamten tatar. Bereich gebildete Name kennzeichnet also ein altes, herrschsüchtiges Weib. Der Name findet sich auch in Wielands (1733–1813) Versepos *Oberon*, in dem er einen oriental. Prinzen bezeichnet.

75.27 **die unbesonnenen Schritte des National-Konvents**: Der genaue Bezug bleibt unklar. Im Mai 1791 fasste die Nationalversammlung den Beschluss, dass alle ›freien Farbigen‹ mit den Weißen gleichberechtigt seien, nahm den Beschluss jedoch im September 1791 wieder zurück. 1793 dekretierte sie die formelle Freilassung aller Sklaven, obwohl diese in verschiedenen Departments schon vorher verfügt worden war.

76.20–21 **diese weißen Hunde, wie er sie nannte**: Typisches Erzählverfahren Kleists, in die Erzählerrede Wendungen oder Ausdrücke von Personen der Handlung zu integrieren (vgl. 82.17; 106.19 f.). Der so konstituierte ›Dialog des Prosawortes und der Vielstimmigkeit‹ (Bachtin, Mecklenburg) eröffnet einen Polyperspektivismus auf das bezeichnete Geschehen und eine Polyvalenz hinsichtlich der Wertung. Vgl. auch: Reuß 1988, S. 9 f.

76.34–77.1 **im Jahre 1803 [...] Port au Prince vorrückte**: Jean-Jacques Dessalines (1758–1806), an der Goldküste Afrikas (vgl. Erl. zu 75.6–7) geboren und als Sklave nach St. Domingue verschleppt, organisierte nach der Wiedereinführung der Sklaverei in den französischen Kolonien erneut einen Aufstand und besiegte 1803 die franz. Truppen. Nach der Proklamation der Unabhängigkeit 1804 ernannte er sich zum Gouverneur auf Lebenszeit und im selben Jahr zum Kaiser von Haiti. Seine gefürchtete Grausamkeit führte zu seiner Ermordung im Oktober 1806.

212

Und damit streckte er [...] Alten zu ergreifen: Diese Vertrauen 77.17–19
schaffende Geste (vgl. Scherpe 1998) setzt Kleist nicht nur leitmotivisch ein (vgl. 78.32; 79.15 f.; 79.30; 81.8; 83.35–84.2
u. ö), sondern eröffnet – nach abgeschlossener Exposition – allererst den Erzählraum, in dem sich die Handlung abspielt. Die
Geste weist Ähnlichkeiten mit Michelangelos Darstellung der
Erschaffung Adams in der Sixtinischen Kapelle des Vatikan
auf.

Wer bist du?: Gustavs Frage nach der Identität Tonis signalisiert 78.35
völlige Orientierungslosigkeit nicht nur dieser Person, sondern –
rekurrenzartig eingesetzt (vgl. 79.35; 86.11) – auch der anderen
Protagonisten.

um mehr als einer Ursache willen betroffen: Die Attraktivität 79.1–2
Tonis verwirrt Gustav, der ihre Ähnlichkeit mit seiner getöteten
Verlobten Mariane (vgl. die 2. Anekdote in der Erzählung,
91.23 ff.) offenbar nur unterschwellig (vgl. auch: 89.20 ff.) und
ohne klares Bewusstsein wahrgenommen hat.

aus der Farbe [...] der meinigen entgegen: Grundlage für das 80.30–31
zaghaft sich entwickelnde Vertrauen Gustavs bildet ausschließlich Babekans teilweise weiße Hautfarbe als Mulattin.

heuchelte die Alte: In solchen und ähnlichen Wertungen (vgl. 81.17
85.35–86.1) tritt der Erzähler aus dem Erzählkontinuum heraus
und gibt dem Leser Orientierungs- und Verstehenshinweise, um
das Gesagte hinsichtlich seiner Wahrhaftigkeit einordnen zu
können.

»Ist es nicht [...] wie das andere?: Anspielung auf das Körper- 81.17–20
Staats-Gleichnis des Menenius Agrippa (503 v. Chr. Konsul der
röm. Republik), mit dem es ihm auf dem heiligen Berg (mons
sacer) gelungen sein soll, den Aufstand der Plebejer gegen die
Patrizier Roms (494 v. Chr.) zu beenden. Vgl. Titus Livius *Ab
urbe condita* 2, 16 ff.

unter vielfachen Küssen [...] knöcherne Hand niederregne- 83.35–84.2
ten: Dankbarkeits- und Ergebenheitsgeste, die ihre Ergänzung
in Tonis (Liebes-)Küssen auf die Hand Gustavs findet (103.29–
30).

Aber seine Einbildung [...] Negerin gehalten haben.: Tonis iro- 84.27–30
nisch verfremdete Bemerkung über ihr Aussehens und ihre Her-
kunft (vgl. 85.8–16) soll letzte Befürchtungen und Misstrauen
Gustavs zerstreuen.

85.1–2 **aus einem vergifteten Becher mit dir trinken wollen**: Gustavs euphorische Ausdrucksweise, mit Toni den vergifteten Liebestrunk nehmen zu wollen, signalisiert zwar die sich anbahnende Liebesbeziehung zwischen ihnen und die insgesamt sich – scheinbar – entspannende Situation, erweist sich aber angesichts der von Babekan vergifteten Milch für Gustav (97.14–21) als unangemessen. Anlehnungen an den Minnetrunk in Gottfried von Straßburgs Epos *Tristan und Isolde* und den Giftbecher in Shakespeares *Romeo und Julia* sind ebenfalls denkbar.

86.1–9 **»Herr Bertrand leugnete [...] der Schwindsucht leide.«**: Die hier und unmittelbar folgende (86.17–33) integrierten Rückblenden holen prägende Begebenheiten im Leben Babekans und Gustavs nach, zielen aber im Wesentlichen auf Taten der Niedertracht von Weißen bzw. Schwarzen und verhalten sich komplementär zueinander. Der von Tonis Vater Bertrand vor Gericht geleistete freche »Eidschwur«, mit dem er seine Vaterschaft leugnet, wird an anderer Stelle (115.20) wieder aufgegriffen.

87.5 **Der Wahnsinn der Freiheit**: Doppeldeutige Formulierung, die einerseits durch die Freiheit ausgelöste Brutalitäten meint, andererseits die Nähe zu bloßer Willkür und Anarchie verdeutlichen kann.

87.10–35 **Besonders, fuhr er [...] die dir gleichen! –**: Die erste von zwei eingeschobenen Anekdoten besitzt mehrere Funktionen: Zum einen kann sie als Komplementär-Erzählung oder »Variation zu Babekans Geschichte« (86.1–9) verstanden werden, zum anderen eröffnet sie für Toni die Möglichkeit, den von ihr erwarteten Verrat an Gustav zu reflektieren (88.2), und zum dritten »bestärkt Gustavs Kenntnis von diesem Vorfall ihn später in seinem falschen, tödlichen Mißtrauen gegenüber Toni« (FKA 3, S. 846; vgl. hierzu auch: Neumann 2003, S. 187 ff.).

88.12–13 **Er trat bei [...] an das Fenster**: Leitmotivisch eingesetzte Wendung, die immer dann gebraucht wird, wenn die entsprechende zweifelnde Person nach Orientierung oder Beherrschung ihrer Gefühle ringt (vgl. 92.32; 115.29).

89.5–14 **Das Mädchen hatte [...] ihre einnehmende Gestalt.**: Anspielung auf die Fußwaschung Maria Magdalenas, die Jesus eine Woche vor seinem Tod die Füße wäscht, salbt und mit ihren Haaren zum Zeichen der Liebe, Reinheit und Ergebenheit trocknet. (Vgl. Lk 7,36–50. Hier spricht Jesus nach der Waschung die bedeutungsschweren Worte: »Dein Glaube hat dir geholfen.«)

ein Mädchen von [...] um zu heiraten: Gustav spielt auf die 90.2–4
Verserzählung *Das junge Mädchen* von Christian Fürchtegott
Gellert (1715–1769) an.

»Ihr Name war [...] seinen Rumpfe trennte.: Die zweite Anek- 91.23–92.26
dote kann als Komplementär-Erzählung zur ersten (vgl. Erl. zu
87.10–35) verstanden werden, rücken doch beide denkwürdige
Entscheidungen und Handlungen der weiblichen Protagonisten
in den Mittelpunkt – allerdings mit entgegengesetzter Intention:
Beabsichtigt dort das mit Gelbfieber infizierte Mädchen Rache
an den Weißen zu nehmen, so opfert Mariane hier ihr Leben, um
das ihres Verlobten (Gustav) zu retten. Zugleich offeriert dieses
selbstlose Opfer Marianes Toni eine Entscheidungs- und Hand-
lungsalternative zu ihrer bislang vorgesehenen Rolle als Lock-
vogel für die todgeweihten Weißen.

Congreve: Der Name erinnert an die Place de Grève in der Pa- 91.23
riser Innenstadt, auf der während der Franz. Revolution die
Guillotine stand.

die Rotte meiner [...] Opfer haben mußte: Anspielung auf 92.7–9
Schillers Drama *Wilhelm Tell* (I,1, V. 147): »Da ras't der See und
will sein Opfer haben.«

Hier, ihr Unmenschlichen!: Parallele zu Jeronimos Ausruf im 92.17–18
Erdbeben in Chili: »Halt! Ihr Unmenschlichen!« (24.11–12).

diesen Menschen kenne ich nicht: Allusion auf die Verleugnung 92.22–23
Jesu im Garten Gethsemane durch Petrus, allerdings mit entge-
gengesetzter Intention: »Ich kenne den Menschen nicht.«
(Matth. 26,72 u. 74)

Was weiter erfolgte [...] von selbst lies't.: Der explizit aus dem 93.3–4
Erzählkontinuum heraustretende Erzähler macht im Dienste des
Autors auf die »immanente Poetik der Erzählung« aufmerksam,
die darin besteht, dass »alles vorherige (und auch künftige) Reden in seiner scheinbar fraglosen Verweisungskraft suspendiert
und *als Bestandteil einer geschriebenen Erzählung ausspricht*«
(Reuß 1988, S. 34).

Er nahm sich [...] um den Hals.: Indem Gustav Toni das gol- 93.11–15
dene Kreuz Marianes als »Brautgeschenk« um den Hals hängt,
ist – nonverbal, ohne ausgesprochene Gelöbnisformel – die Ver-

lobung vollzogen. Die kurz darauf folgende Anrede Tonis als
»seine liebe Braut« (94.17) unterstreicht diesen unerwarteten
Schritt Gustavs. Darüber hinaus determiniert Tonis Annahme
des Geschenks sowohl ihr künftiges Handeln, das – so scheint
es – auf die Rettung Gustavs ausgerichtet ist, der sich nunmehr in
Sicherheit wähnt, als auch ihren gewaltsamen Tod. Das Kreuz
Marianes fungiert also *erzähltechnisch* als zukunftsgewisse Vorausdeutung und ist Teil des dichten Verweisungsgeflechts der
Erzählung.

93.21   **an den Ufern der Aar**: 1802 hat Kleist auf der Delosea-Insel in
der Aare bei Thun mehrere Monate gelebt.

95.18   **indem sie die Arme in die Seite stämmte**: Eine weitere Rekur-
renz, die das völlige Unverständnis Babekans hinsichtlich der
Handlungen Tonis (vgl. auch 106.26–28) gestisch anzeigt.

97.2–5   **und gleichsam als ob [...] hatte, zu Füßen**: Toni befindet sich in
einem Innenkonflikt, erkauft sie doch die geplante Rettung Gustavs mit einem Verrat an der Sache der Schwarzen und einem
Bruch »der bestehenden Landesgesetze« (76.27–29 u. 96.31–
97.2).

98.3–4   **was sie an ihr für eine Tochter habe**: Solche Formulierungen
Tonis und andere kryptische wie die des Knaben Nanky (»und
der Neger Hoango soll mit mir zufrieden sein!« 101.25–26)
oder wiederum Tonis an wichtiger Stelle (»es ist nicht die
schlechteste Tat, die ich in meinem Leben getan!« 106.3–4) erschließen sich in ihren konkreten Bedeutungen nicht den Dia-
logpartnern, wohl aber – aus der Retrospektive – dem Leser.
(Vgl. hierzu Reuß 1988, S. 35 f.)

98.35–99.1   **der Bastardknabe, den wir schon kennen**: Das Erzähler und
Rezipient umschließende Personalpronomen ›wir‹ unterstreicht
explizit, dass der Leser Teil des Erzählprozesses wird bzw. ist
und macht die Fiktionalität des erzählten Geschehens eigens
deutlich. Solche Formen der Meta-Fiktion lassen sich auch an
anderen Stellen der Erzählung finden (76.34; 93.3–4).

100.35–101.1   **sondern als ihren Verlobten und Gemahl an**: Auch Toni versteht
sich als die Gustav Versprochene, mehr noch: als seine Ehefrau,
womit die stumme Verlobungsszene am Ende des ersten Hand-
lungsstranges (93 f.) ihre volle Wirkung entfaltet hat.

106.3–4   **und, beim Himmel, [...] meinem Leben getan**: Doppeldeutige

Anspielung auf Schillers Drama *Die Räuber*, in dem Schweizer nach der Tötung Spiegelbergs zu Karl Moor äußert: »und es ist beim Teufel nicht das Schlechteste, was ich in meinem Leben getan habe.« (IV, 5). Vgl. auch Erl. zu 98.3–4 und Kap. Deutungsaspekte, S. 182.

Denn die Blicke [...] Unternehmung zu sterben.: Toni hat instinktiv bemerkt, dass Gustav die mit seiner Fesselung intendierte Absicht der Täuschung nicht verstanden hat. Sie fürchtet um ihre Liebe und will diese retten, indem sie sich – nach dem Vorbild Mariane Congreves – opfert (vgl. auch Erl. zu 93.11–15). 107.32–108.3

Gustav: In den beiden Vorabdrucken der Erzählung (vgl. Entstehungs- und Wirkungsgeschichte, S. 126) wird der Name Gustav hier und dreimal auf der Seite 257 (Z. 1, 13, 24) durch August ersetzt. Die von Reuß (1988, S. 39 f.) hierzu »vorgetragene Deutung, die (zu ›Gustav‹ anagrammatische) Schreibung ›August‹ solle den an Toni gänzlich irre gewordenen Gustav kennzeichnen, dem die Vettern seinen tatsächlichen Namen erst wieder ›in die Ohren donnern‹ müssen [114.17 f.], ist scharfsinnig und diskussionswürdig« (FKA 3, S. 852), trägt sie doch der durchaus plausiblen Funktion dieses künstlerischen Verfahrens Rechnung, dass nämlich Gustav Tonis Handeln in seiner Intention nicht zu begreifen vermag und es nur von seinem möglichen Ende her (dem Tod) denkt. Vgl. auch Kap. Deutungsaspekte, S. 182 u. 190. 109.19

»ich habe euch [...] zu verantworten wissen.«: Tonis behauptete Schuldlosigkeit ist objektiv falsch und unterstreicht die auf halbem Weg stecken gebliebene Abkehr von ihrer gemeinsamen Lebensgeschichte mit den Schwarzen. »Mit dem Übertritt zu den Weißen hat Toni die gemeinsame Leidensgeschichte der Schwarzen verraten, die durch ihre Geburt und deren Folgen für ihre Mutter auch ihre Geschichte war. Babekans Vorwurf und ihr Fluch bestehen zu Recht.« (Herrmann 1998, S. 126) 112.16–21

Und damit hauchte sie ihre schöne Seele aus.: Mit dieser Formulierung rückt Kleist Toni in die Nähe der »Verkörperung jener Vereinigung von ›Anmut und Würde‹, von ›Pflicht und Neigung‹, die Schiller und Goethe im Begriff der ›schönen Seele‹ (vgl. Schillers Aufsatz *Über Anmut und Würde*) zu fassen versucht haben. 115.16–17

115.19-21 **ich hätte dir [...] darüber gewechselt hatten:** Mit der Verwendung des Begriffs ›Eidschwur‹ wird ein zweifacher Zusammenhang hergestellt: Zum einen hat Gustav sein Verlobungsgelöbnis gebrochen, »daß die Liebe für sie nie aus seinem Herzen weichen würde« (93.30–31), zum anderen setzt ihn sein gebrochener Eid in Beziehung zu Tonis Vater Bertrand, der seine Vaterschaft frechstirnig verleugnete (86.5).

115.35–116.3 **aber des Ärmsten [...] den Wänden umher:** Die geschilderte Brutalität, mit der Gustav seinem Leben ein Ende setzt, besitzt sowohl innerliterarische Bezüge zum *Erdbeben in Chili* (26.10–12) sowie zu *Michael Kohlhaas* (FKA 3, S. 63.25 f.) als auch – retrospektiv – biographische, nahm sich Kleist doch durch einen Kopfschuss das Leben.

Suhrkamp BasisBibliothek
Text und Kommentar in einem Band

»Die Suhrkamp BasisBibliothek hat sich längst einen Namen gemacht. Als ›Arbeitstexte für Schule und Studium‹ präsentiert der Suhrkamp Verlag diese Zusammenarbeit mit dem Schulbuchverlag Cornelsen. Doch nicht nur prüfungsgepeinigte Proseminaristen treibt es in die Arme der vielschichtig angelegten Didaktik, mit der diese unprätentiösen Bändchen aufwarten. Auch Lehrer und Liebhaber vertrauen sich gerne den jeweiligen Kommentatoren an, zumal die Bände mit erschöpfenden Hintergrundinformationen, Zeittafeln, Entstehungsgeschichten, Rezeptionsgeschichten, Erklärungsmodellen, Interpretationsskizzen, Wort- und Sacherläuterungen und Literaturhinweisen gespickt sind.«
Frankfurter Allgemeine Zeitung

Ingeborg Bachmann. Malina. Kommentar: Monika Albrecht und Dirk Göttsche. SBB 56. 389 Seiten

Jurek Becker. Jakob der Lügner. Kommentar: Thomas Kraft. SBB 15. 351 Seiten

Thomas Bernhard
- Amras. Kommentar: Bernhard Judex. SBB 70. 144 Seiten
- Erzählungen. Kommentar: Hans Höller. SBB 23. 171 Seiten

Peter Bichsel. Geschichten. Kommentar: Rolf Jucker. SBB 64. 194 Seiten.

Bertolt Brecht
- Der Aufstieg des Arturo Ui. Kommentar: Annabelle Köhler. SBB 55. 182 Seiten
- Die Dreigroschenoper. Kommentar: Joachim Lucchesi. SBB 48. 170 Seiten

NF 279b/1/6.07

- Der gute Mensch von Sezuan. Kommentar: Wolfgang Jeske.
  SBB 25. 214 Seiten
- Der kaukasische Kreidekreis. Kommentar: Ana Kugli.
  SBB 42. 189 Seiten
- Leben des Galilei. Kommentar: Dieter Wöhrle. SBB 1.191 Seiten
- Mutter Courage und ihre Kinder. Kommentar: Wolfgang
  Jeske. SBB 11. 185 Seiten

Georg Büchner
- Danton's Tod. Kommentar: Joachim Hagner. SBB 89. 200 Seiten
- Lenz. Kommentar: Burghard Dedner. SBB 4. 155 Seiten

Adelbert von Chamisso. Peter Schlemihls wundersame Geschichte.
Kommentar: Thomas Betz und Lutz Hagestedt. SBB 37. 178 Seiten

Paul Celan. »Todesfuge« und andere Gedichte. Kommentar:
Barbara Wiedemann. SBB 59. 186 Seiten

Annette von Droste-Hülshoff. Die Judenbuche. Kommentar: Christian Begemann. SBB 14. 136 Seiten

Joseph von Eichendorff. Aus dem Leben eines Taugenichts.
Kommentar: Peter Höfle. SBB 82. 180 Seiten

Max Frisch
- Andorra. Kommentar: Peter Michalzik. SBB 8. 166 Seiten
- Biedermann und die Brandstifter. Kommentar: Heribert
  Kuhn. SBB 24. 142 Seiten
- Homo faber. Kommentar: Walter Schmitz. SBB 3. 301 Seiten

Theodor Fontane
- Effi Briest. Kommentar: Dieter Wöhrle. SBB 47. 414 Seiten
- Irrungen, Wirrungen. Kommentar: Helmut Nobis.
  SBB 81. 258 Seiten

Johann Wolfgang Goethe
- Götz von Berlichingen. Kommentar: Wilhelm Große.
  SBB 27. 243 Seiten
- Die Leiden des jungen Werthers. Kommentar: Wilhelm
  Große. SBB 5. 222 Seiten
- Wilhelm Meisters Lehrjahre. Kommentar: Joachim Hagner.
  SBB 85. 700 Seiten

Jeremias Gotthelf. Die schwarze Spinne. Kommentar:
Michael Masanetz. SBB 79. 172 Seiten

Grimms Märchen. Kommentar: Heinz Rölleke.
SBB 6. 136 Seiten

Norbert Gstrein. Einer. Kommentar: Heribert Kuhn.
SBB 61. 157 Seiten

Peter Handke. Wunschloses Unglück. Kommentar: Hans
Höller. SBB 38. 131 Seiten

Friedrich Hebbel. Maria Magdalena. Kommentar: Florian
Radvan. SBB 74. 150 Seiten

Christoph Hein. Der fremde Freund. Drachenblut.
Kommentar: Michael Masanetz. SBB 69. 236 Seiten

Hermann Hesse
- Demian. Kommentar: Heribert Kuhn. SBB 16. 233 Seiten
- Narziß und Goldmund. Kommentar: Heribert Kuhn.
  SBB 40. 407 Seiten
- Siddhartha. Kommentar: Heribert Kuhn. SBB 2. 192 Seiten
- Der Steppenwolf. Kommentar: Heribert Kuhn. SBB 12. 306 Seiten
- Unterm Rad. Kommentar: Heribert Kuhn. SBB 34.
  275 Seiten

NF 279b/3/6.07

Friedrich Schiller
- Kabale und Liebe. Kommentar: Wilhelm Große. SBB 10. 175 Seiten
- Maria Stuart. Kommentar: Wilhelm Große. SBB 53. 220 Seiten
- Die Räuber. Kommentar: Wilhelm Große. SBB 67. 272 Seiten
- Wilhelm Tell. Kommentar: Wilhelm Große. SBB 30. 196 Seiten

Arno Schmidt. Schwarze Spiegel. Kommentar: Oliver Jahn. SBB 71. 150 Seiten

Arthur Schnitzler. Lieutenant Gustl. Kommentar: Ursula Renner-Henke. SBB 33. 162 Seiten

Theodor Storm. Der Schimmelreiter. Kommentar: Heribert Kuhn. SBB 9. 199 Seiten

Hans-Ulrich Treichel. Der Verlorene. Kommentar: Jürgen Krätzer. SBB 60. 176 Seiten

Martin Walser. Ein fliehendes Pferd. Kommentar: Helmuth Kiesel. SBB 35. 164 Seiten

Peter Weiss
- Abschied von den Eltern. Kommentar: Axel Schmolke. SBB 77. 192 Seiten
- Die Ermittlung. Kommentar: Marita Meyer. SBB 65. 304 Seiten.
- Die Verfolgung und Ermordung Jean Paul Marats. Kommentar: Arnd Beise. SBB 49. 180 Seiten

Frank Wedekind. Frühlings Erwachen. Kommentar: Hansgeorg Schmidt-Bergmann. SBB 21. 148 Seiten

Christa Wolf
- Der geteilte Himmel. Kommentar: Sonja Hilzinger. SBB 87. 320 Seiten
- Kein Ort. Nirgends. Kommentar: Sonja Hilzinger. SBB 75. 158 Seiten